SOUS LA DIRECTION DE

**Bertrand Badie
et Dominique Vidal**

Nouvelles guerres

L'état du monde 2015

La Découverte
9 *bis*, rue Abel-Hovelacque
75013 Paris

▶   **Conception graphique** ▷ de la couverture **Philippe Rouy**
           ▷ de l'intérieur **Andréas Streiff**

Si vous désirez être tenu régulièrement informé de nos parutions, il vous suffit de vous abonner gratuitement à notre lettre d'information bimensuelle par courriel, à partir de notre site

www.editionsladecouverte.fr

où vous retrouverez l'ensemble de notre catalogue.

ISBN   978-2-7071-8269-2

Table

Table | 7

III. Théâtres. Conflits régionaux

Depuis son lancement en 1981, *L'état du monde* scrute et accompagne les mutations de la planète. Son réseau d'auteurs prend appui sur de nombreuses équipes de recherche, en France et à l'étranger, dans toutes les disciplines liées à l'international[1].

Un diagnostic de la planète en 2014

L'état du monde scrute les grandes mutations politiques, économiques, sociales, diplomatiques, mais aussi technologiques ou environnementales à travers une trentaine d'articles incisifs, permettant aux lecteurs de rapprocher et de resituer dans un contexte global des phénomènes en apparence isolés. Cette édition 2015 se concentre sur la question de la guerre.

De l'Irak à la Centrafrique, de l'Ukraine à la République démocratique du Congo, en passant par la Syrie, le Mali ou la Somalie, les conflits reviennent en force dans l'actualité internationale. Alors que de nouvelles armes apparaissent, dans le ciel avec les drones, ou dans le cyberespace, et que les enjeux des confrontations évoluent – combats pour le pouvoir, redéfinition des frontières, militarisation des politiques migratoires, rivalités autour des ressources naturelles –, une question se pose : la guerre a-t-elle changé de nature depuis la fin de la guerre froide et, plus encore, depuis le 11 septembre 2001 ? Assiste-t-on à l'émergence de « nouvelles guerres » remettant en cause les schémas classiques et bouleversant les notions d'« ennemis », de « territoire », de « souveraineté » et même d'« ordre » et de « désordre » ?

Telles sont les interrogations qui parcourent les deux premières parties de l'ouvrage : la première adopte un point de vue global

---

1   Un site Internet incluant toutes les archives de *L'état du monde* est disponible gratuitement à l'adresse <www.etatdumonde.com>.

pour étudier les métamorphoses de la guerre ; la deuxième étudie les formes et les acteurs des conflits contemporains à travers diverses études de cas. Comme chaque année, la troisième partie est composée d'articles « régionaux » qui mettent en lumière les tensions stratégiques et diplomatiques majeures, illustrant l'évolution des conflits en Asie, en Afrique, au Moyen-Orient et en Amérique latine.

Un cahier cartographique, des annexes statistiques

Pour aider les lecteurs à visualiser les dynamiques des conflits contemporains, l'équipe de *L'état du monde* a fait appel au géographe, cartographe et journaliste Philippe Rekacewicz dont le travail figure dans le cahier cartographique et dans les annexes statistiques qui complètent cet ouvrage.

Guerres d'hier et d'aujourd'hui

Bertrand Badie
Professeur des universités à l'Institut d'études politiques de Paris (Sciences Po)

On n'enseigne plus, dans les collèges et les lycées de France, cet enchaînement de guerres qui, depuis la Renaissance, a marqué l'histoire de l'Europe, pratiquement jusqu'en 1945. De la guerre de Trente Ans jusqu'à la Seconde Guerre mondiale, le mécanisme des affrontements militaires a peu à peu dessiné le Vieux Continent, établi les frontières, construit les nations et consolidé les États. Du philosophe anglais Thomas Hobbes, auteur du *Léviathan* (1651), jusqu'à Raymond Aron, l'histoire n'était conçue que comme tragique, la guerre était dans les gènes de notre modernité politique.

Cette vision est-elle universelle ? Pas si sûr. Si la violence est la chose du monde la mieux partagée, sa réalisation sous forme de guerre interétatique est bien conforme au modèle européen. Le Vieux Continent en a retiré non seulement son extrême fragmentation, mais aussi ce lien intime entre la construction étatique et les caprices de Mars. Plus encore, c'est bien la première de ces guerres modernes qui érigea les traités qui l'ont conclue, signés en Westphalie en 1648, en marque de notre système international, celui-là même que nous prétendions, dès le XIXe siècle, donner en partage au monde entier. Ce système mondialisé devait en effet devenir « westphalien », comme pour indiquer que sa configuration était bel et bien le miroir des guerres qu'il eut à subir…

On ne s'étonnera pas, dès lors, que la guerre qui marque notre histoire européenne, puis occidentale, mais aussi notre culture et, très progressivement, notre droit, corresponde à un type bien particulier. Cette tradition « westphalienne » de la guerre pose aujourd'hui de multiples problèmes. Est-on sûr que ce type de guerre se soit réellement universalisé à mesure que s'est construite la mondialisation ? D'autres formes de conflictualité n'ont-elles pas pris forme à mesure que nous rencontrions d'autres histoires ? Est-il acquis, dans ces conditions, que les moyens mobilisés jadis pour faire la guerre, comme ceux destinés alors à y mettre un terme, soient encore pertinents aujourd'hui ? L'entêtement westphalien face aux conflits centrafricain ou syrien n'est-il pas aussi coûteux qu'illusoire ?

La guerre « classique »

Les limbes de la guerre européenne se confondent avec cette compétition sans fin entre centres dynastiques incertains, mais de poids comparable, à la recherche de leur territorialité. On sait l'affinité entre cette logique naissante et la réalité féodale qui s'estompait alors : celle-ci avait installé la noblesse du jeu des armes, les querelles de succession, l'instabilité territoriale qui nuisait à la construction d'un ordre politique stable dont les villes naissantes avaient pourtant besoin. L'Europe postféodale se construisit donc sous l'effet d'une compétition politico-militaire entre les centres monarchiques qui peu à peu s'imposaient. La guerre était le moment paroxystique de cet affrontement, consacré par l'usage progressivement maîtrisé de la force. Ce jeu d'équilibre (*balance of power*) est bien loin de ce que vivaient, à la même époque, l'Empire chinois ou même les empires musulmans. Il ne faut surtout pas confondre l'histoire et une histoire...

Dès lors, les contours de la guerre désormais tenue pour « classique » apparaissent avec netteté. Celle-ci oppose entre eux des États, généralement de taille et de capacité comparables : en cela, elle est choc de puissances. Elle se construit par référence à des objectifs politiques précis qu'elle cherche à imposer en tentant de « terrasser » l'adversaire. Essentiellement politique, dans les choix qui la commandent et l'organisent, elle suppose la mise en place de stratégies optimisant l'image et l'efficacité de l'instrument militaire. Consécration du jeu à somme nulle, elle repose sur l'idée que le gain réalisé par l'un des protagonistes vaut perte pour son adversaire. Longtemps, cette relation se cristallisait autour des enjeux territoriaux.

Cette pratique – qui s'est peu à peu construite – s'est fixée dans des constructions doctrinales qui continuent à marquer – souvent avec excès – la culture occidentale. Soldat des guerres du début XIXᵉ siècle, Carl von Clausewitz reste le théoricien majeur de cette histoire, promouvant notamment l'idée célèbre que la guerre s'inscrit dans le prolongement des choix politiques, donc de l'État, loin des dynamiques sociales. D'où, d'ailleurs, sa perplexité devant la guerre de partisans, notamment celle d'Espagne contre Napoléon qui marquait une sorte de point de départ dont il était contemporain. Instrumentale, la guerre ne pouvait pas davantage apparaître comme une fin en soi, mais bel et bien comme un attribut, presque consubstantiel, de l'État.

Cette vision a été quelque peu radicalisée par Carl Schmitt (1888-1985), juriste et philosophe allemand qui s'efforçait d'associer étroitement la guerre et la construction des nations. On a vu que l'histoire européenne pouvait lui donner raison, mais l'argument débouchait dangereusement sur l'hypothèse de l'ennemi qui était aussi fonctionnel qu'essentiel : ce serait en s'opposant à l'autre que la politique se construirait ; l'ennemi, désigné par l'État, contribuerait salutairement à la consolidation du bien national. L'idée, dans sa simplicité (peut-être son simplisme), installe la notion même d'ennemi au centre du jeu international pensé par l'Occident, jusqu'à en faire le moteur des politiques qu'il inspirait. La guerre opposait des ennemis, celle-là ne se pensait pas hors de ceux-ci.

Toute cette construction a évidemment évolué de manière complexe. En Europe même, la guerre a fini par rencontrer les sociétés et s'éloigner d'autant des monstres les plus froids. La levée en masse et l'invention de la conscription sous la Révolution française aidèrent à « socialiser » Mars. Les idées véhiculées par les « soldats de l'an II », puis par les vagues successives de nationalismes tout au long du XIXᵉ siècle, firent évidemment sortir les confrontations guerrières du seul carcan stratégique. Autant de traits qui s'amplifièrent au XXᵉ siècle. Mais l'essentiel demeurait : l'État gardait le quasi-monopole de l'acte guerrier et du choix d'y recourir. Seules les guerres de décolonisation annonçaient le début confus d'une autre grammaire.

Vers de nouveaux conflits internationaux ?

La Seconde Guerre mondiale a incontestablement marqué une rupture. Apocalyptique, elle a convaincu les Européens que la guerre ne pouvait plus rester l'ordinaire de leur histoire continentale. Consacrant la prééminence de deux superpuissances, elle débouchait sur une bipolarité certes imparfaite, mais suffisamment organisée pour penser déjà un autre mode de fonctionnement du jeu international. Surtout, elle se refermait, en août 1945, sur l'usage de l'arme atomique qui réévaluait soudain le coût de la guerre, jusqu'à un niveau prohibitif et dissuasif. Tout en restant dans l'imaginaire d'un affrontement désormais « froid », la guerre quittait du même coup la scène des puissants et des riches pour s'installer principalement chez les pauvres, où les deux Grands prenaient l'habitude de s'opposer par procuration abandonnée aux petits et aux pauvres. Il faut bien admettre en outre qu'avec l'ère nucléaire le « jeu à somme nulle » ne faisait plus grand sens : la guerre désormais ne réglait plus la compétition entre États ; ce rôle incombait désormais à la seule *menace* de la guerre nucléaire. La course aux armements remplaçait déjà l'usage des armements : la technologie se substituait tranquillement à l'art martial comme ressource de puissance. En même temps, l'invention forcée de la « coexistence pacifique » tirait les relations internationales vers d'autres formes : certains parlaient déjà de « désinvention de la guerre » ou de « débellicisation » (Michael Mandelbaum). Seules les marges impériales qui se révélaient à mesure que l'URSS se décomposait restaient des foyers potentiels ou réels de conflit. Combinant agonie des empires et malaise du système westphalien, ils trouvent leur origine non plus dans la compétition de puissance, mais dans la difficile actualisation de celle-ci. Le conflit yougoslave ou géorgien, notamment, et, encore aujourd'hui, celui, potentiel du moins, autour de l'Ukraine et de la Crimée sont là pour en témoigner. Encore que ceux-ci mêlent de façon inédite les paramètres de la guerre classique et ceux des mouvements de partisans, voire, comme place Maïdan, des mouvements sociaux. Ils appartiennent déjà à un temps nouveau.

Du même coup, la tentation était forte d'admettre que, pratiquement impossible au Nord, la guerre devenait praticable au Sud : de compétition entre riches et puissants, elle devenait ainsi affrontement entre pauvres, ou du moins par pauvres interposés. Cette « descente » de la guerre vers le Sud constitue un tournant majeur : pour la première fois depuis Westphalie, l'Europe n'était plus le champ de bataille du monde ; l'insertion des puissants dans des conflits qui leur sont étrangers se révélait incertaine, mêlant l'image du gendarme et celle du brancardier : surtout, la conflictualité rencontrait une nouvelle histoire, portée par des acteurs, des cultures, des sociétés et des enjeux qui n'avaient plus grand-chose à voir avec Clausewitz. Telle était bien l'idée qui s'imposait à une bonne partie de la communauté scientifique au tournant du millénaire : Mary Kaldor publiait en 1999 *New and Old Wars*, suivie par Herfried Munkler avec *Guerres nouvelles* : l'idée de « nouveaux conflits » internationaux était formalisée.

Cette nouvelle histoire n'eut d'ailleurs aucune difficulté à prendre consistance dans la réalité : elle n'avait besoin pour cela ni de complot ni de choix stratégique. La guerre s'éloignait du Nord au moment même où le Sud se dressait pour conquérir son indépendance. La décolonisation, en Afrique ou en Asie, marquait une sorte de transition entre la guerre classique et les nouveaux conflits. De la première, elle gardait en partie des armées européennes, rejointes, dès la seconde guerre d'Indochine, par les armées nord-américaines. L'État était donc encore présent, du moins d'un côté. Des seconds, elle annonçait tout un ensemble d'innovations : une société qui s'éveillait contre l'occupant ; des référents identitaires qui, derrière des nationalismes fragiles, commençaient à faire souche ; une indifférenciation presque totale entre civils et militaires ; une prétention à tirer parti de sa faiblesse dans ce qui apparaissait désormais comme la « lutte du faible au fort ».

Rien de tout cela ne relève cependant de la pleine rupture. Clausewitz lui-même avait envisagé la « guerre révolutionnaire » comme une forme d'optimisation d'un objectif qui, à défaut d'être porté par un État, est soutenu par un peuple. Les vrais changements sont intervenus ensuite, à travers l'un des prolongements possibles des guerres d'indépendance : quand l'État qui devait se construire restait atrophié ou trop peu légitime, la mobilisation anticoloniale débouchait évidemment sur une guerre civile. L'épisode du Congo est, de ce point de vue, remarquable : dix jours à peine séparaient l'indépendance formelle (juillet 1960) des premières révoltes du Katanga puis du Sud-Kasaï. La guerre – qui devenait ainsi intestine – trouvait alors, dans son essor, de quoi alimenter les interventions étrangères, belge, américaine, soviétique d'abord, jusqu'à apparaître comme une guerre par procuration, s'inscrivant étrangement dans la constellation de la bipolarité.

Pourtant, il serait caricatural d'en rester là. La guerre du Congo, plus tard celle du Biafra, puis ce cortège impressionnant constitué successivement par les conflits angolais, mozambicain, somalien, soudanais, libérien, sierra-léonais, malien, centrafricain (entre autres) ne sont ni de simples manœuvres voulues par les puissances du Nord sur les terres du Sud, ni l'expression toute simpliste d'infinies querelles tribales... La même remarque vaudrait d'ailleurs pour l'Afghanistan, l'Irak, les Philippines ou l'Amérique centrale.

En fait, ces « nouvelles guerres » renvoient d'abord aux situations de crise sociale aiguë vécues par les sociétés concernées. Loin d'être le résultat d'une compétition interétatique, elles dérivent d'un échec de l'État, de sa faiblesse, de son incapacité à s'affirmer, de son manque de légitimité, de son inaptitude à faire face à la décomposition sociae. Alors qu'elle était, en Europe, un prolongement de l'action politique, elle apparaît ici comme le résultat d'un fort déficit de politique. D'où la prolifération des référents sociaux qui l'habitent, ceux-ci intervenant comme substituts : liens tribaux, ethniques, religieux, familiaux ou clientélaires. Mais à cela s'ajoute l'effet banal et profondément social d'une insécurité humaine dramatique : face à cette faillite du politique se révèle trop souvent une société anomique, souffrant d'un contrat social peu élaboré et trouvant dans les divisions ethniques une manière d'emblématiser des antagonismes.

Le conflit sierra-léonais (1991-2002) montre ainsi clairement l'opposition entre une zone côtière créole, dépositaire du pouvoir économique et politique, en relation avec l'extérieur, et des terres intérieures, dépossédées des richesses de leur sous-sol que le Revolutionary United Front (RUF) de Foday Sankoh put mobiliser avec succès. De même le conflit du Darfour opposait-il les pasteurs chassés du centre du Soudan par la sécheresse, soutenus par les miliciens janjawid, aux cultivateurs Four, sédentaires, voyant ainsi leurs propres terres menacées. Dans un cas comme dans l'autre, on ne trouve ni clivages religieux, ni tensions ethniques, mais l'effet belligène de pathologies sociales redoutables.

C'est cette articulation forte entre des pathologies sociales douloureuses et une compétition politique extra-institutionnelle qui donne naissance à cette forme nouvelle de conflictualité. D'autant que la nature patrimoniale du politique ne peut agir ici que comme catalyseur : elle accuse les traits autoritaires du régime, elle bloque toute possibilité de réforme, de redistribution, donc de réactivité à la crise sociale ; elle installe en outre les puissances du Nord au sein même du conflit, par le parrainage qu'elles exercent sur les pouvoirs en place et les avantages à court terme qu'elles en retirent. On comprend pourquoi ces « nouveaux conflits » recèlent, de manières diverses, des relents antioccidentaux, voire carrément xénophobes.

Contrairement au schéma clausewitzien, ce sont donc ces pathologies sociales qui mènent le jeu. Marqueurs de trop faibles intégrations dans la société, elles sont aussi facteurs de mobilisation. Celle-ci joint alors la conviction, voire la revanche, à une curieuse utilité sociale : la guerre offre une économie, pire encore, une protection sociale, sources d'incitations à la rejoindre. L'enfant soldat naît d'une situation où la misère rend presque impossibles son alimentation et la satisfaction de ses besoins quotidiens, auxquels la milice saura répondre. Elle saura même lui offrir une effroyable apparence de reconnaissance, concédant au gamin de quinze ans la kalachnikov qu'il espère pouvoir utiliser pour obtenir le respect des autres. Terrible réalité s'étendant aujourd'hui de plus en plus aux jeunes femmes qui, notamment, se protègent ou se vengent ainsi des viols et des exactions qu'elles ont eu à subir.

Au total, le paysage guerrier change. À travers ses acteurs, d'abord. La quasi-totalité des guerres d'aujourd'hui sont intraétatiques et, à ce titre, opposent des acteurs qui ne sont pas des États et qui ne se présentent pas sur le terrain sous forme d'armées régulières. Celles-ci ne se repèrent au mieux que lorsque l'État chancelant s'efforce de résister, voire de reprendre l'offensive, ou quand un État voisin, voire totalement extérieur, choisit de s'y ingérer. Dans le meilleur des cas, on assiste à un combat asymétrique confrontant un acteur étatique à un autre qui ne l'est pas. Cette situation est favorable à la prolifération de milices de toutes sortes, dont la principale caractéristique est leur identité fugace et changeante : on ne sait pas exactement combien de milices s'affrontent aujourd'hui au Congo ni quelle est leur identité... Leur chef va du « seigneur de guerre », quasiment institutionnalisé, présent aussi bien en Afrique qu'en Afghanistan, au chef éphémère, né d'une scission inopinée, et suscitant des incertitudes nouvelles sur les objectifs du conflit et surtout sur les négociations à monter. À quoi il convient d'ajouter des entrepreneurs de violence de toute nature qui savent se saisir, à la manière d'AQMI au Mali, de crises sociales lues comme des demandes sociales de violence, et dont ils savent tirer avantage.

Peut-on dès lors parler de « champ de bataille » ? Au sens classique du terme, la bataille suppose un lieu de rencontre où se déroule une confrontation décisive entre deux armées, réglée par un jeu tactique élaboré. L'asymétrie de moyens, l'absence d'armées auxquelles se substituent des milices, l'indifférenciation croissante entre civils et « militaires » (qui le sont de moins en moins) tendent à effacer l'idée de bataille, donc de « moment décisif » et en fait de victoire militaire. Aujourd'hui, les guerres ne se gagnent plus, parce que la nouvelle conflictualité abolit les batailles en faveur des harcèlements, des raids ou des attaques soudaines, ou alors les marginalise en les confinant dans un statut qui n'est plus déterminant (« bataille d'Alger » en 1957).

Des « sociétés guerrières » ?

Peut-être touchons-nous là à un point particulièrement sensible. À mesure qu'elle se dédifférencie de l'espace civil, la guerre change de nature, jusqu'à se confondre avec la société tout entière, voire donner naissance à une « société guerrière ». Nous avons vu que ce rapprochement entre la guerre et la société a été presque continu depuis la Révolution française et la généralisation progressive de la conscription. Cette évolution a peu à peu forgé la notion de « guerre totale », élaborée en son temps (1935) par le maréchal Erich Ludendorff, et trouvant son aboutissement dans les deux conflits mondiaux. Mais jamais alors l'État n'avait pour autant perdu son rôle de coordinateur et donc de stratège. Aujourd'hui, au-delà des États, ou en dehors d'eux, les nouvelles guerres se confondent avec les rouages mêmes de la société et se détachent de toute centralité politique.

La notion de « guerre totale » vient ainsi changer de sens et se rapprocher aujourd'hui de la notion de « société guerrière », naguère élaborée par Pierre Clastres pour analyser les sociétés primitives. Celles-ci étaient en situation de guerre permanente précisément pour se maintenir dans des situations infra-politiques de scissions et de reproduction de communautés de petite taille. Aujourd'hui, le processus est en quelque sorte inversé : la guerre ne bloque pas la construction d'une communauté politique, mais vient comme se substituer aux déficiences de celle-ci, voire à sa défaillance. Au lieu de faire face à ce que Clastres appelait l'« archéologie de la violence », on assiste à une réinvention de celle-ci, conduisant à sa production sous une forme inédite.

Cette violence est, comme nous l'avons vu, d'extraction sociale et couvre tous les aspects de la vie sociale. Elle façonne d'abord une économie de guerre dont il est aisé de montrer qu'elle prospère en Afrique, en Afghanistan, comme au Proche-Orient ; elle valorise les économies mafieuses qui s'en trouvent consolidées, fusionnant autant avec les agents économiques locaux et transnationaux qu'avec les entrepreneurs de guerres, milices ou armées plus ou moins régulières. Cette violence sociale exacerbée prend en charge les liens sociaux, les seigneurs de guerre recomposant autour d'eux solidarités ethniques, tribales, claniques, familiales, clientélaires et religieuses.

Ces nouvelles solidarités sociales débouchent sur un travail de protection sociale d'autant plus redoutable qu'il s'inscrit dans un cercle vicieux : plus l'État est déficient, plus les formes militaires ou paramilitaires de mobilisation prennent en charge les fonctions d'allocation les plus élémentaires, en pourvoyant des emplois, fournissant de la nourriture, des vêtements, un statut social. Le « tout guerrier » s'inscrit ainsi dans un cycle fonctionnel qui se renouvelle en s'aggravant. La religion elle-même devient un *marqueur* d'alignement, alors qu'on la tient à tort pour en être le *producteur*. La rapidité avec laquelle l'islam et le christianisme se sont imposés pour forger des clivages au sein de la République centrafricaine de 2013 suffit à démontrer que la référence religieuse *ne suscite pas* les nouvelles guerres, mais agit comme mode d'aménagement d'une société guerrière qui ne peut vivre qu'en se clivant.

Évidemment, la société guerrière ne se révèle comme telle que dans la durée. Qu'on y songe : la République démocratique du Congo y vit, presque sans interruption, depuis plus de cinquante ans, l'Afghanistan depuis trente-cinq ans, la Somalie depuis près de vingt-cinq ans, tandis que, sans connaître toujours la même acuité, le Tchad, le Soudan, le Yémen s'y sont installés depuis les années 1960, la Syrie et l'Irak semblent y entrer à leur tour en compagnie de la République centrafricaine. Autrement dit, la société guerrière se réalise de façon plus ou moins affirmée dans des systèmes politiques qui n'ont jamais pu construire un véritable contrat social, qui ont réduit le politique au niveau élémentaire de coercition et de liens clientélaires qui excluent plus qu'ils n'intègrent. Selon un modèle où tous les détenteurs de pouvoir – acteurs locaux et puissances extérieures – trouvaient leur compte à court terme dans un déficit chronique de politique.

Dans un monde globalisé, ces sociétés guerrières disposent d'une capacité attractive particulièrement forte. Autrement dit, elles tendent à s'internationaliser de façon très rapide. D'une certaine manière, même les conflits interétatiques les plus intimes ont en eux-mêmes aujourd'hui une dimension internationale presque totalement absente autrefois. Avec la mondialisation, avec l'essor des communications, toute société tend à se comparer aux autres, à ressentir ses échecs comme une humiliation internationalement administrée, imputable à l'étranger, surtout lorsqu'il est en position hégémonique. L'antiaméricanisme ou l'anti-occidentalisme accompagnent presque inévitablement toute violence sociale « domestique ».

D'autant que l'absence d'autorité étatique aiguise mécaniquement les convoitises extérieures : l'uranium au Niger, les diamants en Sierra Leone, les métaux rares et précieux au Congo deviennent des enjeux affichant le rôle prédateur des compagnies étrangères, généralement multinationales, juste assez pour que la pauvreté locale prenne une signification mondiale. Cette tutelle économique a son écho sur le plan politique : le semblant d'État local, patrimonial et autoritaire, cible évidente des sociétés guerrières, n'existe que dans le lien clientélaire qui l'unit le plus souvent à l'ancienne puissance coloniale. L'avenir de ces sociétés guerrières rencontre donc l'intérêt national de celle-ci et, en contrecoup, attise celui de ses semblables : le phénomène prend évidemment toute son ampleur dans un contexte de raréfaction des matières premières. La trame classique de la conflictualité internationale s'en trouve reconstituée et superposée aux formes nouvelles de conflictualité.

En même temps, l'État effondré – ou pathologiquement affaibli – est en situation de voisinage avec des États plus forts qui ne maintiennent leur avantage qu'en affichant leur convoitise sur les sociétés guerrières. Ainsi en est-il du Pakistan face à l'Afghanistan, du Kenya ou de l'Éthiopie face à la Somalie, du Nigeria en Afrique de l'Ouest, du Rwanda ou de l'Ouganda face à la RDC, de l'Arabie saoudite face au Yémen ou même, de manière relative, du Tchad face à la Centrafrique. Tout ceci combiné aux vieilles solidarités ethniques ou religieuses : il n'en faut guère plus pour internationaliser les sociétés guerrières.

Alors que la « guerre classique » était une mise en tutelle politique totale de la société, les nouvelles guerres fusionnent totalement le social et le politique. La société guerrière pénètre donc dans l'intimité de la vie quotidienne de chacun, sans que, pour autant, un ordre politique ne la domine. D'une part, toutes les relations sociales sont ainsi dissoutes dans les mécanismes guerriers, tout individu est communément exposé à la vie guerrière, comme combattant, comme cible, comme victime, dans la mort, la blessure, la maladie, la souffrance, et le déplacement qui devient un phénomène social majeur, reproduisant, à travers chaque camp, le microcosme des sociétés guerrières. D'autre part, celles-ci en viennent à vivre pour elles-mêmes, ce qui les rend « autofinalisées » : on fait la guerre pour la guerre, pour reproduire un ordre martial qui arrange nombre d'acteurs. On rebâtit celle-ci à coups d'emblèmes identitaires et religieux, de relations clientélaires ou classiques, c'est-à-dire par référence à ce qui clive et non plus à ce qui réunit. Là où le modèle schmittien faisait de la guerre et de l'ennemi un moyen de consolider les communautés politiques modernes, les nouvelles guerres se conçoivent comme modes durables de consécration de l'inconciliable...

▬▬▬ Comment traiter les nouvelles guerres ?

Toutes ces transformations ne sont pas anodines. Elles impliquent une révision drastique des méthodes de traitement des conflits, tant sur le plan militaire que diplomatique. Un premier regard révèle le conservatisme des décideurs politiques : les « nouvelles guerres » sont approchées comme les anciennes. Successivement, les guerres de décolonisation, celles du Vietnam, d'Irak, d'Afghanistan, aujourd'hui du Mali et de Centrafrique sont toujours perçues au Nord comme conformes au « *power politics* » : seule la puissance, en l'occurrence militaire, est tenue pour capable de contenir les violences, voire de traiter les enjeux belligènes auxquels on entend faire face.

Certes, l'affirmation mérite d'être modulée. L'implication des puissances est doublement sélective, loin de tout automatisme. On trie alors entre les nouvelles guerres dont il est jugé préférable de se tenir à l'écart (guerre des Grands Lacs et génocide rwandais), celles où on entend se limiter à des interventions multilatérales modestes (RDC), régionalisées (Liberia), indirectes (Yémen), celles enfin où l'intervention est massive (Irak, Afghanistan, Mali…). Encore faut-il ici distinguer entre les interventions dites offensives (pour parvenir à un *regime change*), comme en Afghanistan en 2001, préemptives (pour interrompre un programme d'armement, comme en Irak en 2003) ou réactives (Mali, Centrafrique). À chaque fois, l'intervention d'une puissance militaire extérieure complique la nature du conflit, en combinant alors dangereusement l'interétatique et l'intraétatique (Centrafrique, Afghanistan), voire en activant dramatiquement des clivages internes (Irak). Dans un cas comme dans l'autre, le « nouveau conflit » devient mixte de nature et probablement plus complexe à résoudre.

En même temps, la réflexion stratégique ne semble évoluer que faiblement. De même que, naguère, la guérilla était tenue pour une guerre comme une autre, se limitant seulement à susciter des actions « antiguérilla » aux contours et à l'efficacité peu précis, de même les « nouvelles guerres » recyclent-elles, de la part des puissances classiques, d'anciennes méthodes toujours aussi peu décisives. Tout juste faut-il prendre en compte les progrès de la technologie militaire et l'usage de plus en plus courant des drones qui s'inscrivent d'autant mieux et d'autant plus cyniquement dans les nouvelles guerres qu'ils différencient mal les cibles civiles et militaires et qu'ils éloignent un peu plus de la bataille classique.

Ces ambiguïtés – dont nul ne peut prétendre qu'il est aisé de s'affranchir – ont toute chance d'aggraver les conditions du conflit ainsi géré. D'abord, parce qu'elles en brouillent les finalités, là où la doctrine classique, clausewitzienne, nous enseignait que l'art de la guerre consistait essentiellement à en maîtriser les objectifs politiques. Comment peut-il en être autrement ? D'abord, le propre des « sociétés guerrières » est d'être « autofinalisées ». Dégager un objectif clair, afin de travailler dessus, devient impossible. Pour peu qu'il y ait une logique proclamée d'intervention, à quoi celle-ci peut-elle correspondre ? Arrêter les violences ? Changer le régime ? Rétablir un « ordre constitutionnel » ? Comme par hasard, toute intervention décidée en vue d'arrêter des violences se transforme bien vite en volonté de changer le régime, puis de susciter un nouvel ordre : l'exemple libyen est ici emblématique.

Dès lors, trois difficultés prennent le relais. D'abord, la nouvelle guerre, tendant vers l'établissement d'une « société guerrière », est par nature peu sensible aux incitations à sortir du conflit. Dans la guerre interétatique, la cessation des combats devient rationnelle lorsque l'objectif est atteint ou lorsqu'on acquiert la conviction qu'il n'est pas réalisable. Cette rationalité en finalité n'existe pas, en tout cas, à ce niveau d'élaboration, dans les nouvelles guerres. Pire encore, arrêter ce type de guerre suppose, pour ses acteurs, une perte d'avantages qu'une difficile politique de réintégration pourra seule compenser. Comment même, d'ailleurs, identifier ces acteurs et les amener à la table de négociation ?

La deuxième difficulté tient au mode de passage au politique : si la définition d'un nouvel ordre politique passe par une intervention militaire extérieure, comment celle-ci pourra-t-elle la prendre en charge, à partir de ressources militaires et à partir d'actions venues du dehors, perçues donc comme contraintes et du même coup contraires aux objectifs démocratiques affichés ? Les États-Unis en ont fait l'expérience aux lendemains de la chute de Saddam Hussein, à travers la catastrophique administration militaire naïvement conduite par le général Jay Garner.

Enfin, la suractivation des moyens politico-militaires s'inscrit en contradiction avec la nature profondément sociale de ces nouvelles guerres. La rareté des issues politiques et l'inefficacité des instruments militaires tiennent à la négligence qu'on s'obstine à opposer à la nature sociale de ces conflits. La guerre de jadis renvoyait à une compétition opposant les États entre eux ; celle qui s'impose sous les traits des « nouveaux conflits » reflète des pathologies sociales qu'il convient donc de traiter par priorité. Ce « traitement social » des guerres était déjà sous-entendu dans l'idée émise par le Programme de Nations unies pour le développement (PNUD) de donner désormais priorité à la sécurité humaine. Il présente évidemment la faiblesse de n'avoir d'efficacité qu'à terme, d'autant plus tardivement que la crise est sévère.

En même temps, cette orientation, mise en évidence par Kofi Annan lors de la déclaration du Millénaire en septembre 2000, reste par trop différée pour ne pas susciter des inquiétudes quant à l'avenir. On lui oppose l'idée forte selon laquelle aucun développement n'est possible sans un minimum de sécurité. L'ennui est que ce cercle est vicieux et que la réciproque est au moins aussi vraie. La succession d'expériences malheureuses en matière de traitement des guerres rapproche pourtant d'une hypothèse qui fait son chemin, séparant clairement endiguement des violences, raffermissement des capacités institutionnelles des systèmes politiques affectés par la guerre, approfondissement du contrat social et de l'intégration sociale, recours à la délibération collective sur le choix des dirigeants. Les quatre premières étapes ne semblent être traitables que sur un mode multilatéral capable d'effacer tout soupçon d'insertion de puissances : le système international n'y semble pas préparé.

En attendant, le traitement des nouvelles guerres par recours aux guerres classiques tend à relancer et à réalimenter les premières plutôt qu'à les éteindre. En instillant des éléments de guerre classique dans les guerres nouvelles, on recycle des éléments qui avaient en partie perdu leur sens, comme le principe d'ennemi frontal ou la surdétermination du conflit par le jeu stratégique mondial. On retrouve alors les « guerres en chaîne ». Inquiétude qui semble convaincre la Maison-Blanche, tant à propos de la Syrie que de l'Ukraine et l'Irak où elle fait preuve de prudence jusqu'à inaugurer discrètement une nouvelle théorie de la non-intervention. Celle-ci, n'étant accompagnée d'aucune proposition de rechange, semble installer le système international dans une sorte de tétanie redoutable qui interrompt en tout cas le cycle de l'hégémonie américaine…

I. Enjeux. Quelles guerres au XXIᵉ siècle ?

Aux quatre coins du monde.
Panorama des conflits contemporains

Dominique Vidal
Journaliste et historien

Par-delà leurs victimes et les inquiétudes qu'ils font peser sur la paix en Europe, les événements d'Ukraine illustrent la complexité des conflits qui ensanglantent toujours la planète, plus de deux décennies après la victoire de l'Occident sur l'Union soviétique [1]. Certes, ils ravivent les tensions entre la Russie et les États-Unis. Mais ce « grand jeu » nouvelle manière n'aurait pas pu se produire sans l'accumulation explosive de facteurs internes : les contradictions entre la partie occidentale pro-européenne et la partie orientale prorusse du pays, les conséquences sociales de la libéralisation, la corruption de la classe politique, la déliquescence de l'État, la poussée d'une extrême droite incluant des néonazis...

N'en déplaise aux nostalgiques de la guerre froide, le péril nucléaire n'empêcha pas, entre 1948 et 1991, la multiplication d'affrontements sanglants, qui occasionnèrent des millions de morts. Mais tous – ou presque – s'inscrivirent dans le cadre de l'affrontement entre les deux blocs. Même lorsque leurs causes s'enracinaient dans des situations régionales ou internationales, les deux Grands les instrumentalisaient, veillant toutefois à ce que leurs « clients » respectifs sachent jusqu'où ne pas aller trop loin. L'équilibre de la (grande) terreur entre « superpuissances » se nourrissait de (petites) terreurs.

---

1 Cet article reprend et actualise les analyses de « Une nouvelle géopolitique des conflits », in *La Cassure, L'état du monde 2013*, La Découverte, Paris, 2012.

▮▮▮▮   Une nouvelle phase historique

L'ouverture du Mur de Berlin puis, deux ans plus tard, la disparition de l'Union soviétique mirent un terme à cette gestion bipolaire de la planète. Au point que certains crurent à l'avènement d'une architecture unipolaire du monde autour de la superpuissance victorieuse, promise au statut d'empire américain. C'était l'époque où un Francis Fukuyama pronostiquait la « fin de l'Histoire ».

Cette vision s'est révélée trompeuse. De crise en crise, la mondialisation a progressivement montré ses limites : la liberté quasi totale donnée aux marchés a conduit à des secousses en série, de la crise asiatique (1998) à celle des *subprimes* (2008). Et, après le 11 Septembre, l'Empire s'est embourbé en Irak et en Afghanistan. Non seulement son déploiement de forces ne lui a pas permis de sortir de l'impasse, mais il a plongé ces deux pays dans un chaos durable et renforcé le rôle de l'Iran, tout en entachant profondément l'image de l'Amérique dans le monde.

C'est dire que nous sommes entrés dans une phase historique nouvelle, dont, outre les menaces qui pèsent sur l'avenir même de la vie sur terre, trois facteurs majeurs se conjuguent pour ébranler l'hégémonie occidentale : la crise du capitalisme financier, devenue systémique ; la poussée des pays émergents, à commencer par les « BRICS » dont le PIB cumulé dépasserait dès 2020 celui du G7 ; et l'irruption des sociétés capables de secouer les dictatures, voire de les renverser.

Cette évolution accélérée a aussi bouleversé la nature même des guerres, ce dont témoigne, chaque année, le rapport du Stockholm International Peace Research Institute – Sipri [1]. Ce dernier se fonde sur les catégories définies par le Upsala Conflict Data Program (UCDP), qui distingue les conflits à base étatique, les conflits non étatiques et la violence unilatérale (voir encadré). Concernant les premiers, l'UCDP définit comme une « guerre » un conflit armé qui oppose, pour la conquête d'un territoire ou du pouvoir, deux forces armées dont l'une au moins appartient au gouvernement d'un État et dont l'affrontement a occasionné plus de 1 000 morts en un an. Les autres sont qualifiés de « conflits armés mineurs à base étatique ».

Ainsi la décennie 2002-2011 a-t-elle connu au total 73 conflits armés actifs, dont 37 l'étaient encore en 2011, dernière année dont les statistiques soient disponibles. Non seulement ce chiffre est un des plus élevés de cette période, mais le nombre – officiel, donc très inférieur au bilan réel – de morts est également supérieur : 22 500 en 2011 contre 17 000 en 2002 [2].

---

1   *Sipri Yearbook 2013. Armaments, Disarmament and International Security*, Solna, Suède, 2013.
2   Le chiffre de 2011 est le plus élevé de la décennie, à l'exception du pic de 2009 : 39 000 morts, du fait notamment de l'escalade des conflits au Sri Lanka, en Afghanistan et au Pakistan.

Conflits interétatiques, conflits non étatiques, violence unilatérale

L'UCDP différencie, en outre, trois types de conflits à base étatique : interétatiques, intraétatiques et intraétatiques internationalisés. Le premier met aux prises deux gouvernements ou plus ; le deuxième un gouvernement et un ou plusieurs groupes rebelles ; dans le troisième, une ou plusieurs des parties prenantes bénéficient de l'aide d'un État extérieur. Et le Sipri de préciser : « Les conflits intraétatiques sont de loin les plus communs : dans la plupart des années ils représentent plus de 80 % de tous les conflits, et jamais moins de 70 %. Les conflits interétatiques sont les moins fréquents. Au cours de la décennie 2002-2011, on n'en a compté que quatre : entre l'Inde et le Pakistan (2001-2003), l'Irak, les États-Unis et leurs alliés (2003), Djibouti et l'Érythrée (2008), le Cambodge et la Thaïlande (2011). »

C'est en Afrique qu'on recense le plus de guerres et de conflits en 2011 : quinze. Ils se sont déroulés en Algérie contre Al-Qaida au Maghreb islamique (AQMI) ; en République centrafricaine (RCA) avec les mouvements hostiles au président François Bozizé ; en Côte d'Ivoire entre les forces favorables à Laurent Gbagbo et celles qui soutiennent Alassane Ouattara ; en Éthiopie contre le Front national de libération de l'Ogaden (FNLO) et le Front de libération Oromo (FLO) ; en Libye contre le Conseil national de transition (CNT) puis contre les forces de Mouammar Kadhafi ; en Mauritanie contre AQMI ; au Mali contre les mouvements touarègues ; au Nigeria contre Boko Haram ; au Rwanda contre les Forces démocratiques de libération du Rwanda (FDLR) ; au Sénégal contre le Mouvement des forces démocratiques de Casamance (MFDC) ; en Somalie contre les shebabs ; au Soudan contre plusieurs mouvements de libération ; au Soudan du Sud contre plusieurs mouvements de libération ; entre le Soudan et le Soudan du Sud ; en Ouganda contre l'Armée de la résistance du Seigneur (LRA).

Vient ensuite l'Asie, avec treize conflits. Ils ont eu lieu en Afghanistan où la coalition multinationale combat les talibans ; entre Cambodge et Thaïlande ; en Inde contre le Parti communiste (maoïste) et les insurgés du Cachemire ; au Myanmar contre les mouvements karen et du Shan ; au Pakistan contre les talibans et l'Armée de libération du Baloutchistan (ALB) ; aux Philippines contre le Parti communiste, le groupe Abu Sayyaf et le Front Moro islamique de libération nationale (FIMLN) ; au Tadjikistan contre le Mouvement islamique d'Ouzbékistan (MIO) ; en Thaïlande, contre les insurgés du Patani.

Avec les conséquences des mouvements révolutionnaires arabes, le Moyen-Orient a vu croître le nombre de ses conflits : six en 2011. Ils concernent l'Iran, contre le Parti pour une vie libre au Kurdistan (PJAK) ; l'Irak (et les États-Unis), face à Ansar al-Islam et à l'État islamique d'Irak (ISI) ; Israël, contre les mouvements de résistance palestiniens ; la Syrie, contre l'Armée syrienne libre (ASL) ; la Turquie, face au Parti des travailleurs du Kurdistan (PKK) ; le Yémen (et les États-Unis), contre Al-Qaida dans la péninsule Arabique (AQPA).

Le Sipri ne recense en 2011 que deux conflits dans les Amériques : celui qui oppose le gouvernement des États-Unis à Al-Qaida et celui du gouvernement colombien contre les Forces armées révolutionnaires de Colombie (FARC). Quant à l'Europe, elle n'a connu que des affrontements résiduels en Tchétchénie.

Plusieurs de ces conflits intraétatiques ont connu une internationalisation. Le Sipri les divise en deux groupes : « ceux qui sont liés à la "guerre globale contre le terrorisme" menée par les États-Unis, comme les guerres en Afghanistan et en Irak ainsi que le conflit des États-Unis contre Al-Qaida » ; et « les cas d'intervention gouvernementale dans des conflits internes de pays voisins, comme le conflit entre l'Ouganda et l'Armée de libération du Seigneur, où le gouvernement a bénéficié en 2011 du soutien de la République centrafricaine, de la République démocratique du Congo (RDC) et du Sud-Soudan ».

Le Sipri s'intéresse par ailleurs aux « conflits non étatiques » – c'est-à-dire qui opposent deux parties dont aucune n'est un gouvernement et qui ont causé la mort de vingt-cinq personnes au moins en un an. Au total, 223 d'entre eux ont endeuillé les années 2002-2011, dont 38 restaient actifs en 2011, occasionnant quelque 6 400 morts. Durant cette dernière année, ils ont concerné un pays d'Amérique (Mexique), deux pays aux Moyen-Orient (Égypte et Syrie), quatre pays en Asie (Afghanistan, Inde, Pakistan, Philippines) et six pays africains (RCA, RDC, Guinée, Nigeria, Somalie, Soudan).

Le Sipri étudie enfin les « violences unilatérales » – c'est-à-dire le recours à la violence armée de la part d'un gouvernement ou d'un groupe contre des civils inorganisés entraînant la mort de vingt-cinq personnes au moins en un an. Il en compte 130 durant les années 2002-2011, dont 23 persistaient en 2011. Durant cette dernière année, ils se sont produits en Europe (Russie), au Moyen-Orient (Bahreïn, Irak, Syrie, Yémen) comme sur les continents américain (Mexique, Guatemala) et africain (RCA, en RDC, Côte d'Ivoire, Libye, Nigeria, Somalie, Soudan).

Au cours de l'année 2011, les guerres et conflits les plus meurtriers – toutes catégories confondues – ont eu lieu, selon les statistiques du Sipri, au Soudan (3 340 morts), au Pakistan (2 600), au Mexique (1 950), en Somalie (1 900), en Afghanistan (1 780), en Libye (1 600) et au Yémen (1 140).

Allons plus loin que ces données factuelles. Une étude des statistiques et des analyses du Sipri sur la longue durée le confirme : si, contrairement à une idée répandue durant les années 1990, le nombre et la gravité des conflits ont plutôt diminué depuis la fin de la guerre froide, leur typologie a fondamentalement changé.

La première grande tendance, on l'a vu, c'est que les guerres extérieures – entre États – ont progressivement cédé la place à des guerres intérieures, souvent alimentées par des facteurs ethniques ou religieux (ou les deux). La deuxième concerne l'évolution des enjeux de ces batailles : les unes visent le contrôle d'un territoire particulier, les autres celui du pouvoir lui-même au sein d'un État. La troisième tendance touche aux États, dont la décomposition explique souvent la survenue de conflits, leur caractère sanglant et souvent leur durée. La quatrième intéresse la toile de fond de nombre de ces bras de fer : la lutte de plus en plus âpre pour s'approprier les richesses naturelles. Largement sous-estimée depuis la fin de la guerre froide, cette dimension est à nouveau à la mode chez certains analystes, qui en usent et, parfois, en abusent. Pour autant, comment nier que nombre de déchirures, aux quatre coins du monde, trouvent là une part essentielle de leur explication ?

Enfants, femmes, réfugiés : les civils, premières victimes des conflits

La cinquième grande tendance, et dans l'immédiat la plus grave, ce sont les conséquences humaines de la diversification de la violence armée. Dans les guerres interétatiques d'autrefois, les soldats constituaient le gros des victimes. Les guerres infraétatiques, elles, exercent surtout leurs ravages parmi les civils. Et si, dans la lutte pour le pouvoir, la responsabilité du nombre de morts incombe aux États, les groupes non étatiques en occasionnent le plus dans la bataille pour un territoire et ses ressources.

D'où la multiplication des victimes civiles, directes et indirectes, y compris les déplacés et réfugiés. Ces querelles intestines provoquent la prolifération des groupes armés, qui abolissent les frontières entre les différentes formes de violence. L'État, par sa faiblesse, alimente souvent ce glissement vers le pire, en s'appuyant sur des milices « tribales » ou des groupes de sécurité privés. Voilà pourquoi les civils, qui constituaient 5 % des tués et blessés des guerres au début du XXᵉ siècle, en forment 90 % au commencement du XXIᵉ, dont 80 % de femmes et d'enfants...

Parmi les principales victimes de cette « chasse aux civils » figurent en effet les enfants. Le Conseil de sécurité de l'ONU dénonce « six violations graves [1] » commises à leur encontre : les enlèvements ; le meurtre ou la

---

1   « Les six violations les plus graves », Bureau du représentant spécial du secrétaire général pour les enfants et les conflits armés (<http://childrenandarmedconflict.un.org>).

mutilation ; les violences sexuelles ; le déni d'accès humanitaire ; le recrute-ment ou l'emploi d'enfants soldats ; les attaques dirigées contre des écoles ou des hôpitaux.

Dans son rapport annuel, en juin 2013 [1], la représentante spéciale du secrétaire général de l'ONU pour le sort des enfants en temps de conflit armé, Leila Zerrougui, en couvre plus d'une vingtaine où les enfants sont victimes de violences liées aux conflits [2]. Et la « liste d'infamie » comprend 55 forces et groupes armés de 14 pays, dont 11 nouveaux groupes et forces armés au Mali, en RCA, en RDC et en Syrie. « L'absence de lignes de front clairement définies, d'opposants identifiables, ainsi que l'utilisation croissante de tactiques terroristes par certains groupes armés rendent les enfants plus vulnérables, explique Mme Zerrougui. Des garçons et des filles ont été utilisés dans des attentats-suicides ou comme boucliers humains. Les enfants capturés au cours d'opérations militaires ont été détenus, parfois sans la protection d'un processus judiciaire en règle. Dans certains cas, ils ont été maltraités ou torturés. Les enfants ont également été affectés par l'utilisation de drones dans des opérations militaires. »

Selon Amnesty International, on comptait en 2013 quelque 300 000 enfants soldats, dont un tiers rien qu'en Afrique. Cette pratique viole évidemment la Convention des droits de l'enfant de 1989 – ratifiée par tous les États membres de l'ONU, sauf les États-Unis, la Somalie, le Soudan du Sud et la Palestine – ainsi que le protocole additionnel concernant l'implica-tion d'enfants dans des conflits armés [3]. Entré en vigueur en 2002 et ratifié douze ans plus tard par 154 États, ce dernier fixe à dix-huit ans au moins l'âge légal d'enrôlement dans les forces armées.

Outre les morts et les blessés, mineurs et adultes, les guerres du xxie siècle entraînent une autre conséquence : la multiplication des réfugiés et déplacés. Dans son dernier rapport portant sur l'année 2011 [4], le Haut Commissariat des Nations unies pour les réfugiés (UNHCR) recensait 25,9 millions de « réfugiés et déplacés internes » sous sa protection et sous celle de l'Office des

---

1   « Rapport annuel du secrétaire général sur les enfants et les conflits armés. Des succès mais aussi de graves dangers pour les enfants affectés par les conflits », <http://childrenandar-medconflict.un.org>.

2   Sur le site Internet de la représentante, vingt-deux États sont cités : l'Afghanistan, la Répu-blique centrafricaine, la Colombie, la République démocratique du Congo, la Côte d'Ivoire, l'Inde, l'Irak, Israël, le Liban, la Libye, le Myanmar, le Mali, le Népal, le Pakistan, les Philippines, la Somalie, le Soudan, le Soudan du Sud, la Syrie, le Tchad, la Thaïlande et le Yémen (<http://childrenandarmedconflict.un.org>).

3   HAUT COMMISSARIAT DES NATIONS UNIES AUX DROITS DE L'HOMME, « Protocole facultatif à la Convention relative aux droits de l'enfant, concernant l'implication d'enfants dans les conflits armés », <www.ohchr.org>.

4   HAUT COMMISSARIAT DES NATIONS UNIES POUR LES RÉFUGIÉS, *Une années de crises. Tendances mondiales 2011*, <www.unhcr.fr>.

Nations unies pour les réfugiés palestiniens (UNRWA). Au total, on comptait alors 42,5 millions de personnes déracinées dans le monde, soit 4,3 millions de plus en un an. S'y ajoutaient 12 millions d'apatrides.

Les pays en développement accueillaient les quatre cinquièmes des réfugiés. Les trois principaux pays hôtes étaient le Pakistan (1,7 million), l'Iran (887 000) et la Syrie (775 400) – la guerre civile en cours dans ce pays a vu ce chiffre y atteindre début 2014 au chiffre record de... près de 10 millions de Syriens ayant dû quitter leur foyer ! Quant aux pays d'origine, avec près de 2,7 millions de réfugiés dans 79 pays, l'Afghanistan arrivait largement en tête : en moyenne, un réfugié sur quatre dans le monde était originaire d'Afghanistan, dont 95 % hébergés au Pakistan et en Iran.

■■■■ Le règne des armes légères

Cette profusion de conflits, notamment intraétatiques, modifie évidemment aussi les préoccupations en matière d'armes. Certes, la course au nucléaire militaire continue de focaliser l'attention de l'opinion mondiale. Et si l'Inde comme le Pakistan sont entrés sans grand bruit dans le petit club des puissances nucléaires, l'intention prêtée à l'Iran de se doter de la bombe mobilise les diplomates – à défaut des armées, comme le souhaite Israël. Et pourtant, ce sont les armes légères qui, aux quatre coins du monde, tuent le plus.

Selon le *Small Arms Survey 2012*, « les transferts internationaux autorisés d'armes légères et de petit calibre, ainsi que de leurs pièces, accessoires et munitions pèsent près de 8,5 milliards de dollars chaque année » – soit deux fois plus qu'en 2006. Cette hausse, poursuit le rapport, « a deux sources importantes » : « l'augmentation des dépenses des civils américains [...] et l'acquisition à grande échelle par les gouvernements d'armes à feu et d'armes légères militaires destinées aux forces armées nationales et internationales impliquées dans les conflits en Irak et en Afghanistan ». Précision intéressante : « Dans une large mesure, les arsenaux des insurgés actuels ne sont pas constitués de modèles d'armes récents, mais seraient l'héritage de l'effondrement des États et des pillages de stocks. »

Les principaux exportateurs de ces armes sont, selon les données douanières disponibles et par ordre décroissant, les États-Unis, l'Italie, l'Allemagne, l'Autriche, la Belgique, le Brésil, la Chine et la Russie – pour un total annuel régulier d'au moins 100 millions de dollars chacun. Quant aux premiers importateurs, il s'agit des États-Unis, du Royaume-Uni, de l'Arabie saoudite, de l'Australie, du Canada, de l'Allemagne et de la France – également pour un total annuel régulier d'au moins 100 millions de dollars chacun.

Selon Oxfam [1], le nombre de ces armes détruit chaque année (environ 800 000) paraît infime par rapport au nombre produit chaque année

---

[1]   Journée de la destruction des armes légères, <www.journee-mondiale.com>.

(8 millions) et *a fortiori* au nombre en circulation : 640 millions, dont les trois quarts d'armes à feu appartenant à des civils. Et environ un million d'armes sont « perdues » chaque année…

On n'imagine pas sans effroi l'évolution de la planète si ce genre de guerres qui l'ensanglante déjà devait se généraliser au fil du xxi⁰ siècle. Plus que jamais, seules une rupture avec les logiques économiques, sociales et politiques en vigueur, une transition accélérée vers le monde multipolaire qui se dessine et bien sûr la réforme, voire la reconstruction qui en découle de l'architecture internationale, à commencer par les Nations unies, seraient de nature à éviter cette dérive meurtrière et à assurer la paix. Mais on en est loin, très loin.

Pour en savoir plus

Stockholm International Peace Research Institute (Sipri) : <www.sipri.org>.

Fonds des Nations unies pour l'enfance (Unicef) : <www.unicef.org>.

Programme des Nations unies pour l'environnement (PNUE) : <www.unep.org>.

Agence des Nations unies pour les réfugiés (HCR) : <www.unhcr.fr>.

Small Arms Survey : <www.smallarmssurvey.org>.

Oxfam International : <www.oxfam.org/fr>.

Groupe de recherche et d'information sur la paix et la sécurité (GRIP) : <www.grip.org>.

(Dés)intégration institutionnelle, (dés)intégration sociale : quels facteurs belligènes ?

Frédéric Ramel
Professeur à Sciences Po Paris et chercheur au CERI

Quels que soient les indicateurs retenus, les études annuelles relatives aux conflits armés sont unanimes : les conflits infraétatiques sont beaucoup plus nombreux que les affrontements interétatiques. Ce phénomène, qui n'est pas propre à la période post-guerre froide, puisqu'on le repère depuis 1945, constitue une source d'intérêt et de préoccupation pour les observateurs comme pour les praticiens. Il suscite cependant des interprétations variées. Partant des cas africains, souvent mis en avant pour rendre compte des conflictualités contemporaines, trois principales approches se distinguent.

La première postule l'émergence de ce que certains qualifient de « nouvelle barbarie ». Selon cette approche, portée notamment par le journaliste américain Robert D. Kaplan, auteur en 1994 d'un article intitulé « The coming anarchy [1] », l'irruption de la violence armée à l'échelle infraétatique résulterait d'un déchaînement de haine « ethnique », « culturelle » ou « religieuse » qui échapperait à toute rationalité politique.

La deuxième approche met au contraire l'accent sur la logique qui anime les belligérants, dont l'action répondrait à un calcul rationnel. Inspirée de l'économie néoclassique, elle privilégie une lecture en termes d'intérêts plutôt que d'injustices [2]. Cette approche porte aussi une attention particulière à la « malédiction des ressources », processus selon lequel la trop grande dépendance d'un État envers une seule ressource naturelle (diamants, or, cobalt, bois…) constitue un facteur de déstabilisation et un accélérateur de conflits, certains groupes rebelles cherchant à capter une partie de la rente pour financer leurs activités.

Également attentive aux dimensions économiques des conflits, la troisième approche se concentre sur le fonctionnement de l'État lui-même, en s'intéressant notamment au « néopatrimonialisme » des élites au pouvoir. Au lieu de fournir les biens et les services publics nécessaires à une construction étatique et nationale harmonieuse, ces élites détournent les moyens mis à leur disposition de leur finalité première et cultivent des pratiques clientélistes qui leur permettent de maintenir leurs positions [3].

« États faillis » ?

Cette troisième approche s'articule avec la problématique de l'État « failli » (une structure étatique déficiente qui, soumise à un stress aigu, menace de s'effondrer) ou de l'État « fragile » (une structure étatique susceptible de « faillir » en raison d'une vulnérabilité à des facteurs internes ou externes). Selon cette grille de lecture, la variable clé résiderait dans

---

1   Robert D. Kaplan utilisera ce même titre en 2000 pour la publication d'un recueil de ses articles.

2   Paul COLLIER et Anke HOEFFLER, « Greed and grievance in civil war », *Oxford Economic Papers*, vol. 56, n° 4, 2004, p. 563-595.

3   William RENO, *Warlord Politics and African States*, Lynne Rienner Publishers, Boulder, 1998 ; Christopher CLAPHAM, « Degrees of statehood », *Review of International Studies*, vol. 24, n° 2, 1998, p. 143-157.

l'incapacité de l'État à honorer le contrat social qui l'a fondé. Constitués pour la plupart récemment, au cours de la vague d'indépendances du xxe siècle, ces États « faillis » ou « fragiles » ne parviennent pas à élaborer et utiliser leurs prérogatives de puissance publique sur un territoire donné. Ce type de diagnostic favorise l'essor de grilles d'observation, telles que le « Failed States Index » publié annuellement par le *think tank* Fund for Peace dans la revue *Foreign Policy*, servant à classer les « États en déliquescence » selon une série d'indicateurs sociaux, économiques et politiques [1]. Ce diagnostic invite également à une pluralité d'interventions de la part des organisations inter-gouvernementales (OIG) de façon à « reconstituer, sous une forme ou une autre [2] », ces États qui portent « un drapeau sans mât et sans socle [3] ». Dans son rapport de 2005 intitulé *Dans une liberté plus grande : développement, sécurité et droits de l'homme pour tous*, Kofi Annan, alors secrétaire général des Nations unies, soulignait que la guerre entre États n'était plus qu'une menace parmi d'autres. En établissant un lien entre sécurité humaine et déliquescence étatique, il appelait à une redéfinition du rôle de l'ONU en matière de sécurité. Parallèlement, de nouveaux instruments ont été élaborés par la Banque mondiale en 2002, avec l'initiative « Low income countries under stress » (LICUS), et par l'Organisation de coopération et de développement économiques (OCDE), avec la mise en place en 2005, par son Comité d'aide au développement, de « principes pour l'engagement international dans les États fragiles et les situations précaires ».

C'est au cœur de cette troisième interprétation, qui met en avant la double problématique du néopatrimonialisme et de la fragilité des structures étatiques, que se loge l'idée selon laquelle la désintégration institutionnelle serait un facteur déterminant des guerres civiles contemporaines. Cette analyse fait cependant l'objet de vives critiques puisque la thèse de l'État failli serait portée par une nouvelle forme d'impérialisme. Issue de conceptualisations théoriques et de trajectoires étatiques essentiellement occidentales, une telle approche révélerait une domination sur le plan des idées et se traduirait en pratique par l'exportation d'un modèle de l'État démocratique

1   Pression démographique, flux de réfugiés, revendications sociétales, fuite des cerveaux et des populations, inégalités, pauvreté, légitimité de l'État, fourniture des services publics, État de droit, garantie de la sécurité et de l'ordre public, élites fragmentées, interventions extérieures. Voir « The Failed States Index 2013 », <http://ffp.statesindex.org>. En 2013, les cinq premiers pays de la liste sont africains : la Somalie, la République démocratique du Congo, le Soudan, le Sud-Soudan, le Tchad.

2   William I. ZARTMANN, « Introduction. Posing the problem of state collapse », *in* William I. ZARTMANN (dir.), *Collapsed States. The Disintegration and Restoration of Legitimate Authority*, Lynne Rienner Publishers, Boulder/Londres, 1995, p. 1.

3   Cette expression est appliquée à la région des Grands Lacs, mais elle peut être étendue. William I. ZARTMANN, « L'indispensable État », *in* Éric REMACLE, Valérie ROSOUX et Léon SAUR (dir.), *L'Afrique des Grands Lacs*, Peter Lang, Bruxelles, 2007, p. 282.

libéral « vers les États de la périphérie [1] ». Sélective, pour ne pas dire biaisée dans ses références, cette ingénierie déployée par les intervenants extérieurs écarterait les modalités d'un « vouloir-vivre ensemble » endogène, défini par des populations locales capables de mettre en place des mécanismes de réconciliation ou de fabrication du lien politique indépendamment des conceptions occidentales.

L'objectif du présent chapitre consiste moins à critiquer la thèse de l'État failli qu'à la nuancer. S'éloignant des approches monocausales, il entend montrer que plusieurs facteurs de natures distinctes interviennent tant dans le déclenchement que dans l'amplification des guerres contemporaines. Certes, les carences de l'État, dans ses missions coercitives ou distributives, peuvent susciter le passage d'une partie de la population à la violence armée. Toutefois, ces variables d'ordre institutionnel ne suffisent pas : les déséquilibres socioéconomiques, qui affectent les conditions de vie, et/ou les enjeux de légitimité, qui frappent le pouvoir politique, pèsent également. Enfin, les désintégrations institutionnelle et sociale dépendent aussi de facteurs exogènes.

▨▨▨ Une désintégration « par le haut » : les déficiences de l'État

Détenant le monopole de la coercition physique légitime, selon la définition de Max Weber, l'État se voit confier une première mission qui consiste à assurer la sécurité des populations sur son territoire. Elle suppose une série de moyens adaptés, à commencer par des institutions militaires et policières respectueuses de l'État de droit. Or ces capacités font parfois nettement défaut, pour des raisons diverses.

Les cas différenciés de l'armée en République centrafricaine (RCA) et en République démocratique du Congo (RDC) illustrent bien ce phénomène. Pour la première, l'institution militaire est regardée avec suspicion par les élites civiles. Les putschs militaires et les mutineries qui ont jalonné l'histoire récente du pays – dont le coup d'État, en 2003, du général François Bozizé, resté au pouvoir jusqu'en 2013 – ne sont pas étrangers à cette difficile coopération entre les dirigeants civils et les Forces armées centrafricaines (FACA). Cette difficile coopération s'est traduite par la volonté des premiers de neutraliser les secondes en limitant leurs ressources matérielles : alors que la RCA dispose, sur le papier, de 6 000 soldats, les FACA ne peuvent en réalité compter que sur 2 000 hommes opérationnels sous-dotés en moyens de transport et en logistique (avec un territoire comparable, l'Ukraine dispose de quelque 200 000 soldats). D'où l'idée selon laquelle l'État deviendrait fantoche après le PK12 (12 km du centre de la capitale Bangui) !

---

1   Roland Paris, « International peacebuilding and the *"mission civilisatrice"* », *Review of International Studies*, vol. 28, n° 4, 2002, p. 638.

Pour la RDC, le délabrement de l'armée résulte en partie d'une confusion entre chaîne de commandement et chaîne de paiement. Les salaires sont en effet versés directement au chef d'état-major général par la Banque centrale, puis attribués de manière hiérarchique. Le passage de main en main d'une telle enveloppe favorise les détournements à des fins personnelles et soumet la rétribution des soldats du rang au bon vouloir de leurs supérieurs. De telles mesures aboutissent à une fragilisation de l'action militaire, source d'un déficit sécuritaire.

Aux pouvoirs régaliens relatifs à la sécurité s'ajoutent des missions d'ordre social et économique. Celles-ci supposent l'existence d'un État capable de redistribuer les richesses et d'intervenir activement en s'appuyant sur les équipements collectifs et les services publics : infrastructures routières, établissements scolaires et hospitaliers, programmes de développement économique... L'ensemble de ces mesures participe d'une conception de l'État-providence dont la particularité est de reconnaître aux membres de la communauté politique des droits-créances qui, contrairement aux droits-libertés, supposent une action effective et continue de l'État. Mais lorsque l'amélioration des conditions de vie, voire la satisfaction des besoins fondamentaux des populations peinent à se concrétiser, en dépit des promesses officielles, les tensions sociales et politiques ne tardent pas à se manifester.

Le cas du Mali offre un condensé de ce mécanisme qui vient s'ajouter à une fragilité sur le plan des capacités militaires. Dès l'indépendance du pays en 1960, des rébellions de Touaregs se manifestent au nord. Adoptés sous médiation algérienne en 1991, les accords de Tamanrasset reconnaissent une certaine autonomie aux régions du Nord-Mali tout en incitant le gouvernement malien à s'y impliquer (aide au développement de la région, réinsertion des anciens rebelles dans l'armée et l'administration, etc.). Faute, notamment, de ressources financières suffisantes, le nouveau « Pacte national » mis en place à cette période n'est pas appliqué et les rébellions touarègues se perpétuent. Critiques et mobilisations touarègues aboutissent en 2006 à la création de l'Alliance démocratique pour le changement, avec à sa tête, notamment, deux officiers déserteurs ayant été objets de discrimination (Hassan Ag Fagaga et Ibrahim Ag Bahanga). L'Alliance revendique une large autonomie pour les régions de Gao, Tombouctou et Kidal. Un nouvel accord (celui d'Alger adopté la même année) réitère la spécificité de la zone et l'appel à une plus grande assistance économique. Il prévoit même un élargissement des prestations dans les domaines de la santé, de l'éducation, de l'agriculture, des voies de communication (téléphone, radio, aéroports)... Ces perspectives n'entament pas la détermination des Touaregs. Après les élections locales contestées de 2009 ainsi que la décision du président Amadou Toumani Touré de ne pas dépêcher des forces de défense maliennes mais de s'appuyer sur des milices locales arabes et touarègues, la tendance s'accentue. Une fusion s'opère entre le Mouvement touareg du Nord-Mali et le Mouvement national de l'Azawad pour créer le Mouvement national de libération de l'Azawad (MNLA) en 2011. Ici, une tension apparaît entre les demandes d'État (volonté de bénéficier des politiques publiques favorables à l'élévation du niveau de vie) et les critiques de l'État (volonté d'émancipation définitive par rapport au pouvoir « central »). Mais c'est bien la conjonction d'une fragilité institutionnelle avec une absence totale de prise en charge des besoins économiques et sociaux primordiaux des populations locales touarègues qui constitue le terreau de l'affrontement armé.

▬▬▬ Une désintégration « par le bas » : l'exclusion sociale et politique

L'analyse « par le haut » des dysfonctionnements et des carences de l'État ne suffit pas à identifier les sources des situations belligènes. Il est également nécessaire de s'intéresser à la désintégration sociale et politique « par le bas ». Pour qu'une société politique telle qu'une cité, une nation ou un empire puisse perdurer, les individus qui la composent doivent, d'une manière ou d'une autre, se sentir attachés aux autres membres de la collectivité. Le manque de cohésion sociale, voire le sentiment d'exclusion d'une catégorie de la population, engendre des situations conflictuelles, individuelles ou collectives, passagères ou plus durables. Ces dernières peuvent prendre des formes diverses, allant jusqu'à la criminalité organisée ou la dissidence armée.

La disparition d'un État central fonctionnel et la fragmentation du territoire national, suite à la chute du régime de Mohamed Siad Barre en 1991, ont fait de la Somalie un des exemples les plus fréquemment cités d'« État failli ». D'autres facteurs, pas nécessairement directement liés à la « faillite » des institutions étatiques, doivent pourtant être mentionnés pour rendre compte de la guerre civile qui ravage le pays depuis plus de vingt ans. C'est le cas, par exemple, de l'exode rural qui entraîne le gonflement des populations urbaines. D'une part, celles-ci ne sont pas toutes bénéficiaires des services publics de base (soins, école, eau potable). D'autre part, l'absence d'intégration socioéconomique de ces populations offre aux entrepreneurs de violence un terreau propice pour prospérer et un réservoir pour recruter des combattants.

Dans le cas de la guerre civile en Sierra Leone, qui s'étire de 1991 à 2001, ces entrepreneurs sont des laissés-pour-compte, écartés des opportunités sociales, économiques et, plus encore, politiques. Fondé par Foday Sankoh, le Revolution United Front (RUF) réunit de jeunes intellectuels, mais aussi et surtout de jeunes ruraux se heurtant au contrôle de la terre par leurs aînés (impossibilité de subvenir par eux-mêmes à leurs besoins), ainsi que nombre

de marginaux (non-reconnaissance de la société dans laquelle ils vivent).
Cette guerre civile peut être ainsi qualifiée de « drame de l'exclusion
sociale [1] ». De nombreuses analyses défendent l'idée d'une manipulation des
insurgés par Charles Taylor et, par là, d'une déstabilisation qui proviendrait
du Liberia voisin. Une telle interprétation ne résiste guère à l'observation des
faits. Bien que les deux hommes se soient rencontrés en Libye en 1988, les
projets politiques de Sankoh et de Taylor ne concordaient pas. Plus que la
conséquence directe d'une intervention extérieure, c'est la situation sociale
vécue par une partie de la jeunesse locale qui a rendu possible le déclenchement du conflit armé [2]. Le creusement des inégalités et les discriminations
sociales ont alimenté un sentiment d'injustice qui a fourni l'ingrédient
majeur de la progressive désintégration de la société sierra-léonaise.

Le conflit armé au Chiapas, à partir de 1994, s'enracine également dans
une désintégration sociale et économique. Alors que cette région du Sud-Est
mexicain représente une source majeure pour la production énergétique du
pays (pétrole et électricité), la majorité de la population vit dans la pauvreté.
L'accès aux services publics demeure minime : le tiers des maisons sont
privées d'électricité, l'analphabétisme est élevé, le taux de scolarisation bas.
L'armée zapatiste, qui revendique une structure politique autonome, a fait
de la justice sociale son principal mot d'ordre : avoir un travail, une terre, de
la nourriture, accéder aux soins ou à l'école.

La problématique de l'exclusion présente évidemment une dimension
politique. Dans ce domaine, c'est la question de la légitimité du pouvoir qui
se trouve posée. Cette thématique de la légitimité a été particulièrement bien
étudiée par Max Weber qui en a notamment distingué les trois modalités,
légales-rationnelles, traditionnelles et charismatiques. Mais le pouvoir ne
s'impose pas simplement d'« en haut », il doit aussi être consenti d'« en
bas ». Sans l'approbation des populations, le pouvoir politique, quel qu'il
soit, se délite et le corps politique se défait. La notion de « corps politique » ne
désigne pas l'État défini comme une institution séparée du reste de la société,
mais renvoie au sentiment d'appartenance à une même communauté politique, ce qui induit une contribution à son bon fonctionnement. Autrement
dit, le corps politique ne peut s'épanouir sans l'assentiment de ses membres.

1   Paul RICHARDS, *Fighting for the Rain Forest. War, Youth and Resources in Sierra Leone*, African
     Issues Series, n° 5, Oxford, 1996, p. xiv.
2   Les motivations de ces franges ne se recoupant pas entièrement et une partie de la jeunesse
     ne se reconnaissant pas dans ces revendications, cette thèse fait l'objet de discussion (voir
     Yusuf BANGURA, « The political and cultural dynamics of the Sierra Leone war », *in* Ibrahim
     ABDULLAH (dir.), *Between Democracy and Terror. The Sierra Leone Civil War*, CODESRIA,
     Dakar, 2004, p. 13-40). Toutefois, l'exclusion sociale constitue bel et bien un des ferments
     de la guerre civile.

Ce processus de délitement des corps politiques est au cœur de la plupart des conflits infraétatiques, armés ou non.

À Haïti par exemple, où la République a pourtant été instituée depuis plus de deux siècles, le « vouloir-vivre ensemble » tarde à émerger. La contestation des élites atteste d'une déliquescence du lien entre gouvernés et gouvernants. Percevant à juste titre ces derniers comme de « grands mangeurs qui s'attaquent aux ressources publiques à des fins personnelles [1] », une partie importante de la jeunesse se désintéresse de la chose publique. Le séisme de janvier 2010, qui a fait plus 230 000 morts, 300 000 blessés et 1,2 million de sans-abri, n'a pas enclenché une dynamique de solidarité susceptible de modifier cette représentation ou de tisser de nouveaux liens.

La question de l'inclusion politique renvoie également à la double problématique de la nationalité et de la citoyenneté. À cet égard, le cas de la Côte d'Ivoire mérite d'être mentionné. La constitutionnalisation du concept d'« ivoirité », en 1994, a en effet entraîné l'exclusion politique et la marginalisation sociale d'une partie importante de la population, désormais perçue comme « étrangère », c'est-à-dire extérieure à la communauté politique, alors qu'elle vivait dans le pays depuis plusieurs générations. L'instrumentalisation politique de l'identité ivoirienne compte parmi les racines de la guerre civile qui a ensanglanté le pays depuis près d'une vingtaine d'années. Cette faiblesse du corps politique se manifeste également à travers la situation que traversent les Philippines, où plusieurs groupes rebelles s'opposent au gouvernement. S'il a engagé des pourparlers aboutissant parfois à la signature d'accords de paix en vue d'un partage du pouvoir – à l'instar des négociations avec le Front Moro de libération nationale en janvier 2014 –, celui-ci se heurte à l'intransigeance du groupe islamiste radical Abu Sayyaf.

Ces fragilités du corps politique font le lit de revendications sécessionnistes. La partition du territoire et l'accès à l'indépendance sont alors conçus comme la meilleure réponse politique à une guerre civile. Néanmoins, cette formule tend parfois à reproduire des tensions internes comme l'illustre le cas du Soudan, lequel n'échappe pas à cette contrainte que dicte la vie de tout corps politique. Suite à la guerre au Darfour, les Noirs musulmans qui avaient combattu aux côtés des Noirs chrétiens du Sud sont restés dans le pays et ont adopté une posture légaliste après le référendum qui a donné lieu à la création du Soudan du Sud en 2011. Mais les fraudes électorales et l'interdiction, en septembre 2011, du parti politique qui les représentait les ont rapidement poussés à reprendre les armes contre les autorités de Khartoum. En tant que jeune corps politique, le Soudan du Sud n'est pas épargné par cette dynamique. Le rapprochement avec Khartoum du président Salva Kiir suscite de

---

1   Henriette LUNDE et Ketty LUZINCOURT, *Politique politicienne : une perception de la jeunesse haïtienne*, Norwegian Peacebuilding Center, Oslo, 23 janvier 2011, p. 2.

vives réactions de la part de Riek Machar, son ancien vice-président, limogé en juillet 2013, et probable rival à la prochaine élection présidentielle prévue en 2015. L'incapacité à construire un corps politique dans lequel se reconnaît l'ensemble des individus pèse ainsi sur le devenir d'un État qui fonctionne jusqu'à présent grâce à l'aide, tant économique que militaire, des États-Unis.

L'influence des facteurs exogènes

Résultant des pratiques adoptées par les acteurs locaux, la double désintégration institutionnelle et sociale que nous venons d'évoquer s'explique également par des facteurs exogènes, indépendants de la volonté et des pratiques des protagonistes présents sur le terrain. Ces facteurs exogènes sont de deux types : topographique et politique.

Certains espaces présentent des particularités, sur le plan topographique, qui rendent délicates la construction institutionnelle des États et l'inclusion sociopolitique des populations. C'est le cas, par exemple, dans l'arc sahélien où le difficile accès aux régions périphériques pèse sur la mise en œuvre d'une politique publique, qu'elle soit régalienne ou de nature distributive. D'un point de vue stratégique, le désert possède même des caractéristiques assez similaires à celles de la mer. Les populations nomades qui évoluent en son sein s'adaptent à cet environnement, faisant parfois émerger des phénomènes d'hybridations où se mêlent des considérations idéologiques et économiques. Comme l'illustre le rapprochement d'Al-Qaida au Maghreb islamique (AQMI) avec certains groupes engagés dans des trafics de type mafieux (comme celui que pilote le trafiquant malien Omar Sahraoui, impliqué dans les prises d'otages au Sahel), de telles hybridations résultent plus d'une convergence d'intérêts que d'une conversion idéologique. Ce phénomène, régulièrement relevé dans le cas du Mali, apparaît également en Centrafrique dont l'enclavement topographique pénalise le développement. Dépourvue d'infrastructures ferroviaires, mal desservie par le transport aérien, disposant de seulement quatre routes, très partiellement bitumées, et de deux fleuves peu entretenus et à la navigation délicate (Congo et Oubangui), la RCA voit les coûts de transport à l'exportation et à l'importation s'envoler – ce qui hypothèque son intégration à l'économie mondiale alors même que d'autres pays africains bénéficient d'une dynamique favorable : investissements des puissances émergentes, exploitation des ressources naturelles, essor des télécommunications, etc.

Le facteur politique réside, quant à lui, dans les interventions directes ou indirectes d'acteurs extérieurs (États ou OIG). Au-delà des interventions entreprises par des États limitrophes qui profitent d'une situation nationale instable chez leurs voisins pour mener des guerres de prédation ou des guerres « par procuration », comme c'est le cas dans la région des Grands

Lacs, il est nécessaire de s'interroger sur les mesures adoptées par certains acteurs extérieurs à la région elle-même, avec pour objectif affiché de consolider les États « fragiles » ou « faillis ». Les choix opérés par les « partenaires internationaux » s'appuyant parfois sur des diagnostics erronés, certaines des mesures visant à consolider les fonctions régaliennes ou l'intégration institutionnelle de ces États se révèlent insuffisantes, voire contre-productives.

En RDC, par exemple, les bailleurs internationaux, comme la Banque mondiale ou l'OCDE, ne reconnaissent pas les militaires comme catégorie prioritaire dans la période post-conflit et les privent donc des aides accordées aux groupes sociaux considérés comme vulnérables. Dans le même pays, l'Union européenne a tenté, à travers l'un de ses programmes, de déconnecter la chaîne de paiement de la chaîne de commandement dans l'armée, mais en vain, du fait de l'absence de procédure de vérification. Les programmes de désarmement, démobilisation, réintégration (DDR) des combattants, initiés par l'ONU pour favoriser la stabilisation des États au sortir des conflits, ne sont pas toujours convaincants eux non plus. De tels programmes, parfois mis en œuvre avant que les protagonistes se soient mis à la table des négociations, n'ont en effet aucune chance de porter leurs fruits sans un accord de paix signé préalablement par les parties en conflit.

Le facteur politique apparaît également de manière indirecte, certaines interventions étrangères accentuant la désintégration institutionnelle ou sociale des États visés. Sur le plan militaire, l'intervention occidentale en Libye, en 2011, a entraîné la dissémination de l'arsenal du régime libyen et conduit plusieurs acteurs à se réfugier au Mali, rendant ainsi encore plus épineux le contrôle du territoire par Bamako. Sur le plan économique, les embargos sanitaires, décrétés par l'Arabie saoudite en 1998 et les autres pays du Golfe en 2000, sur l'exportation du bétail ont encore aggravé la désintégration sociale en Somalie. De telles mesures affectent les revenus des éleveurs somaliens, exercent une pression sur les ressources naturelles avec le gonflement des troupeaux tout en accélérant l'exode rural et la dégradation de la situation sociale en milieu urbain. La concurrence déloyale des chalutiers étrangers venant pêcher dans les eaux particulièrement riches de la région a, elle aussi, déstabilisé la Somalie en faisant émerger des phénomènes de piraterie. Avant même que les pirates n'identifient de nouvelles cibles (navires de tourisme) et n'étendent leur rayon d'action (jusqu'aux rives de l'Inde), c'est d'abord en relation avec le « pillage » des ressources halieutiques par des intervenants étrangers que les populations somaliennes interprètent ce phénomène.

Ces facteurs politiques s'inscrivent évidemment dans une histoire longue. Sous l'effet de la colonisation, des modèles européo-centrés ont été imposés à la plupart des États aujourd'hui considérés comme « fragiles ».

L'expérience coloniale ayant partiellement désintégré les structures politiques, sociales et culturelles antérieures, l'accès à l'indépendance, souvent
bâtie sur des modèles importés, ne favorise pas automatiquement une réconciliation de la société avec l'État ou l'édification d'une structure politique
faisant sens pour les populations. À ces influences étrangères, toujours
vivaces, s'ajoute une tendance à la confiscation du pouvoir politique par les
élites en place. Se manifeste alors ce que l'intellectuelle tunisienne Hélé Béji
qualifiait, il y a déjà plusieurs années, de « désenchantement national [1] ».

Analyser la double dimension sociale et institutionnelle des conflits

Selon le modèle de Clausewitz, toute guerre est un rapport de
forces qui se caractérise par un affrontement entre deux volontés. Néanmoins, les formes que revêtent les conflits, tout comme les causes qui les ont
fait éclater, varient en fonction des circonstances. Les guerres contemporaines à dominante civile mais enchâssées dans des configurations régionales (des systèmes de conflits armés qui traversent les frontières) et
internationales (des interventions militaires ou des opérations de reconstruction post-conflictuelle de la part d'acteurs extérieurs) témoignent d'une
évolution de la réalité stratégique : la conquête de nouveaux territoires et de
leurs ressources, typique de la grammaire westphalienne, s'essouffle alors
que la teneur et la vigueur des corps politiques eux-mêmes constituent
aujourd'hui les principaux paramètres des affrontements armés. Les
processus de désintégration institutionnelle et sociale participent de cette
évolution. Certains programmes de recherche tentent de hiérarchiser et de
pondérer les différents facteurs économiques, sociaux et politiques en la
matière, en empruntant parfois les voies de l'économétrie [2]. D'un point de
vue théorique, chercher à faire émerger une telle modélisation, commune à
tous les conflits, paraît hasardeux. D'une part, chaque guerre présente des
spécificités, les facteurs belligènes évoqués s'articulant chaque fois de façon
singulière. D'autre part, les processus de désintégrations institutionnelles et
sociales peuvent intervenir soit en tant que déclencheurs soit en tant
qu'accélérateurs d'une guerre intraétatique à répercussions internationales.
Toujours est-il que la réflexion stratégique contemporaine ne peut plus
s'épargner une analyse rigoureuse de ces variables. Les carences d'inclusion,
dans leurs différentes dimensions sociale et institutionnelle, sont autant de
dégradés d'une coloration que l'on trouve dans toutes les situations conflictuelles contemporaines.

---

1   Hélé Béji, *Le Désenchantement national. Essai sur la décolonisation*, Maspero, Paris, 1982.
2   C.S.C. Sekhar, « Fragile states : The role of social, political, and economic factors », *Journal of Developing Societies*, vol. 6, n° 3, septembre 2010, p. 263-293.

Pour en savoir plus

Jean-Marc Châtaigner et Hervé Magro (dir.), *États et sociétés fragiles. Entre conflits, reconstruction et développement*, Karthala, Paris, 2007.

Jennifer M. Hazen, *What Rebels Want. Resources and Supply Networks in Wartime*, Cornell University Press, Ithaca/Londres, 2013.

Ian S. Spears, *Civil War in African States. The Search for Security*, Lynne Rienner Publisher, Boulder/Londres, 2010.

Jean-Pierre Vettovaglia (dir.), *Déterminants des conflits et nouvelles formes de prévention*, Bruylant, Bruxelles, 2013.

Zubairu Wai, *Epistemologies of African Conflicts. Violence, Evolutionism, and the War in Sierra Leone*, Palgrave MacMillan, New York, 2012.

Des guerres « nouvelles » ? Petite généalogie des guerres irrégulières

Élie Tenenbaum
Agrégé d'histoire et doctorant à Sciences Po-CERI

Depuis plus de deux décennies que le système international évolue dans une configuration incertaine – qualifiée, faute de meilleur terme, d'« après-guerre froide » –, de nombreux regards ont été portés sur la nature changeante des conflits armés. Dans son célèbre ouvrage *New and Old Wars* paru en 1999, la politologue américaine Mary Kaldor soulignait l'émergence d'une nouvelle forme de conflictualité, reposant sur l'implication grandissante d'acteurs non étatiques et l'adoption de logiques identitaires ou prédatrices prétendument absentes du modèle de guerre « clausewitzien » ayant prévalu jusqu'alors. En dépit de son attractivité, l'argument de la nouveauté ne résiste pourtant pas à l'étude statistique dans la longue durée : entre 1816 et 1997, l'écrasante majorité des conflits armés – 322 sur 401 – ont impliqué au moins un adversaire non étatique et correspondent peu ou prou à la définition des « nouvelles guerres » donnée par M. Kaldor [1]. Présent à des degrés divers tout au long de l'histoire moderne, ce type d'affrontements est en réalité connu depuis longtemps sous l'appellation de guerre irrégulière.

S'il demeure toujours délicat de proposer une définition complète et irrévocable d'un phénomène social aussi complexe, il est néanmoins possible de dégager quelques lignes forces permettant d'appréhender le concept de guerre irrégulière. Comme l'a fort bien souligné le juriste et philosophe allemand Carl Schmitt dans sa *Théorie du partisan* [2], le port de l'uniforme et l'appartenance à des forces armées organisées par un État légitime et monopoleur de la violence se trouvent au fondement du concept de guerre régulière – c'est-à-dire régulée –, tout autant que de l'ordre international westphalien. Par opposition, la notion d'irrégularité renvoie donc à une qualification d'ordre juridique, c'est-à-dire à une absence de conformité à la règle, celle-ci étant en l'occurrence incarnée par le droit de la guerre (*jus in bello*), reposant notamment sur le respect de la distinction élémentaire entre combattants et non-combattants. La guerre irrégulière renvoie ainsi à l'intrusion volontaire des civils dans la lutte armée.

Le concept même de combattant irrégulier est donc intrinsèquement lié à celui d'État et a donc nécessairement évolué avec lui. Il n'est dès lors pas surprenant que la période récente, associée à une remise en cause généralisée de l'État comme énonciateur de normes ait également influencé la pratique de la guerre irrégulière. Les spécificités des enjeux contemporains de la guerre irrégulière peuvent dès lors être appréhendées au travers d'une mise en perspective globale, soulignant les grandes phases de sa relation à l'institution étatique.

Un procédé ancien et coexistant à l'État

La guerre irrégulière en tant que procédé tactique est sans aucun doute aussi ancienne que la guerre elle-même. Depuis les coups de main des Éburons sur les arrières des légions de Jules César jusqu'aux tactiques asymétriques de Trần Hung Đạo, général vietnamien combattant l'envahisseur mongol au début du XIVᵉ siècle, les méthodes de guérilla, d'embuscades ou de harcèlement par de petites forces légères, non militarisées en apparence, sont attestées par tous les textes historiques et traités militaires connus. Elles sont encore pratiquées aujourd'hui sur tous les théâtres d'opérations (comme au Moyen Âge, les attaques en bord de route sont aujourd'hui la tactique de base

---

1   Meredith R. Sᴀʀᴋᴇᴇs, Frank W. Wʏᴍᴀɴ et David Sɪɴɢᴇʀ, « Inter-state, intra-state, and extra-state wars. A comprehensive look at their distribution over time, 1816-1997 », *International Studies Quarterly*, n° 47, 2003, p. 49-70.

2   Carl Sᴄʜᴍɪᴛᴛ, *La Notion de politique. Théorie du partisan*, Flammarion, Paris, 1992.

employée en Afghanistan). Même au pinacle de la régularité westphalienne qu'est censé incarner l'art de la guerre au XVIIIe siècle, le champ de bataille traditionnel y a toujours été accompagné, sur les arrières et le long des lignes de ravitaillement, d'une pratique de la « petite guerre » ou « guerre des partis », réprouvée par les juristes mais recommandée par les tacticiens de l'époque [1].

Le refus volontaire de certains belligérants de respecter les règles de la guerre en armant les populations ou en se dissimulant en leur sein atteste de l'instrumentalisation stratégique de l'irrégularité. Dès lors que la régulation de la guerre entraîne, pour celui qui la respecte, une réduction de ses marges de manœuvre, le choix de l'irrégularité peut apparaître comme la composante d'une stratégie visant à déstabiliser un adversaire. Il n'est donc pas surprenant de voir ici la problématique de l'irrégularité se mêler à celle de l'asymétrie : lorsque le déséquilibre des forces régulières apparaît trop grand, il peut conduire à légitimer, sur le plan instrumental, l'adoption par le plus faible d'une stratégie irrégulière visant ainsi à pallier son infériorité par la ruse et la dissimulation. Reflet de l'inégale distribution de la puissance parmi les sociétés, l'irrégularité représente donc également une opposition entre deux conceptions de l'État, comme stratège ou comme juriste.

Cette coexistence de la guerre irrégulière avec l'État moderne prend une importance particulière avec l'avènement de l'âge démocratique à la fin du XVIIIe siècle. L'insurrection américaine comme les guerres de la Révolution française ont assurément une dimension irrégulière, exprimant avant tout une évolution politique. L'implication grandissante du peuple dans le pouvoir politique conduit aussi à sa mobilisation sur le plan militaire : bien qu'étant techniquement des réguliers, les soldats de l'an II n'apparaissent pas souvent comme tels face aux armées professionnelles des monarchies européennes. Cette dynamique d'irrégularisation joue d'ailleurs à double sens et ne tarde pas à se retourner contre la Révolution elle-même comme le montrent les insurrections de Vendée dès 1796 ou encore le développement de mouvements de résistance populaire en Espagne, en Russie et en Allemagne à l'encontre de l'occupation napoléonienne.

L'intégration du peuple au pouvoir politique a donc transformé la guerre : elle offre assurément des ressources numériques et économiques exceptionnelles mais rend aussi la conquête de nouveaux territoires plus hasardeuse et conditionnée à l'obtention du soutien des populations locales – une caractéristique qui persiste jusque dans les conflits les plus récents (Irak, Afghanistan, Syrie, etc.). La guerre irrégulière apparaît alors comme un défi au pouvoir de l'État et au contrôle de son territoire et de sa population. Pour le

---

1   Sandrine PICAUD-MONNERAT, *La Petite Guerre au XVIIIe siècle*, Economica, coll. « Bibliothèque stratégique », Paris, 2010.

garantir, il va devoir développer ses instruments de domination, d'encadrement et d'administration.

Les guerres de colonisation s'étalant sur la plus grande partie du xix⁰ siècle sont des expressions édifiantes de cette nouvelle dynamique. Ancien combattant de la guerre d'Espagne où il a pu observer les méthodes de pacification de Louis-Gabriel Suchet, le général Thomas-Robert Bugeaud, gouverneur de l'Algérie en 1836, est sans doute l'une des figures tutélaires de cette école coloniale de la guerre irrégulière. Tout en adaptant son outil militaire à un adversaire mobile et évanescent, ce dernier développe les fonctions administratives de l'armée d'occupation à travers la création des bureaux arabes, destinés à pacifier les régions conquises. Avec des objectifs politiques évidemment différents, les entreprises de reconstruction et de développement économique associées aujourd'hui à toute opération de stabilisation (Balkans, Afghanistan, Mali, etc.) ont contribué à réactiver l'action civilo-militaire au sein des forces armées, sans toutefois obtenir les mêmes résultats.

Les Britanniques, de leur côté, généralisent aux Indes la technique de l'*Indirect Rule* consistant à gouverner par l'intermédiaire des élites locales, ralliées ou contraintes à la collaboration avec la puissance coloniale. Sur la frontière occidentale du Raj, dans les actuelles zones tribales pakistanaises (Waziristân, Baloutchistan, etc.), l'officier écossais Robert Sandeman théorise ainsi un modèle de gouvernance sophistiqué et peu intrusif, fondé sur des milices locales et une grande autonomie politique qui perdurent jusqu'à aujourd'hui avec les conséquences que l'on sait sur le plan sécuritaire.

Dans les deux cas, la guerre irrégulière coloniale joue un rôle de catalyseur des méthodes de gouvernance et de contrôle sécuritaire par l'État moderne. En mêlant les problématiques civiles et militaires, la pratique de la guerre justifie l'extension des prérogatives des institutions de l'État (armée, police, administration coloniale) et participe ainsi à son développement.

▬▬▬ La guerre irrégulière au xx⁰ siècle : un outil de structuration étatique…

La science politique a depuis longtemps montré le lien intrinsèque associant le développement d'un outil guerrier et celui d'un appareil d'État [1]. L'importance de l'irrégularité dans ce processus a pourtant souvent été négligée alors même qu'elle en constitue une étape cruciale. Ainsi, le xx⁰ siècle, considéré à juste titre comme celui du triomphe de l'État total, est aussi celui de la transformation radicale de la guerre irrégulière.

---

[1]   Brian D. Taylor et Roxana Botea, « Tilly tally. War-making and state-making in the contemporary Third World », *International Studies Review*, mars 2008, vol. 10, n° 1, p. 27-56.

À la croisée des XIXᵉ et XXᵉ siècles, la guerre des Boers (1899-1902) a démontré les nouvelles possibilités de l'irrégularité lorsqu'elle était mise au service d'une stratégie systématique de harcèlement et de dissimulation associée à un soutien populaire organisé et à des moyens préindustriels (fusils à répétition, réseaux de communication, etc.). Elle ouvre la voie à la première forme de guérilla moderne et démontre sa capacité à mettre en échec la première puissance mondiale pendant plusieurs années. Si elle se conclut finalement par un échec, le coût politique et humain de la victoire britannique, obtenue par l'internement d'une grande partie de la population dans les premiers camps de concentration, laisse entrevoir le caractère total de ces « petites guerres » qui peuvent être ainsi comparées aux grands affrontements interétatiques sur le plan de la mobilisation des populations civiles [1].

Si la guerre des Boers offre sans aucun doute un précédent important dans le domaine de la stratégie irrégulière, c'est la campagne révolutionnaire de l'Irish Republican Army (IRA), lancée en 1919 par Michael Collins, qui atteste véritablement de la transition de la guerre irrégulière du rang d'activité instinctive et de pis-aller tactique à celui de stratégie insurrectionnelle politico-militaire planifiée. Se reposant sur un système de renseignement implanté en profondeur dans l'appareil de sécurité gouvernemental, l'IRA s'attache à entretenir l'agitation politique, tout en multipliant les actes ciblés de sabotage, d'assassinat et de guérilla. Ces techniques indirectes désorientent profondément les forces britanniques, peu habituées à la combinaison de la « subversion organisée », jusqu'alors l'apanage de groupuscules révolutionnaires ou de puissances étrangères, avec un mouvement de révolte populaire de grande ampleur, généralement spontané et mal préparé.

Le troisième pilier de la guerre irrégulière moderne est évidemment incarné par Mao Zedong et sa théorisation progressive de la guerre révolutionnaire, née de plus de vingt années de guerre civile et de lutte antijaponaise en Chine (1927-1949). Par-delà la pratique de la guérilla du faible au fort – déjà prônée par Sun Zi – et le recours à une solide organisation politico-militaire clandestine héritée de la tradition léniniste, le maoïsme stratégique y ajoute une méthodologie nouvelle de mobilisation des masses populaires au moyen d'un encadrement politique, économique et social permanent. Parce qu'elle fait du contrôle des populations non combattantes la principale ressource et même le centre de gravité du conflit, la stratégie maoïste est essentiellement une stratégie irrégulière.

Elle est également une stratégie de construction de l'État : avant même d'avoir vaincu son adversaire, l'insurgé s'emploie à assurer toutes les

---

1   Hew STRACHAN, « Essay and reflection. On total war and modern war », *The International History Review*, vol. 22, n° 2, 2000, p. 341-370.

fonctions régaliennes et se rend ainsi indispensable aux populations. Dans l'Afghanistan des années récentes, les talibans ne se sont pas comportés autrement en rendant la justice et en assurant la gouvernance locale des régions les plus reculées de la ceinture pachtoune. Insérée dans un scénario stratégique codifié dont la phase ultime est la constitution de forces régulières – apanage régalien par excellence et objectif reconnu des insurrections d'inspiration maoïste –, la doctrine de la guerre révolutionnaire se présente elle-même comme un processus codifié aboutissant à l'émergence des structures d'un État moderne.

Dès sa victoire sur les armées de Chiang Kai-shek en 1949, le maoïsme stratégique se pose en modèle à suivre pour les « pays colonisés et semi-colonisés » d'Asie, d'Afrique et d'Océanie. Par les chemins sinueux des solidarités transnationales et de la circulation internationale des idées, la théorie de la guerre révolutionnaire voit sa diffusion et surtout son appropriation par de nombreux mouvements indépendantistes, nés des espoirs d'émancipation de l'après-guerre. Si, en Indochine, les partisans de Hô Chi Minh et de Vô Nguyên Giap sont sans doute les premiers à importer avec succès les techniques de mobilisation maoïstes, de nombreux autres de leurs voisins malaisiens, philippins ou birmans échouent dans cette voie, faute d'avoir bénéficié des mêmes conditions politiques, stratégiques ou même géographiques. D'autres, comme le FLN algérien ou le PAIGC de Guinée-Bissau et du Cap-Vert, l'emportent en adoptant avec succès les méthodes d'organisation et de mobilisation développées par les communistes chinois, sans forcément partager leur idéologie.

Plus tardivement, et suite au succès quasi accidentel de la guérilla castriste dans la Sierra Maestra cubaine en 1959, une stratégie alternative au modèle maoïste se diffuse en Amérique du Sud à travers la théorie du *foco* (foyer). Consistant à déclencher la lutte armée sans travail politique préalable dans l'espoir de rallier le peuple par la simple popularité de leurs actions, cette conception romantique de la guérilla, immortalisée par la figure d'Ernesto Che Guevara, devait se révéler fatale à la plupart des entreprises irrégulières sur le sous-continent. Attirant davantage les intellectuels engagés que les masses paysannes, les *focos* ainsi allumés sans base populaire se révèlent vite incapables de se maintenir face à la répression des États policiers d'Amérique latine.

Quel que soit leur modèle stratégique, les guerres irrégulières du XXᵉ siècle se révèlent donc comme un outil manifeste d'organisation de l'État. Lorsqu'ils remportent la victoire et parviennent à leurs fins d'indépendance ou de révolution nationale, les mouvements irréguliers donnent généralement naissance à des régimes forts (Chine, Vietnam, Cuba, Algérie, etc.) et rarement démocratiques, prolongeant dans l'indépendance leur monopole de la violence mais aussi de la légitimité politique qu'ils ont su affirmer durant leur lutte.

... et d'interventionnisme extérieur

Concomitamment à ces développements endogènes, la guerre irrégulière a également pu être instrumentalisée par l'État dans le cadre de grandes manœuvres politiques ou géostratégiques. Dès la fin de la Première Guerre mondiale, l'agent britannique T.E. Lawrence a en effet montré, par son épopée aux côtés de la révolte arabe contre l'Empire ottoman, les bénéfices immédiats qu'un État en guerre pouvait tirer du soutien à une insurrection irrégulière sur les arrières de son adversaire. Il ne fallut pas attendre longtemps pour voir le Royaume-Uni renouveler cette expérience. Expulsés du continent européen au lendemain de la défaite française de 1940, les Britanniques entreprennent ainsi de susciter à travers les territoires occupés par l'Allemagne nazie de vastes mouvements de résistance susceptibles de se soulever au moment d'un débarquement. Les méthodes employées alors sont inspirées des guerres révolutionnaires irlandaise ou chinoise – étudiées avec attention par quelques officiers britanniques excentriques – mais mises au service d'une stratégie d'approche indirecte, dictée par la nécessité d'un rapport de force militaire longtemps en défaveur des Alliés.

C'est de cette entreprise irrégulière novatrice que naissent les premières forces spéciales et agences d'opérations clandestines (SOE, OSS, BCRA, etc.). Chargées d'encourager la révolte et de l'alimenter en armes et en hommes par le biais de parachutages, ces organisations secrètes ont également un rôle de coordination entre les partisans locaux et les forces régulières alliées. Ce mode opératoire, improvisé dans l'urgence de la Seconde Guerre mondiale, guide encore aujourd'hui l'action des forces spéciales – unités régulières spécialisées dans la guerre irrégulière – telle qu'elles ont été vraisemblablement employées aux côtés des rebelles libyens en 2011, et seraient certainement envisagées demain en cas d'intervention en Syrie.

Loin de marginaliser ces techniques irrégulières, la période de guerre froide, qui débute à la fin des années 1940, les érige au rang d'instrument central de la politique de sécurité nationale. Suite à la paralysie du modèle occidental de la guerre par l'avènement du fait nucléaire (rendant catastrophique toute nouvelle perspective d'affrontement direct entre les deux superpuissances), l'approche indirecte offerte par la guerre irrégulière s'impose rapidement comme un vecteur idéal dans la lutte d'influence à laquelle se livrent les blocs. Sans pour autant invalider le modèle endogène de la guerre de libération nationale, ce schéma exogène de la guerre par procuration (*proxy war*) vient s'y surimposer dans la perspective d'une instrumentalisation des mouvements irréguliers à des fins géopolitiques.

C'est ainsi que, dans l'ancienne Indochine, le Nord-Vietnam devient dès 1959 l'un des premiers « exportateurs » de guérilla au Sud-Vietnam, Laos et Cambodge, dans l'espoir de rétablir son contrôle sur son espace d'influence traditionnel. Au cours des années 1980, l'Amérique centrale (Nicaragua, Salvador), l'Afrique (Éthiopie, Angola, Mozambique) et le Moyen-Orient (Liban, Palestine, Afghanistan) sont tous embrasés par ces extensions irrégulières des affrontements Est-Ouest, avec des conséquences souvent tragiques pour les équilibres locaux. L'un des cas les plus célèbres, et dont les effets s'en ressentent jusqu'à aujourd'hui, est évidemment le soutien apporté par la CIA américaine aux moudjahidines afghans, luttant au nom de la guerre sainte contre le régime de Kaboul mis en place avec le soutien de l'Union soviétique.

En Afghanistan comme au Vietnam, cette logique exogène de la guerre irrégulière appelle aussi l'internationalisation de la réponse, connue à partir du début des années 1960 sous le terme de « contre-insurrection ». Principalement théorisée en France, en Grande-Bretagne et aux États-Unis, cette doctrine politico-militaire entend faire pièce à l'adversaire irrégulier en lui contestant son propre centre de gravité, c'est-à-dire sa légitimité politique. Au contraire de la répression aveugle dirigée contre les seules bandes armées, la contre-insurrection entend s'attaquer à l'infrastructure politico-militaire insurgée par une action policière répressive (bataille d'Alger, programme Phoenix, plan Condor, etc.). Parallèlement, et sur le modèle de pacification coloniale déjà évoqué, elle s'emploie à renforcer le pouvoir en place et à gagner « les cœurs et les esprits » des populations à grand renfort de propagande et de programmes de développement économique et social. Dès cette époque, la lutte contre la guerre irrégulière s'apparente donc à une mission de *state building* destinée à doter les États alliés des moyens de réprimer le péril intérieur, qu'il soit ou non né d'une activité étrangère. La construction de l'État devient alors un instrument de la politique de l'État.

Aussi paradoxal que cela puisse paraître, jamais l'irrégularité n'aura donc été aussi intrinsèquement liée à la forme étatique – comme construction ou comme instrument – qu'au cours de la période de la guerre froide. Instrument d'émancipation et de conquête du pouvoir, elle ne saurait donc présenter une nouveauté au moment de la généralisation de ces conflits au début des années 1990.

L'après-guerre froide : de la réactivation du savoir-faire colonial...

La fin de la guerre froide et de la lutte indirecte permanente qu'elle avait suscitée à travers le tiers monde exerce en Occident l'effet d'un trompe-l'œil stratégique. L'effacement du spectre de la guerre conventionnelle et nucléaire, d'une part, et des soutiens exogènes aux guerres civiles, d'autre part, laisse apparaître la vérité nue de la guerre irrégulière. Nombreux sont ceux qui en concluent à l'émergence d'une nouvelle forme de conflictualité, là où il ne s'agit que d'une variation sur une réalité occultée par la culture militaire occidentale. Si les références politiques et idéologiques se transforment du fait de la chute de l'URSS – remplacement du débat politique et idéologique par un débat identitaire souvent centré sur les questions ethniques ou religieuses –, le rapport à l'État demeure : en Bosnie comme au Rwanda il s'agit toujours, pour le combattant irrégulier, de prendre ou de conserver le pouvoir dans tout ou partie du territoire et de s'y ériger en autorité politique légitime.

Pour les puissances occidentales également, c'est le changement dans la continuité. Avec la fin du recours systématique au droit de veto du Conseil de sécurité, le nombre d'opérations dites de maintien de la paix se multiplie alors, pour l'essentiel dans des espaces de conflictualité irrégulière (Somalie, ex-Yougoslavie, Cambodge, Rwanda, etc.). La logique n'est plus celle du contre-feu ou de l'endiguement mais celle de la pacification et de la stabilisation. Sur le plan de la stratégie, en revanche, c'est une première occasion pour les forces occidentales – principales contributrices des opérations de maintien de la paix – de renouer avec des traditions coloniales, marginalisées mais ayant pour l'essentiel persisté *mezzo voce* au sein des unités de culture expéditionnaire.

Le développement des opérations civilo-militaires (Civil Military Cooperation, CIMIC) ou encore du principe de protection des civils mis en avant par l'ONU constituent autant de variations bénignes et d'appellations politiquement correctes de concepts irréguliers déjà développés au cours de la guerre froide. Les résultats se révèlent cependant décevants. La pusillanimité des règles d'engagement, la quête persistante d'impartialité confinant souvent à l'absence de politique, ainsi que l'intolérance grandissante des sociétés démocratiques aux pertes humaines contribuent presque systématiquement à l'enlisement de ces opérations qui ne parviennent que rarement à mettre un terme aux conflits.

Cette ère des interventions occidentales, désinhibées par le contexte de l'après-guerre froide, prend un visage plus martial au lendemain des attentats du 11 septembre 2001 avec le déclenchement par Washington de la « guerre globale contre le terrorisme ». Après s'être fixé des objectifs initialement limités, l'entreprise américaine affiche des ambitions considérables visant à permettre l'avènement d'un « nouveau Moyen-Orient démocratique ». En dépit de ses succès initiaux en matière de *regime change* (changement de régime), l'aventure tourne court et ne tarde pas à s'enliser devant le développement d'une insurrection sunnite en Irak dès 2004 et le retour progressif des talibans à partir de leur sanctuaire pakistanais dès 2006.

Tirant les leçons de leurs erreurs passées, les insurgés apprennent à se dérober au combat direct et, en dématérialisant leurs réseaux de commandement, se rendent invulnérables à la « guerre réseau-centrée » imaginée par les stratèges du Pentagone contre un adversaire à haute intensité technologique. À l'autre bout du spectre, la doctrine de stabilisation des années 1990 se révèle vite inapplicable dans un environnement « non permissif » où le niveau de violence ne permet pas une action sereine des forces armées.

C'est ainsi que la contre-insurrection réapparaît dans le débat stratégique dès 2004 comme le chaînon manquant dans l'éventail opérationnel des forces occidentales. Fortement inspirée des doctrines des années 1960 – le général David Petraeus, commandant du centre de doctrine de l'US Army en 2005 devenu responsable du théâtre irakien en 2007 puis afghan en 2010, est également l'auteur d'une thèse de doctorat sur la guerre du Vietnam –, elle en reprend les axes principaux. Sur le plan répressif, la lutte contre l'infrastructure, libellée sous le terme de contre-terrorisme, est mise en place par les forces spéciales, bras armé d'une stratégie de « *targeting* » (ciblage) visant à éliminer un maximum de cadres de l'insurrection. Sur le plan constructif, l'assise du nouveau régime est développée au moyen d'une politique de formation et d'aide à la gouvernance ainsi que par le ralliement négocié de groupes insurgés. On y retrouve, adaptés aux moyens et aux contraintes du XXIe siècle, les principaux axes des stratégies irrégulières du temps de la guerre froide.

Appliquée en Irak dès 2007 dans le cadre du *Surge* (montée en puissance), la contre-insurrection produit d'abord d'indéniables résultats, permettant de réduire la violence et d'établir des relais solides chez les sunnites en échange d'un retour dans le jeu politique. Étendue à l'Afghanistan, elle y obtient moins de succès. Malgré des progrès tactiques ici et là, et une attrition indéniable dans les rangs talibans, la victoire ne cesse de se dérober. La persistance du sanctuaire pakistanais, l'incurie du gouvernement d'Hamid Karzai et la trop grande faiblesse des forces de sécurité ne permettent toujours pas d'envisager une transition pérenne. Alors que les forces de l'OTAN s'apprêtent à se retirer du pays à la fin 2014, aucune issue favorable ne semble se profiler. Parallèlement, l'effondrement sécuritaire de l'Irak depuis le retrait américain – mais aussi sous l'effet de la crise syrienne – a fait sombrer le pays dans un niveau de violence similaire à celui de 2007, attestant ainsi du manque de pérennité (*sustainability*) de la stratégie du *Surge*.

La volonté occidentale, et notamment américaine, très marquée dès 2011, de se tenir désormais à l'écart de nouveaux conflits irréguliers – un mouvement de recul très similaire à celui ayant succédé à l'échec vietnamien – fait cependant l'effet d'un vœu pieux. Les conflits nés des révolutions arabes (Libye, Syrie) et de leurs conséquences indirectes (Mali) suivent tous des schémas de guerre irrégulière et ont d'ores et déjà démontré leurs implications pour la sécurité régionale, voire globale. Quoi qu'en disent les dirigeants occidentaux, il est peu probable que la défense de leurs intérêts leur permette de se tenir longtemps à l'écart de cette forme de conflictualité.

... à l'émergence d'une nouvelle irrégularité ?

Parallèlement à ces dynamiques finalement assez traditionnelles et prolongeant à leur manière des logiques déjà observées au cours des siècles précédents, des formes d'irrégularité plus originales semblent également se développer à l'ombre de la globalisation. Bénéficiant d'une structure réticulaire, à la fois souple et opaque, ces nouveaux acteurs profitent pleinement de l'explosion des flux d'information et de capitaux. Cette adaptation aux nouvelles conditions globales ne doit pourtant pas surprendre : flexibles et opportunistes par nécessité, les combattants irréguliers avaient bien su, au cours de la guerre froide, bénéficier du soutien des superpuissances et instrumentaliser les logiques géopolitiques à leur profit local. C'est en revanche dans leur grande stratégie et leurs objectifs ultimes que réside la véritable transformation : un nombre grandissant d'acteurs irréguliers ne semblent plus intéressés à se transformer en État.

Ce phénomène nouveau apparaît nettement au sein même des démocraties occidentales où la logique de déconstruction de l'État régalien et de réduction des budgets a favorisé une dynamique de privatisation de la violence armée à travers l'émergence de sociétés militaires privées. Dépourvus d'ambition étatique, voire même d'objectifs politiques – au contraire du mercenariat de guerre froide apparu en Afrique dès le début des années 1960 –, ces entrepreneurs sécuritaires semblent effectivement porteurs d'une logique fondamentalement différente et sans équivalent depuis la disparition des grandes compagnies au XVe siècle.

À l'autre bout du spectre, mais suivant un cheminement similaire, des groupes combattants irréguliers se sont développés depuis le début des années 1990 sans aucune perspective politique crédible les rattachant à la construction ou l'instrumentalisation d'État. Le cas le plus évident est celui du djihadisme international, organisé au lendemain de la guerre du Golfe par Oussama Ben Laden, Ayman Al-Zawahiri et leurs frères d'armes ayant combattu les Soviétiques en Afghanistan. En dépit des déclarations d'Al-Qaida en faveur du retour d'un califat universel sur le monde musulman, le manque d'intérêt de ces combattants pour la construction d'une entité politique a été démontré par leur fuite en avant au Mali, ainsi qu'en Syrie, à travers la scission entre le front Al-Nosra et l'État islamique en Irak et au Levant (EIIL).

Mais, par-delà ces acteurs fluides, apparaissent aussi des acteurs hybrides qui développent des caractéristiques étatiques ou proto-étatiques – ancrage territorial, protection des populations mais également forces armées relativement organisées et professionnalisée – tout en se refusant, par confort stratégique ou par manque de vision politique, à s'emparer formellement du pouvoir. Deux exemples forts différents existent à ce jour. D'une part, le Hezbollah qui, en dépit de son contrôle indirect sur les structures politiques et une partie du territoire libanais, se refuse toujours à en assumer les responsabilités ; d'autre part, les cartels de la drogue mexicains, sortis victorieux d'une guerre de six années avec l'État fédéral mais préférant la corruption des autorités locales à la prise de pouvoir institutionnelle. Dans les deux cas, l'organisation politique, le contrôle des flux économiques et le développement de compétences militaires ne semblent plus destinés à la construction politique mais à la simple autoconservation d'une organisation se suffisant à elle-même.

Pour en savoir plus

Gérard Chaliand (dir.), *Les Guerres irrégulières*, Gallimard, Paris, 2008 ; et *Le Nouvel Art de la guerre*, L'Archipel, Paris, 2008.

Kalevi J. Holsti, *The State, War and the State of War*, Cambridge University Press, Cambridge, 1996.

Mary Kaldor, *New Wars and Old Wars*, Polity Press, Cambridge, 1999.

John Mackinlay, *The Insurgent Archipelago. From Mao to Bin Laden*, Columbia University Press, New York, 2009.

Ni guerre ni paix : guerres sans fin(s) ou désordres ordonnés ?

Laurent Gayer
Chargé de recherche CNRS/CERI (Sciences Po Paris)

Les évolutions des conflits armés contemporains constituent un défi pour l'analyste en quête d'un paradigme englobant. Certes, la guerre entre États, fondatrice de la modernité politique européenne, semble devenue obsolète. Les dernières décennies ont ainsi été marquées par l'essoufflement des conflits interétatiques conventionnels, opposant des armées professionnelles combattant pour la protection ou l'extension du territoire national, selon des règles théoriquement garanties par le droit international. Au cours de la même période, la guerre civile a fait son grand retour chez les analystes, débattant à l'infini de la nouveauté de ces conflits internes qui, au lendemain de la guerre froide, semblaient s'imposer comme la principale menace à la stabilité des États et à la sécurité internationale [1]. Ces perceptions ont pourtant sensiblement évolué au cours des dernières années. Alors que la « communauté internationale » s'apprête une nouvelle fois à laisser l'Afghanistan seul face à ses démons (et à ceux de ses voisins), on assiste à une inflexion sensible de l'intervention internationale qui, plutôt que de se vouer à la reconstruction des États abîmés par la guerre civile, semble se recentrer sur la neutralisation des acteurs non étatiques du nouveau désordre international, à travers des opérations antiterroristes ciblées, réminiscentes de la « pacification » coloniale (à l'instar de l'opération Serval au Mali), ou par le biais d'une chasse à l'homme télécommandée (à l'exemple de la « guerre des drones » menée par les États-Unis au Pakistan et au Yémen).

Et tandis que le nouvel interventionnisme militaire s'écarte de plus en plus de la guerre conventionnelle pour s'apparenter à une police globale, les techniques de maintien de l'ordre en interne tendent à se militariser, tant du point de vue des personnels (avec l'implication croissante d'unités d'élite composées ou placées sous le commandement de militaires) que des équipements (avec l'accès à des armes de guerre supposées faire pièce à l'armement de leurs adversaires). Dans ce contexte, la frontière entre la guerre et le maintien de l'ordre devient de plus en plus ténue. Du point de vue de la contre-insurrection, forces rebelles, terroristes et organisations criminelles s'inscrivent désormais sur un même continuum et demandent à être « traités » avec les mêmes méthodes. Ce répertoire du maintien de l'ordre permet de banaliser le recours à la force contre certains groupes ou populations « à risque », mais aussi de le prolonger *ad aeternam* : contrairement à la guerre, le maintien de l'ordre est une entreprise permanente.

La fusion des registres policier et militaire observable actuellement dans le traitement des nuisances transnationales et des conflits internes contemporains a des effets contrastés, notamment en termes linguistiques : tandis que le champ sémantique de la guerre se trouve étendu à la répression de menaces transnationales abstraites telles que le terrorisme, le narcotrafic ou la piraterie, les conflits internes sont de plus en plus fréquemment des

---

1   Pour une critique stimulante de cette distinction entre « nouvelles » et « anciennes » guerres civiles, voir Stathis KALYVAS, « "New" and "old" civil wars. A valid distinction ? », *World Politics*, vol. 54, n° 1, octobre 2001, p. 99-118.

guerres sans nom. Les transformations du maintien de l'ordre à l'échelle nationale et internationale n'en contribuent pas moins conjointement à l'avènement d'états de désordre sans fin. La « guerre » au terrorisme, à la drogue ou à la piraterie, dans son volet international comme dans ses déclinaisons nationales, ne saurait déboucher sur une victoire définitive. Ces interventions policières plus ou moins militarisées n'impliquent plus la mobilisation totale des forces armées et s'actualisent à travers des raids ciblés ou des opérations de ratissage qui n'aboutissent au mieux qu'à des succès ponctuels. Moins qu'à restaurer la paix sociale, ces opérations répressives ont essentiellement vocation à contenir le désordre à un niveau tolérable, notamment pour la bonne marche de l'économie.

La dépolitisation de l'adversaire est une caractéristique essentielle de cette logique de « désordre sans fin ». C'est grâce à elle qu'est justifié le traitement policier de l'« ennemi » : officiellement tout au moins, les États ne dialoguent pas avec les « bandits » et les « terroristes ». Là où les forces contre-insurrectionnelles d'antan combattaient des rebelles et des insurgés, les forces de l'ordre d'aujourd'hui répriment de vulgaires criminels dont l'éventuel agenda politique ne serait qu'un alibi pour leurs projets d'accumulation économique. Cette hypothèse commode, pour les institutions répressives, d'une criminalisation généralisée des groupes armés irréguliers est pourtant trompeuse. Le caractère politique du projet porté par ces acteurs déviants est irréductible à leurs intentions proclamées autant qu'à la pureté de leurs desseins idéologiques.

Les professions de foi révolutionnaires ne suffisent pas à définir un acteur comme politique, pas plus que ses écarts par rapport aux valeurs énoncées ne suffisent à lui dénier ce titre. De façon moins normative, c'est vers le potentiel d'innovation sociale de ces acteurs, aussi transgressifs soient-ils, qu'il faut se tourner pour établir ce diagnostic. Or, force est de constater qu'en contestant ou partageant dans la durée le monopole de l'État sur les moyens de coercition, de taxation et parfois de représentation, ces acteurs irréguliers s'affirment comme des souverains de fait, contribuant à leur manière à la mise en ordre de la société dans laquelle ils évoluent. Cette mise en ordre recouvre à la fois des logiques de domination, des pratiques d'accumulation et des formes de médiation qui, loin d'avoir évacué la violence, y puisent souvent les conditions de leur efficacité et, par là même, de leur reproduction dans la durée. Moins qu'à une géopolitique du chaos, la transformation des conflits contemporains participe ainsi à l'avènement d'une myriade de désordres ordonnés.

Des guerres sans fin(s) ?

Comme toute activité humaine, la guerre est d'abord un fait de langage. C'est précisément ce qui la rend parfois si insaisissable. Le recours au terme de « guerre », dans les discours sécuritaires contemporains, est souvent trompeur. Ces discours anxiogènes, dressant la carte des menaces planétaires, continuent d'avoir recours à une terminologie militaire pour légitimer ce qui s'apparente de plus en plus à des techniques de maintien de l'ordre déterritorialisées.

Depuis la guerre du Koweït de 1991, les interventions des États-Unis et de leurs alliés sont conçues comme des opérations d'ordre public international, avec ou sans l'aval de l'ONU. Dans cette vision du monde, qui s'est banalisée jusque dans les États *a priori* les plus rétifs à cette vision sécuritaire (notamment la France, comme l'ont démontré les interventions en Libye et plus récemment au Mali), la principale menace à la sécurité internationale réside dans la faiblesse de certains États et dans l'instabilité politique qui en résulterait. Bien que la « guerre globale au terrorisme » soit officiellement terminée depuis 2013 (le président Obama préfère parler d'« *overseas contingency operations* »), cette terminologie demeure en vogue dans les médias et les cercles politico-diplomatiques américains, tandis que la menace du terrorisme islamiste reste au cœur des préoccupations sécuritaires des États-Unis. C'est à l'aune de cette menace que les décideurs et les analystes américains continuent de percevoir le monde et ses dangers de plus en plus diffus, dont le *containment* a progressivement fusionné les répertoires historiquement distincts de l'interventionnisme militaire, du maintien de l'ordre et de la lutte contre le crime.

Cette entreprise de police globale a d'abord mené la guerre à la drogue (dans les années 1970), puis au terrorisme (au lendemain des attaques du 11 septembre 2001) et enfin à la piraterie (à partir de 2008). Contrairement aux conflits interétatiques du passé, reposant sur une symétrie des forces en présence, au moins au regard de leur personnalité juridique, ces « guerres » n'ont jamais été déclarées à qui que ce soit, l'un des prémisses des opérations de maintien de l'ordre international étant précisément l'incommensurabilité des adversaires. La déterritorialisation des menaces va de pair avec leur désincarnation : l'adversaire, ici, ne prend plus les traits d'ennemis clairement identifiés, ni même d'organisations désignées, mais de déviances globalisées – la criminalité transnationale organisée, le terrorisme franchisé, etc. –, dont les nuisances respectives se trouvent décuplées par les prétendus effets de vase communicant entre ces différentes menaces. Dans ce discours sécuritaire globalisé, la frontière entre crime organisé, terrorisme ou piraterie est plus que ténue : elle est purement et simplement abolie. Les talibans afghans, voire Al-Qaida, sont ainsi accusés par les autorités américaines d'avoir fusionné terrorisme et trafic de drogue, dans une nouvelle variante du « narco-terrorisme » – un terme initialement employé par les autorités péruviennes pour discréditer la guérilla du Sentier lumineux au début des années 1980. Depuis 2005, les responsables politiques et financiers d'Europe et des États-Unis ont également cherché à faire passer les pirates somaliens pour des « terroristes maritimes », donnant le coup d'envoi d'une « guerre à la piraterie » qui a contribué à la militarisation des océans et à la banalisation des pratiques de détention prolongée en mer, qui semblent s'être multipliées depuis 2005, suite aux scandales ayant visé les prisons d'Abu Ghraib et de Guantanamo.

Au prix d'un état d'exception terrestre et maritime écornant les valeurs démocratiques mises en avant par leurs promoteurs, ces « guerres » n'ont pas vocation à éradiquer une menace clairement identifiée. Plus modestement, mais aussi plus pernicieusement, ces opérations de maintien de l'ordre se consacrent à la surveillance, l'encadrement et la répression ciblée d'activités déviantes, au regard du droit international mais aussi et surtout du sacro-saint principe de souveraineté des États – une souveraineté que les mêmes États n'hésitent pourtant pas à partager avec divers types d'auxiliaires dès lors que cela leur permet d'alléger la facture, fatalement astronomique, de ces opérations de police globale sans limite temporelle ou géographique.

Routinisation des conflits armés

Paradoxalement, alors que le champ sémantique de la guerre se déplace vers ces menaces diffuses, dans leurs contours sociaux autant que spatiaux, les conflits les plus meurtriers de la planète se voient de plus en plus fréquemment dénier le caractère de guerre – c'est-à-dire, faut-il le rappeler, d'une lutte violente inscrite dans la durée et orientée par des finalités politiques. De fait, le caractère violent de ces luttes tend à devenir de plus en plus épisodique, la nature asymétrique de ces conflits contraignant les acteurs contestataires à avoir recours à une violence plus tactique que stratégique. L'écrasement de la guérilla des « Tigres tamouls » à Sri Lanka en 2009 constitua à cet égard un événement majeur dans l'histoire des guerres civiles postcoloniales, démontrant que même des États prétendument faibles peuvent se donner les moyens d'écraser une guérilla dotée de capacités militaires considérables, dès lors qu'ils bénéficient de la complaisance de la « communauté internationale ».

Le cas de la Syrie, où le gouvernement de Bachar al-Assad a recours a une violence encore plus inouïe, est sensiblement différent, dans la mesure où il répond à une insurrection socialement et géographiquement plus dispersée et donc plus difficile à défaire militairement. Ces guerres irrégulières de forte intensité sont cependant devenues l'exception plutôt que la règle. Ailleurs, la tendance est plutôt aux crises de longue durée, émaillées d'explosions de violence sporadiques. Sans que la guerre civile à grande échelle ait été totalement reléguée au passé (au-delà du cas syrien, le conflit en cours en République centrafricaine vient tragiquement le confirmer), on assiste à l'inscription dans la durée de conflits discontinus d'intensité variable (tandis que le conflit entre les talibans et l'État pakistanais aurait fait autour de 50 000 morts depuis 2003, les violences liées au trafic de drogue au Mexique auraient fait autour de 60 000 victimes depuis 2006). Cette routinisation de conflits sans fin contribue elle aussi à l'atténuation de la frontière entre la guerre et la paix, tandis que les objectifs politiques des rebelles semblent s'effacer derrière leurs projets d'accumulation économique.

Pour les gouvernements en lutte contre ces adeptes de la contestation violente, il n'y aurait là que de simples troubles à l'ordre public. Une première contradiction, dans la réponse étatique à ces troubles, tient cependant à la militarisation des instruments de répression. L'asymétrie croissante des forces entre la police et les groupes armés du Sud, à laquelle s'ajoute souvent la corruption de la première, sert d'alibi à la militarisation des problèmes politiques et sociaux auxquels font face ces pays, allant jusqu'à justifier le récent déploiement de blindés dans les favelas de Rio et les *slums* de Karachi. Ce problème n'a d'ailleurs rien de spécifique aux États du Sud : le débat autour de la militarisation de l'action policière prend sa source principale aux États-Unis, où les unités spéciales (SWAT) se sont multipliées au sein des forces de police depuis les années 1980.

Entre politique et économie. Les frontières floues de la « pacification »

Un second point d'achoppement concerne la délimitation des contours du politique, notamment dans ses rapports à l'économie. Dénier aux groupes rebelles de la planète le titre d'acteurs politiques, au prétexte qu'ils seraient essentiellement mus par l'appât du gain, est non seulement discutable du point de vue de la théorie politique mais aboutit à réaffirmer le monopole de l'État sur l'action politique légitime, comme si les agents de l'État étaient pour leur part animés par le seul souci de l'intérêt général. Tout en occultant les facultés bien réelles de (re)mise en ordre de la société démontrées par certains groupes armés irréguliers, que l'on examinera dans la section suivante, c'est là faire bien peu de cas des collusions entre détenteurs du pouvoir d'État et acteurs économiques, pourtant essentielles dans le déclenchement, la perpétuation ou l'escalade de certains conflits contemporains.

Au-delà des collusions bien documentées entre certains membres de l'administration Bush et de grands groupes industriels américains ayant profité de la reconstruction de l'Irak, le cas de la Colombie est exemplaire de l'indétermination croissante entre maintien de l'ordre, libéralisation de l'économie et promotion des intérêts des grands groupes industriels nationaux ou multinationaux. Dans le cadre de la lutte antiguérilla, certaines compagnies étrangères opérant dans les zones rurales du pays (dont les activités ont fortement augmenté suite à l'assouplissement de la législation sur les activités d'extraction minière et pétrolière entre 2001 et 2004) ont ainsi autorisé l'armée colombienne à établir une présence permanente sur leurs sites, tout en lui apportant une aide logistique (hélicoptères, véhicules, essence, etc.).

Parallèlement, l'armée colombienne a bénéficié d'une aide militaire accrue de l'administration Bush, qui, dans le cadre de la lutte contre le « narco-terrorisme », a notamment déployé plusieurs dizaines de membres des forces spéciales dans la région d'Arauca. Ces forces spéciales étaient chargées de former les soldats de la 18ᵉ brigade de l'armée colombienne à la contre-insurrection, une tâche qui, dans les faits, impliquait moins la protection de la population civile que la sécurisation des intérêts économiques étrangers dans la région et l'intimidation des forces d'opposition au président Álvaro Uribe (au pouvoir de 2002 à 2010). Au cours du printemps et de l'été 2003, ces soldats – parfois épaulés par des membres des groupes paramilitaires d'extrême droite – se sont rendus coupables de terribles exactions contre la population indigène de la région, tout en menant une véritable campagne de terreur contre les syndicalistes et les militants des droits de l'homme, accusés d'activités terroristes [1]. Dans plusieurs autres régions du pays, les groupes paramilitaires se sont mis au service des grands groupes industriels nationaux et multinationaux pour intimider les militants syndicaux et éliminer toute résistance à l'application de réformes économiques néolibérales. Dans certains cas, les milices d'extrême droite ont même été directement rémunérées par les dirigeants locaux d'entreprises américaines pour éliminer certains responsables syndicaux.

Ces collusions entre milices armées, forces de sécurité et grands groupes industriels sont loin d'être spécifiques à la Colombie, même si elles semblent y avoir pris une forme particulièrement extrême. À Karachi, la capitale économique du Pakistan, les dirigeants d'un grand groupe pharmaceutique ont récemment fait appel aux djihadistes du Lashkar-e-Taiba pour intimider leurs ouvriers après que ceux-ci eurent tenté de créer un syndicat dans l'une des usines du groupe. Dans des circonstances analogues, les dirigeants de l'un des plus grands groupes textiles pakistanais ont pour leur part fait arrêter les ouvriers syndiqués, qui se sont vu accuser d'extorsion et ont fait l'objet de poursuites en vertu de lois antiterroristes. Dans ces États engagés dans une libéralisation de plus en plus brutale de leurs économies, la « pacification » est plus que jamais une entreprise au sens économique du terme.

1   Garry LEECH, « Colombia's economic growth fueled by repression », *Colombia Journal*, 19 mai 2008 (disponible sur <http://colombiajournal.org>).

▬▬▬ Profitable « désordre » : l'industrie du risque

Tout en entretenant, voire en renforçant, la militarisation de la société, au bénéfice des élites politiques et économiques, la libéralisation de certaines économies et/ou leur ébranlement sous l'effet de la mondialisation conduisent des populations entières sur le sentier de la guerre. C'est le cas, par exemple, des pêcheurs somaliens qui se sont reconvertis dans la piraterie au cours des années 1990. Si l'essor de la piraterie dans la région a sans aucun doute été stimulé par le délitement des structures étatiques somaliennes, ce phénomène s'est aussi développé en réaction à l'incapacité de la « communauté internationale » à réguler les activités des bateaux de pêche étrangers dans les eaux somaliennes, conduisant les pêcheurs locaux à s'organiser pour assurer leur subsistance. Ce n'est que progressivement que la piraterie somalienne s'est muée en une véritable industrie, qui reproduit d'ailleurs les inégalités du capitalisme mondialisé qu'elle perturbe autant qu'elle le nourrit.

Moins que ces entrepreneurs de violence maritime, les principaux bénéficiaires de la piraterie sont en effet les compagnies d'assurance internationales. En cas de menace terroriste sur certaines eaux, les assureurs peuvent déclarer celles-ci comme des zones à haut risque et multiplier par 300 le coût des contrats d'assurance pour les navires qui s'y aventurent. Dans le même temps, les assurances contre les enlèvements et les demandes de rançon ont été multipliées par 10, les assurances sur le cargo transitant par des zones à haut risque ont augmenté de 25 à 100 dollars par conteneur, tandis que les assurances complémentaires ont doublé en réponse au développement de la piraterie dans la région [1]. En 2011, les assureurs maritimes ont ainsi récolté 635 millions de dollars en contrats d'assurance liés au risque de piraterie, dont les revenus pour les pirates somaliens font pâle figure en comparaison de ces chiffres astronomiques, ceux-ci étant estimés à 160 millions de dollars pour la même année [2].

Avec l'avènement de « guerres » sans fin contre des menaces aussi abstraites que le terrorisme et ses différentes déclinaisons (« narco-terrorisme », « terrorisme maritime », etc.), c'est donc aussi à la croissance d'une véritable industrie du risque que l'on assiste actuellement, prospérant dans des états de désordre nationaux et internationaux dont les principaux bénéficiaires sont moins les petites mains du désordre que les acteurs déjà bien établis du capitalisme mondialisé.

---

1   Anna BOWDEN, « The economic cost of maritime piracy », *One Earth Future Working Paper*, décembre 2010, p. 10-11.
2   *Ibid.*, p. 11-16.

■■■■■ **Économie politique du désordre**

Comme le suggèrent ces ajustements du capitalisme mondialisé et, à l'opposé du spectre économique global, de l'« antimonde » pirate [1] aux états de désordre chronique succédant aux conflits armés ouverts dans de nombreuses zones de crise de la planète, il se joue là autre chose qu'une descente vers le chaos et l'anomie. Ces situations de crise prolongée sont aussi des terrains d'innovation sociale et de création de richesse, et ce jusque dans l'incertitude et l'insécurité qui leur sont consubstantielles. Derrière le chaos apparent, c'est une véritable économie politique du désordre qui se dessine, terreau propice à l'émergence de nouvelles figures du pouvoir et de la richesse.

Les formes de mise en ordre violente de la société et de l'économie, que nous qualifions de « désordre ordonné », recouvrent des mécanismes de contrôle social, des rituels d'interaction politique et des modes d'accumulation économique engendrés par les conflits armés locaux et se reproduisant à travers eux. Au cours des dernières années, un certain nombre de travaux sur les « ordres émergents » en Afrique subsaharienne ont mis en avant les effets (re)structurants des crises de longue durée sur l'exercice de l'autorité, la distribution des ressources et la formation de l'espace public [2]. Dans le cas de Karachi, on a assisté, au cours des trois dernières décennies, à l'émergence d'une configuration violente dans cette mégapole de plus de 20 millions d'habitants, en proie à des rivalités partisanes, des conflits ethniques et des violences criminelles qui s'alimentent mutuellement et qui se reproduisent à travers des appareils de domination, des formes quasiment ritualisées d'affrontement et des mécanismes d'arbitrage relativement stables, qui rendent cette violence « gérable » au quotidien – sans évacuer pour autant le sentiment d'insécurité résultant de ses transformations continues. Tout en concédant que la viabilité de ce « désordre ordonné », à moyen terme, n'est pas assurée, on doit bien constater que la plus turbulente des mégapoles mondiales continue de fonctionner en dépit – et parfois en vertu – de ses violences.

---

1   Benoît LAUREAU, « La piraterie somalienne : un antimonde contemporain », *Revue des livres*, novembre-décembre 2014, p. 8-13. Pour une discussion critique du concept – résolument flou – d'antimonde, voir Pierre-Arnaud CHOUVY, « Antimonde : *terra incognita* de la géographie », <www.espacestemps.net>, 16 août 2010.

2   Christian LUND, « Twilight institutions. An introduction », *Development and Change*, vol. 37, n° 4, 2006, p. 673-684 ; Timothy RAEYMAEKERS, Ken MENKHAUS et Koen VLASSENROOT, « State and non-state regulation in African protracted crises. Governance without government », *Afrika Focus*, vol. 21, n° 2, 2008, p. 7-21.

« Ordre » et « désordre » : des notions relatives

Parce qu'elle fait appel à des conceptions culturellement et historiquement situées de la normalité et de la moralité politique, la notion d'ordre se prête mal aux montées en généralité. De même, les représentations du désordre (dont découlent souvent celles de l'ordre) varient considérablement d'une société à l'autre et, dans une même société, d'une époque à l'autre. Ce qui fait désordre pour les uns pourra sembler parfaitement tolérable pour les autres. Cette relativité tient notamment à l'imbrication de considérations morales et pragmatiques, mais aussi politiques, sociales, économiques et religieuses, sur le bon fonctionnement de l'État, de la société et de l'économie. Quand les bureaucrates ottomans de la fin du XIXᵉ siècle affirment, selon la formule consacrée, que « l'ordre règne » (*âsâyiş ber-kemâl*) à Istanbul, ils ne se contentent pas de dresser un constat sur la situation sécuritaire dans la capitale. Ils réaffirment leur adhésion à une vision du monde où l'ordre politique est indissociable de l'ordre moral [1].

Historiquement située et symboliquement chargée, la terminologie de l'ordre et du désordre présente donc d'importantes variations d'un contexte à l'autre. Mais le vocabulaire de l'ordre et du désordre, lui, reste étonnamment constant dans sa référence à la « loi », qu'il s'agisse de la légalité officielle, de lois coutumières ou de leurs contrefaçons miliciennes ou criminelles (les combattants irréguliers et les bandits de tout poil ont aussi leurs codes et leurs châtiments, d'ailleurs bien plus stricts que ceux de la société environnante). Des trajectoires étatiques et des cultures légales sensiblement différentes trouvent ici un point de convergence, démontrant que l'incommensurabilité des représentations de l'ordre et du désordre est parfois plus relative qu'il n'y paraît à première vue – en ce domaine, tout n'est pas toujours « *lost in translation* ». Pour revenir au cas de Karachi, où le discours sur le maintien de l'ordre est aussi prolifique que sa mise en œuvre erratique, on retrouve ainsi la même insistance sur le socle légal de l'ordre social dans les proclamations officielles, en anglais, sur la nécessité de maintenir « la loi et l'ordre » (*law and order*), que dans le terme le plus courant, en ourdou, pour désigner le désordre (*laqanuniyat*, littéralement l'« absence de loi », équivalent du terme anglais *lawlessness*). De même, les forces de l'ordre, dans leurs dénominations anglophone et ourdouphone, sont les « instances d'application de la loi » (*law enforcement agencies* en anglais, *qanun nafiz karne wale* en ourdou).

---

1   Noémi Lévy-Aksu, *Ordre et désordres dans l'Istanbul ottomane (1879-1909)*, Karthala, Paris, 2013, p. 42.

À la suite d'autres auteurs [1], on sera donc ici tenté d'extrapoler pour affirmer que tout ordre politique prend son origine dans un dispositif légal de régulation de la violence, étant entendu que celui-ci peut être contesté par certains acteurs sociaux et qu'il peut, sous certaines conditions, faire exception à ses propres règles, dans le cadre d'états d'urgence en principe temporaires. L'ordre social instauré par l'État légal-rationnel wébérien, prétendant au monopole de l'exercice de la force sur un territoire donné, ne constitue que l'une des modalités historiques de ces arrangements entre le pouvoir et la violence. Le désordre ordonné et ses variations en constituent une autre, propre à des sociétés où l'attribut ultime du pouvoir souverain – la capacité, de la part d'une autorité publique, à punir, voire à retirer la vie à ses sujets, en toute impunité – n'est pas monopolisé par les détenteurs du pouvoir d'État mais partagé avec certains représentants de la société (chefs tribaux, personnalités religieuses, leaders politiques, gangsters, miliciens…).

Partages de souveraineté

Une fois posée la relativité du modèle théorique wébérien et des configurations politiques ayant émergé de la paix de Westphalie, c'est-à-dire de l'État prétendant au monopole de la violence physique légitime sur son territoire, il devient possible d'envisager l'existence d'ordres sociaux alternatifs, sans doute plus violents et instables mais en aucun cas chaotiques.

Les cas colombien et pakistanais évoqués tout au long de ce chapitre apparaissent emblématiques de ce partage de souveraineté et de sa « productivité » en matière de contrôle social, d'organisation des rapports politiques et de régulation de l'économie, aussi brutales et inéquitables ces mises en ordre de la société soient-elles. Dans ces deux cas, l'État a délibérément partagé avec des groupes armés privés l'exercice de la coercition, qu'il s'agisse des paramilitaires d'extrême droite dans le cas colombien ou des milices djihadistes, de certaines organisations criminelles et de partis politiques ultraviolents (à l'instar du Muttahida Qaumi Movement dominant la vie politique de Karachi depuis les années 1980) dans le cas pakistanais. Loin d'être dysfonctionnels, ces partages de souveraineté ont permis aux États colombien et pakistanais de sous-traiter à moindre coût (financier mais aussi politique, dans la mesure où la violence ainsi sous-traitée était illégitime) des tâches de contrôle social (la mise au pas de l'opposition de gauche, dans les deux cas), des missions diplomatiques (la reconquête du Cachemire et l'accès à une « profondeur stratégique » vers l'Asie centrale dans le cas pakistanais) ou encore des responsabilités économiques (la mise en œuvre de réformes

---

1   Voir les travaux entrepris sous la direction de Dominique LINHARDT et Cédric MOREAU DE BELLAING dans le cadre du séminaire « Ni guerre, ni paix (II) : critique de l'exception » à l'EHESS (<www.ehess.fr>).

d'inspiration néolibérale, conformes aux injonctions des institutions financières internationales).

Cette tolérance de la violence extrajudiciaire des milices privées s'est cependant heurtée à la résilience de l'État de droit. En Colombie comme au Pakistan, les magistrats ont fait leur grand retour sur la scène politique au cours des années 2000, en n'hésitant pas à faire le procès des responsables de violences extrajudiciaires et de leurs patrons au sein de l'appareil d'État. Si la mobilisation des juges colombiens n'a pas empêché la réapparition des groupes paramilitaires sous d'autres noms, pas plus que celle de leurs homologues pakistanais n'a mis un terme aux violences partisanes de Karachi ou aux disparitions de civils baloutches, cet activisme judiciaire n'en a pas moins bouleversé les règles du jeu politique. Ces magistrats sont venus réaffirmer la force du droit face au droit du plus fort, contribuant ainsi à réordonner la société et la vie politique de ces pays en proie à des désordres chroniques, parfois tolérés, voire impulsés, par certaines sections de l'appareil d'État.

Justiciers hors la loi

L'émergence de désordres ordonnés est pourtant irréductible aux interventions (dé)régulatrices de l'État – dont les jeux en la matière peuvent parfois être contradictoires, comme on vient de le voir. Elle tient aussi à la capacité des détenteurs privés de moyens de coercition à imposer leur loi au détriment de la légalité officielle, leur souveraineté se mesurant alors à l'aune du temps de réaction de l'État à ces empiétements sur son supposé domaine régalien. Les prétentions des groupes armés privés à faire la loi peuvent d'abord s'exercer en interne, à l'encontre des dissidents ou des traîtres. De manière plus ambitieuse, certains de ces groupes peuvent aussi décider de rendre publiquement la justice, en s'attaquant aux déviants (trafiquants de drogue, prostitué-e-s, mendiants…) ou en proposant leur médiation dans certains litiges familiaux, commerciaux ou fonciers. Tant que ces justiciers hors la loi, qualifiés par la littérature anglo-saxonne de « *vigilantes* », ne s'arrogent pas le droit de vie ou de mort sur les contrevenants, ils sont souvent tolérés, voire appuyés, par l'État, comme dans le cas des comités de justice populaire récemment apparus dans certains *townships* sud-africains [1].

Le « vigilantisme » – c'est-à-dire l'exercice extrajudiciaire de tâches de maintien de l'ordre, social ou moral – peut cependant constituer une violation délibérée de la souveraineté de l'État, de la part de groupes en lutte ouverte contre ce dernier. C'est le cas, par exemple, des talibans pakistanais, dont l'influence croissante sur certains quartiers de Karachi depuis 2012 s'est

---

[1] Laurent FOURCHARD, « The politics of mobilization for security in South African townships », *African Affairs*, vol. 110, n° 441, 2011, p. 1-21.

manifestée à travers la création de tribunaux chariatiques improvisés, rendant une justice expéditive (qui pour l'heure ne prévoit que des châtiments corporels « modérés » mais qui pourrait rapidement évoluer vers des sanctions plus lourdes). Tout en démontrant l'aspiration des fauteurs de troubles évoqués dans la première partie de ce chapitre – y compris de « terroristes » et de « bandits » – à ré-ordonner leur société, ces initiatives de justice populaire contribuent à la prolifération des régimes juridiques au sein de ces sociétés et, par là même, à un désordre normatif ajoutant à la confusion générale. Surtout, ils contribuent à saper la légitimité de l'État, en démontrant de manière très concrète la validité de certaines alternatives en matière de sécurité, de justice sociale ou de régulation de l'économie.

Les talibans pakistanais l'ont d'ailleurs bien compris : dans le nord-ouest du pays, comme à Karachi plus récemment, ils ont d'abord fait campagne autour de la lutte contre la criminalité, avant de proposer leurs services dans la résolution de conflits fonciers ou commerciaux, pour finir par s'imposer comme des régulateurs autoritaires mais impartiaux dans le domaine économique. Ainsi ont-ils réparti les droits d'exploitation des mines de l'agence tribale de Mohmand entre les tribus Masaud et Gurbaz en 2008, mettant un terme à un violent conflit entre ces mêmes tribus [1], avant d'imposer aux transporteurs Mehsud de Karachi une tarification unique pour leurs services, qu'ils se sont chargés de faire respecter au prix d'une taxe sur chaque convoi [2]. Du point de vue des autorités étatiques, ces pratiques constituent indiscutablement un facteur de désordre. Mais, du point de vue des tribus pachtounes concernées, cette régulation autoritaire de certains marchés a au contraire été vécue comme un facteur d'ordre, mettant un terme à des affrontements meurtriers ou contribuant à la régulation d'un secteur jusqu'alors peu organisé. La condition de ces mises en ordre effectives de l'économie locale était l'accès des talibans à des capacités létales, et leur disposition à en faire usage. Loin d'évacuer la violence, ces pratiques régulatrices émanant d'un groupe armé irrégulier y trouvent leur principale source de légitimité, en garantissant aux contrevenants un châtiment exemplaire. C'est aussi ce qui en fait des transgressions patentées, assumées voire revendiquées comme telles, de l'autorité de l'État. Le désordre, après tout, est affaire de point de vue.

---

[1] Pir Zubair SHAH et Jane PERLEZ, « Pakistan marble helps Taliban stay in business », *The New York Times*, 14 juillet 2008.

[2] Entretien avec un transporteur Mehsud, Karachi, avril 2014.

Pour en savoir plus

Alessandro DAL LAGO, « Police globale », *Cultures & Conflits*, n° 56, 2004, p. 157-169.

Marielle DEBOS, *Le Métier des armes au Tchad. Le gouvernement de l'entre-guerres*, Karthala, Paris, 2013.

Laurent GAYER, *Karachi. Ordered Disorder and the Struggle for the City*, Hurst, Londres, 2014.

Laurent GAYER, « Le désordre ordonné. La fabrique violente de Karachi », *Études du CERI*, n° 196, 2013.

Lesley GILL, « The paramilitary state in Colombia. Political violence and the restructuring of Barrancabermeja », *Anthropologica*, vol. 51, n° 2, 2009, p. 313-325.

Currun SINGH et Arjun Singh BEDI, « "War on piracy". The conflation of Somali piracy with terrorism in discourse, tactic and law », *Working Paper*, n° 543, Institute of Social Studies, La Haye, mai 2012.

Climat, nature, ressources naturelles : les nouveaux champs de bataille ?

Razmig Keucheyan
Maître de conférences, université Paris-Sorbonne

L es conflits autour de la nature ne sont pas une nouveauté. Le récent déploiement de l'armée française sur des théâtres d'opération en Afrique, par exemple, prolonge une longue histoire d'interventions impérialistes occidentales dans les pays du Sud, visant à s'assurer le contrôle sur l'extraction et la circulation des ressources naturelles [1].

La « malédiction des ressources » est un autre aspect du rapport entre la guerre et la nature classiquement mis en lumière par les sciences sociales. Cette expression désigne les cas où une guerre – souvent de « basse intensité » – a pour origine la présence sur un territoire d'une ressource rare : diamants, pétrole ou terres arables par exemple. Comme le notent Claude

---

[1] Jean BATOU, « Redéploiement de l'impérialisme français et sidération humanitaire de la gauche », *Contretemps*, 15 janvier 2014, disponible sur <www.contretemps.eu>.

Serfati et Philippe Le Billon, le type de ressource conditionne en partie la nature du conflit armé : « Le contrôle de puits de pétrole en mer est ainsi exercé plus facilement au travers d'un coup d'État [...], alors que celui de mines d'or alluvionnaires en zone frontalière peut être maintenu pendant de longues années par un petit mouvement insurrectionnel. » L'impérialisme et la « malédiction des ressources » sont souvent liés. Une fois extraites, les ressources sont en effet acheminées et échangées sur les marchés mondiaux.

La guerre elle-même a longtemps tiré profit des ressources naturelles, par exemple des forêts. Le bois servait à fabriquer des armes, l'armement primitif – arcs, flèches et lances – en étant composé. L'apparition des armes métalliques, bronze et fer, il y a environ 5 000 ans, n'empêche pas le bois de demeurer un élément essentiel de l'armement. Les chariots qui transportent soldats et matériels, les fortifications et les bateaux sont eux aussi constitués de bois. Jusqu'au xixᵉ siècle, aucun impérialisme, aucune puissance politique n'est concevable sans maîtrise de l'approvisionnement en bois. Ne deviennent impérialistes que les nations qui disposent d'un certain « profil écologique », c'est-à-dire qui contrôlent les forêts. C'est le cas des puissances atlantiques après la découverte des Amériques. Cuba et les Philippines représentent des colonies incontournables pour l'Empire espagnol, non seulement parce qu'elles ont un intérêt économique en soi, mais parce que les forêts qui s'y trouvent alimentent l'entreprise coloniale en général. Il en va de même des forêts nord-américaines dans le cas de la France et de l'Angleterre.

Afin de penser le lien entre les guerres et les ressources naturelles (et d'autres types de ressources), le géographe David Harvey a introduit la notion d'« accumulation par dépossession ». Celle-ci désigne l'accaparement par le capitalisme de ressources naturelles toujours nouvelles, au besoin par la force. Ces ressources constituent un carburant de l'accumulation du capital. Ce processus suppose la dépossession des populations, car la logique du marché chasse le mode d'organisation antérieur des sociétés concernées. La « biopiraterie », qui suppose le pillage de la biodiversité d'une région à des fins commerciales, est l'une des modalités de la dépossession à l'heure actuelle.

L'accumulation par dépossession n'est cependant pas un phénomène récent, elle remonte aux origines du capitalisme (Marx l'appelait accumulation « primitive »). Les ressources naturelles se caractérisant par leur rareté – une rareté « objective » ou artificiellement produite –, elles ont depuis toujours été l'objet de luttes, dans le cadre de guerres interétatiques ou de guerres civiles.

Un élément nouveau vient toutefois perturber aujourd'hui l'histoire ancienne du rapport entre la guerre et la nature : la crise environnementale. Dans ses différentes dimensions – changement climatique, effondrement de la biodiversité, raréfaction des ressources naturelles, pollutions –, celle-ci suppose de penser à nouveaux frais le rapport entre les conflits et l'environnement. C'est ce que s'évertuent à faire, depuis quelques années, les grandes armées du monde, celle des États-Unis en tête. Au sein des élites qui réfléchissent avec le plus de sérieux aux implications de la crise environnementale, les militaires sont loin d'être absents.

Les militaires face à la crise environnementale

En 2010, le document de National Security Strategy (NSS) états-unien, signé par Barack Obama, inclut pour la première fois une section consacrée aux implications militaires du changement climatique. Du fait de son impact sur l'environnement et les populations, celui-ci devra impérativement être intégré au calcul stratégique de l'armée américaine. La NSS est l'objet d'une actualisation tous les cinq à dix ans. Le précédent rapport remonte au premier mandat de George W. Bush, en 2002, juste après les attentats du 11 septembre 2001. Il comprenait la doctrine de la « guerre préventive », qui allait être mise en application en Irak. La NSS prend périodiquement acte des grandes tendances politico-militaires à l'échelle mondiale : fin de la guerre froide, émergence du « terrorisme », mais aussi renchérissement du prix du pétrole ou risques de pandémies. Il est toujours précédé de débats sur ces thèmes à l'intérieur des administrations en place et au sein des *think tanks* et revues liés à la politique étrangère.

La question du lien entre le changement climatique et la guerre apparaît désormais régulièrement dans les colonnes de l'*Armed Forces Journal*, le mensuel des officiers de l'armée états-unienne, ou de la revue *Foreign Affairs*. C'est dans les colonnes de cette revue que le diplomate George Kennan avait présenté la doctrine de l'« endiguement » à la fin des années 1940 ou que l'intellectuel conservateur Samuel Huntington avait annoncé le « choc des civilisations » au début des années 1990. En 2009, la CIA a inauguré le Center for Climate Change and National Security (C2ES) qui a pour vocation de réfléchir aux effets du changement climatique sur la « sécurité nationale » et de fournir des informations stratégiques aux négociateurs américains qui participent aux réunions internationales sur la question. En 2010, le *Quadriennial Defense Review* (QDR), publié par le Pentagone, a consacré un chapitre au changement environnemental. Ce rapport est le principal document de doctrine militaire élaboré par le département de la Défense.

Les premières réflexions sur les implications militaires du changement climatique au sein des élites états-uniennes sont anciennes. Le premier rapport qui évoque la question, commandé par Jimmy Carter, remonte à 1977. Précurseur, le Pentagone organise en juin 1947 une réunion consacrée aux conséquences militaires de la fonte des glaces en Arctique.

L'armée états-unienne n'est pas la seule à s'intéresser au changement climatique. Au cours des années récentes, toutes les grandes armées du monde se sont interrogées sur les conséquences militaires de ce phénomène. En France, la *Revue de défense nationale*, l'une des principales revues de doctrine de l'armée, a consacré en 2010 un numéro spécial à la « géostratégie du climat » ainsi qu'à la notion de « sécurité naturelle ». Ce dossier, préfacé par l'ancien Premier ministre Michel Rocard, contient des articles aux titres évocateurs : « Quand la sécurité devient verte » ou « Climat : enjeu de sécurité ou contrôle stratégique ? ».

L'Assemblée nationale française a quant à elle consacré en 2012 un rapport à « l'impact du changement climatique sur la sécurité et la défense ». Émanant de la commission des Affaires européennes, il s'inscrit dans les débats portant sur l'émergence d'une défense à l'échelle du continent. Présenté par les députés André Schneider (UMP) et Philippe Tourtelier (PS), il avance l'hypothèse qu'à l'avenir l'armée pourrait exercer la fonction de « spécialiste du chaos ». La crise écologique conduira à une aggravation des catastrophes naturelles, qui fragiliseront les institutions en place, en particulier dans les régions en voie de développement. L'armée sera, dans certains cas, seule à même d'intervenir efficacement dans le chaos qui en résultera. Des évolutions de cet ordre sont en particulier attendues dans les trois zones d'intérêt stratégique de l'Union européenne définies par ce rapport : le Bassin méditerranéen, l'Asie du Sud-Ouest et l'Arctique.

Ces exemples démontrent que les militaires prennent le changement climatique très au sérieux. Comment envisagent-ils cependant le rapport entre la crise écologique et la conduite de la guerre ? La multiplication des catastrophes naturelles implique d'abord que les armées seront davantage sollicitées pour venir en aide aux populations, et par la même occasion les « pacifier ». Deux événements récents illustrent cette interaction croissante entre les préoccupations environnementales et sécuritaires : le tsunami de 2004 dans l'océan Indien et l'ouragan Katrina en 2005 à La Nouvelle-Orléans. Dans les deux cas, l'armée a joué un rôle important dans la gestion de ces tragédies, par exemple dans l'acheminement de l'aide aux victimes ou le maintien de l'ordre dans un contexte où d'autres instances étatiques cessaient d'être opérationnelles.

Du fait de contraintes budgétaires de plus en plus fortes, les moyens déployés lors de ces opérations ne pourront l'être pour d'autres missions, notamment dans le cadre de guerres conventionnelles. Le problème se pose avec une acuité particulière pour les États-Unis, déjà engagés dans des guerres coûteuses à l'issue incertaine en Irak et en Afghanistan, sans parler de leur implication plus indirecte sur différents théâtres d'opérations aux quatre coins du monde.

Une expression qui revient fréquemment dans les raisonnements des militaires à propos de la crise écologique est celle de « multiplicateur de menaces » (*threat multiplier*). Le changement climatique ne créera pas nécessairement de nouvelles menaces. Il aggravera toutefois des problèmes déjà existants, en particulier dans des régions à risque : Afrique, Asie et Amérique latine notamment. Les inégalités, la corruption, les conflits « interethniques » s'aggraveront du fait de la raréfaction des ressources ou de la fréquence plus grande des catastrophes. Le cas du Darfour, qui revient souvent dans cette littérature, est présenté comme typique de l'interaction mortifère entre l'ethnicité, le climat et la guerre [1]. Au Darfour, des logiques ethniques instaurées par les Britanniques au moment de la colonisation de la région ont été exacerbées par des phénomènes climatiques extrêmes, notamment des sécheresses. Le réchauffement de la planète favorisera en outre l'extension hors de leur écosystème de certaines maladies – malaria, paludisme, dengue ou salmonellose –, augmentant de ce fait la pression sur les systèmes de santé.

Terrorisme et changement climatique

Aux yeux des militaires, le changement climatique risque d'affaiblir certains États déjà faibles et stratégiquement sensibles. Il s'agit des fameux *failed states*, les États « faillis », théorisés par le Pentagone depuis les administrations George Bush père et Bill Clinton. Ce sont des États supposés incapables d'assurer les fonctions « normales » d'un État démocratique moderne : sécurité, croissance, justice, égalité devant la loi...

Quel rapport avec le changement climatique ? Si les armées occidentales redoutent les États « faillis », c'est parce que les réseaux « terroristes » s'y installent, profitant du vide de pouvoir et du désespoir des populations pour y prospérer. Or la raréfaction des ressources naturelles et les climats extrêmes affaibliront davantage encore ces États, ce qui permettra aux « terroristes » d'y prendre pied d'autant plus aisément. L'expression d'« extrémisme opportuniste » est parfois employée pour désigner la façon dont ces derniers tirent profit de conditions sociales et naturelles défavorables – et de l'interaction entre les deux. Le même raisonnement vaut également pour la piraterie et le narcotrafic. Les *failed states* échouent à lutter efficacement contre la piraterie maritime, portant préjudice au commerce mondial. Ils y parviennent d'autant moins que la crise climatique les prive des moyens et de la stabilité nécessaires.

La préoccupation des militaires pour le changement climatique est, par conséquent, étroitement liée au paradigme stratégique dominant de

---

1   Younes ABOUYOUB, « Climate : the forgotten culprit. The ecological dimension of the Darfur conflict », *Race, Gender, and Class*, vol. 19, n° 1-2, 2012.

l'après-guerre froide : la lutte contre le « terrorisme ». La lecture que font les armées de ce phénomène est surdéterminée par ce qui constituait leur préoccupation principale dès avant le 11 septembre 2001 et qui s'est intensifié depuis. Aux yeux des militaires, le terrorisme et le changement climatique ont d'abord ceci de commun qu'il s'agit dans les deux cas de phénomènes transnationaux, qu'un État ne saurait combattre seul.

Mais il est un second lien entre le terrorisme et la crise écologique : cette dernière fournit au terrorisme un terreau où prospérer, en particulier dans les États « faillis ». Changement climatique et – lutte contre le – terrorisme représentent donc deux phénomènes que les militaires pensent conjointement. L'idée de *guerre verte* ou de *guerre du climat* est étroitement liée à l'évolution des modalités de la violence collective depuis la fin de la guerre froide (prolongeant des tendances bien antérieures), qui voit la dimension interétatique des guerres reculer au bénéfice de leur dimension infraétatique ou transnationale.

Les réfugiés climatiques, dont le nombre est actuellement estimé à 25 millions, sont parfois présentés dans cette littérature comme le « chaînon manquant » qui relie la crise écologique et les tensions politiques qui pourraient en découler. Un réfugié climatique se définit comme une personne dont la décision (plus ou moins contrainte selon les cas) de migrer est liée, au moins en partie, à des facteurs environnementaux. Selon ce raisonnement, la crise environnementale produira des réfugiés dont les migrations déstabiliseront les régions dans lesquelles ils s'installeront. Des conflits pourraient en découler.

La nature comme arme

Les doctrines de contre-insurrection incluent depuis toujours un volet environnemental. Un récent manuel de l'armée française intitulé *Principes de contre-insurrection*, rédigé par les colonels Hervé de Courrèges, Emmanuel Germain et Nicolas Le Nen, en retrace l'histoire, de Little Big Horn (1876) aux talibans, en passant par le Vietnam et Mogadiscio [1].

Une panoplie de mesures est à disposition pour lutter contre les insurrections. Parmi elles se trouve l'amélioration du bien-être de la population, supposée l'encourager à rompre avec les insurgés et collaborer avec la contre-insurrection. Le « plan Briggs » mis en œuvre par les Britanniques en Malaisie dans les années 1950, qui déplaça plus d'un demi-million de Malais d'origine chinoise vers des « nouveaux villages » ou « hameaux stratégiques », relève de cette approche : « L'objectif, commentent les colonels français, est de rendre la vie dans les nouveaux villages plus facile et plus attractive que dans les anciens villages illégaux. » Ce plan est l'un des premiers de l'histoire où

---

1   Hervé de Courrèges *et alii*, *Principes de contre-insurrection*, Economica, Paris, 2010.

l'on met en œuvre une stratégie dite des *hearts and minds*, où la contre-insurrection ne cherche pas seulement à éradiquer les insurgés (stratégie dite de *search and destroy*), mais à gagner la sympathie de la population locale. L'accent est mis sur l'amélioration des conditions de vie : routes, écoles, mais aussi systèmes d'irrigation et nouvelles terres arables. Le *Counterinsurgency Field Manual 3-24* de l'armée états-unienne, mis en circulation en 2006 en réponse à l'échec de la contre-insurrection en Afghanistan et en Irak, et signé par le général David Petraeus, alors commandant des forces occidentales en Afghanistan, relève également de cette approche.

La guerre en Afghanistan est un cas d'école d'interdépendance entre la guerre et l'environnement. Dans cette région, la crise climatique interagit avec l'insurrection talibane, en particulier par l'entremise du trafic de drogue. La persistance du commerce de l'opium s'y explique en partie par le fait que la culture du pavot nécessite peu d'eau : elle consomme un sixième seulement de la quantité requise pour cultiver le blé. Elle se révèle de ce fait plus résistante à la sécheresse que d'autres cultures. La province de Nangarhar, qui produit les plus grosses quantités d'opium du pays, est aussi l'une des plus sujettes aux sécheresses.

La multiplication et l'intensification des phénomènes climatiques extrêmes rendent improbable que les populations s'adonnent à l'avenir à d'autres types de cultures (le trafic de l'opium représente plus du tiers du PIB de l'Afghanistan). Les talibans, qui comptent dans leurs rangs nombre de paysans victimes de sécheresses ou d'inondations passés par les camps de réfugiés et les madrasas, font preuve de tolérance à son égard, ce qui explique le soutien dont ils bénéficient dans d'importants secteurs de la population. L'argent qui provient de la culture du pavot permet en retour aux talibans de se procurer des armes et de fortifier leurs positions. Offrir des alternatives réalistes à l'opium en accroissant la productivité de l'agriculture permettrait de rompre la boucle causale qui relie climat, opium et insurrection armée.

La contre-insurrection repose parfois sur la destruction de l'environnement plutôt que sur sa conservation. C'est ce que démontre le cas de la guerre du Vietnam (1954-1975). Le Front national de libération (FNL) du Sud-Vietnam – plus connu sous le nom de Viêt Cong – souffre à l'époque d'un rapport de forces très défavorable face à la puissante armée états-unienne. Comme nombre de guérillas depuis le début de l'époque moderne, il fait un usage tactique de la nature, en l'occurrence de la jungle qui recouvre de larges portions du pays. Celle-ci lui permet de susciter des effets de surprise ou de se protéger au moment de battre en retraite. En matière de guerre asymétrique, la forêt est un « égaliseur de forces » : elle aide la plus faible des forces en présence à combler une partie de ses insuffisances.

Afin de reprendre l'avantage, l'armée américaine utilise des défoliants, parmi lesquels le célèbre « agent orange ». L'objectif est simple : gagner en visibilité dans l'épaisse jungle vietnamienne et, pour cela, détruire l'écosystème de la guérilla. Dans le cadre de l'opération *Ranch Hand*, entre 1962 et 1971, des dizaines de milliers de mètres cubes d'herbicides sont ainsi déversées sur le pays : 22 000 km² de forêts ont été défoliés (plus de 20 % des régions forestières du pays) et 3,3 millions d'hectares de végétation y sont exposés, altérant durablement la biodiversité du Vietnam.

Le partage de l'Arctique

S'il est un lieu qui concentre l'ensemble des interactions entre la guerre et la nature, c'est bien l'Arctique. Lors de la guerre froide, le pôle Nord attirait l'attention des grandes armées du monde, et particulièrement les armées états-unienne et soviétique. Cela s'explique aisément. L'Alaska et la Sibérie sont des régions frontalières, séparées par le détroit de Béring. Le chemin le plus court pour que des bombardiers ou missiles soviétiques atteignent les métropoles états-uniennes (ou l'inverse) passe par le pôle Nord. Les stratèges américains estiment également que l'Arctique est susceptible de devenir le théâtre d'une guerre « chaude » entre superpuissances. Cela implique de se doter des équipements et d'une tactique adaptés à ce milieu.

La guerre froide a pris fin, l'intérêt des militaires pour l'Arctique demeure. L'accélération de la fonte des glaces, combinée avec les bouleversements géopolitiques et économiques des dernières décennies, a modifié la donne dans la région. À partir de 2007, le passage du Nord-Ouest qui relie l'Atlantique et le Pacifique par le nord des Amériques s'est ouvert entièrement pendant deux semaines. D'aucuns prévoient qu'il puisse l'être tout l'été dans les années qui viennent. En août 2009, deux navires commerciaux allemands, non accompagnés par des brise-glace, ont emprunté cette « route maritime du Nord », qui longe la côte nord de la Sibérie et rejoint les Pays-Bas en partant de Vladivostok. Ce passage est désormais ouvert pendant quatre ou cinq mois par an.

D'ici quinze à vingt ans, lorsque les voies maritimes arctiques seront durablement accessibles, le temps de voyage entre les continents raccourcira fortement. Cela réduira les quantités de carburant employées, le prix des marchandises acheminées, et accélérera d'autant la mondialisation. Le voyage de Rotterdam à Yokohama, deux ports commerciaux de première importance au plan mondial, qui s'effectue à l'heure actuelle *via* le canal de Suez, diminuera de 40 % s'il emprunte le passage du Nord-Est. Naviguer de Seattle à Rotterdam en traversant le passage du Nord-Ouest, plutôt que le canal de Panama, accélérera le voyage de 25 %.

Conflits de souveraineté et changement climatique

Cinq pays revendiquent des parts de souveraineté sur l'Arctique : les États-Unis, la Russie, le Danemark (*via* le Groenland), la Norvège et le

Canada. Ils composent, avec la Finlande, la Suède et l'Islande, le « Conseil arctique », un forum intergouvernemental fondé en 1996 pour gérer les conflits dans la région.

Car l'Arctique fait l'objet de disputes territoriales entre ces pays. En juillet 2007, une expédition sous-marine russe plante un drapeau de titane, à grand renfort de communication, sur la dorsale de Lomonossov, par 4 000 mètres de fond. La Russie considère cette dorsale, longue de 1 800 km, comme une extension sous-marine de son territoire. La Convention des Nations unies sur le droit de la mer (UNCLOS), adoptée dans les années 1970, stipule qu'un pays en mesure de démontrer que son territoire s'étend à plus de 200 milles nautiques sous la mer dispose de droits sur l'exploitation des ressources qui s'y trouvent. La dorsale de Lomonossov est vraisemblablement riche en minéraux et en pétrole, d'où l'empressement des Russes à s'y installer.

Le Danemark et le Canada contestent les prétentions de la Russie sur ce territoire. Les commentateurs les plus pessimistes craignent que ce genre de conflits territoriaux puisse favoriser à l'avenir l'éclosion de guerres. Le partage de l'Arctique, de ce point de vue, est perçu à travers le prisme du partage de l'Afrique au XIXᵉ siècle, c'est-à-dire comme susceptible de donner lieu à des formes nouvelles de conflits interimpérialistes.

À ce stade, la crainte de voir émerger des conflits majeurs en Arctique paraît infondée : 90 % des minerais qui se trouvent en Arctique se situent à l'intérieur de frontières ne faisant pas l'objet de disputes. Par ailleurs, dans un environnement aussi hostile, la coopération entre États est plus rationnelle que le conflit. Il n'en demeure pas moins que ce risque n'est pas à exclure dans les décennies qui viennent. En 2011, l'armée canadienne a par exemple effectué le plus gros exercice militaire de son histoire dans la région. Les Russes dominent militairement le pôle Nord, notamment parce qu'ils disposent d'une vingtaine de brise-glace, dont certains à propulsion nucléaire.

La fonte de l'Arctique aura des conséquences géopolitiques indirectes. Elle promet de relativiser l'importance de certains nœuds stratégiques. Une bonne partie des marchandises à destination et en provenance d'Asie – un tiers du commerce mondial au total – passe par exemple par le détroit de Malacca, situé entre la Malaisie et l'île indonésienne de Sumatra. Garantir la sécurité de ce détroit constitue un casse-tête pluriséculaire. Depuis les origines du commerce international, les pirates y pullulent. L'émergence de la Chine comme grande puissance et sa rivalité grandissante avec les États-Unis risquent en outre d'accroître la lutte pour la suprématie militaire sur ce lieu et sur la mer de Chine à laquelle il donne accès.

Le détroit d'Ormuz, où se font face l'Iran et le sultanat d'Oman, représente un autre point de fixation géostratégique et commercial de ce genre. Faire en sorte que les navires commerciaux et militaires puissent le contourner réduirait considérablement le pouvoir de l'Iran en cas de crise au

Moyen-Orient. L'ouverture des routes maritimes arctiques rebattra donc à terme les cartes de la géopolitique mondiale.

L'Arctique contient par ailleurs d'abondantes ressources naturelles. Bois, minéraux – zinc, or, nickel et fer notamment –, pétrole, gaz, poissons, végétaux… On considère que la région renferme les dernières réserves d'hydrocarbures de la planète. Selon une étude de 2008, l'Arctique recèlerait 90 milliards de barils de pétrole et 75 000 milliards de mètres cubes (des tera-m^3) de gaz naturel, soit possiblement 13 % et 30 % des ressources non encore explorées. Shell, ExxonMobil, Gazprom ou Total dépensent déjà des milliards en exploration (la compagnie française uniquement pour le gaz). Shell a investi à elle seule 4 milliards de dollars, sans avoir à ce jour commercialisé le moindre baril de pétrole. L'exploitation des ressources arctiques suppose l'installation d'infrastructures lourdes et sophistiquées, ainsi que la sécurisation de leur acheminement. Cette sécurisation est l'une des raisons qui conduiront les militaires à s'investir dans la région.

Une question politique

Avec la crise environnementale, l'interaction pluriséculaire entre la guerre et la nature entre dans une nouvelle phase de son histoire. Il est bien sûr trop tôt pour déterminer avec précision les effets de cette crise sur la conduite de la guerre, et sur l'évolution des modalités de la violence collective dans les décennies et siècles à venir. Comme le dit le deuxième stratège le plus important du xixe siècle (après Clausewitz), Antoine-Henri Jomini, dans son *Précis de l'art de la guerre* : « À défaut de renseignements sûrs et exacts, un général capable ne devrait jamais se mettre en marche sans avoir deux ou trois partis pris sur les hypothèses vraisemblables. »

C'est la maxime suivie par les militaires à l'heure actuelle. Ceux-ci sont l'un des secteurs des élites à être en mesure de réfléchir sur une durée allant de trente à cinquante ans, la temporalité pertinente pour penser les effets du changement environnemental. Trois à cinq décennies, c'est la période dans laquelle s'inscrit l'analyse stratégique, le temps que dura par exemple la guerre froide. C'est aussi l'intervalle qui sépare en moyenne la conception d'une nouvelle arme de son emploi sur le champ de bataille. Les militaires ont par ailleurs l'habitude de gérer des situations d'incertitude, lesquelles sont parties intégrantes de leur *ethos*. La part d'inconnu inhérente au changement climatique n'est donc pas rédhibitoire pour eux.

Cette capacité des armées à prendre au sérieux la crise environnementale met *a contrario* en lumière l'incapacité des élites politiques à s'y résoudre. Celles-ci sont souvent adeptes d'un « court-termisme » qui les empêche d'intégrer le changement climatique dans leurs calculs, d'adopter par exemple les mesures qui s'imposent pour ralentir l'augmentation des températures.

L'avance des militaires dans la prise en considération de la crise écologique laisse en tout cas présager qu'ils joueront un rôle décisif dans l'adaptation des sociétés à cette dernière. Compte tenu du peu d'égard dont ils font traditionnellement preuve à son endroit, il n'est pas certain que cela soit une bonne nouvelle pour la démocratie.

Pour en savoir plus

Christophe BONNEUIL et Jean-Baptiste FRESSOZ, *L'Événement anthropocène. La terre, l'histoire et nous*, Seuil, Paris, 2013.

François GEMENNE, *Géopolitique du changement climatique*, Armand Colin, Paris, 2009.

Hervé KEMPF, *Comment les riches détruisent la planète*, Points, Paris, 2009.

Razmig KEUCHEYAN, *La nature est un champ de bataille. Essai d'écologie politique*, Zones/La Découverte, Paris, 2014.

John MCNEILL, « Woods and warfare in world history », *Environmental History*, vol. 9, n° 3, 2003.

Christian PARENTI, *Tropic of Chaos. Climate Change and the New Geography of Violence*, Nation Books, New York, 2012.

Claude SERFATI et Philippe LE BILLON, « Guerres pour les ressources : une face visible de la mondialisation », *Écologie & Politique*, n° 34, 2007.

Harald WELZER, *Les Guerres du climat. Pourquoi on tue au XXIᵉ siècle*, Gallimard, Paris, 2009.

II. Acteurs. Institutions, armes, victimes

Questions sur le coût de la guerre

Frédéric Charillon
Professeur des universités à l'université d'Auvergne
et directeur de l'Institut de recherches stratégiques de l'École militaire (IRSEM)

D epuis l'avènement en 1989-1991 d'un « entre-deux stratégique » ouvert par la fin de la bipolarité vers un système
international encore incertain, les trois puissances militaires occidentales
américaine, britannique et française, parfois accompagnées de partenaires,
ont mené la plupart des grandes interventions militaires et assuré leur
commandement. À l'exception de la guerre irakienne de 2003 (à laquelle la
France de Jacques Chirac a refusé de participer), ce sont bien ces trois alliés
que l'on retrouve ensemble, du Golfe (1991) à la Libye (2011), du Kosovo
(1999) à l'Afghanistan (à partir de 2003). Agissant parfois plus individuelle-
ment, chacun des trois a conservé le soutien des autres : les États-Unis, en
Somalie en 1992 ou dans de nombreuses opérations contre la « terreur »
après 2001, du Yémen jusqu'aux Philippines ; la France, principalement en
Afrique, comme en Côte d'Ivoire depuis 2001 (opération Licorne), en Ituri à
la tête d'une opération labellisée Union européenne (2003), au Mali ou en
Centrafrique aujourd'hui.

La crise budgétaire des grands interventionnistes occidentaux

Or ce sont ces mêmes puissances qui affichent désormais, dans une
grande transparence d'ailleurs, les restrictions imposées à leurs appareils de
défense par une contrainte budgétaire que la crise financière internationale
de 2008 a considérablement accentuée. Si leur marge de manœuvre reste
énorme (37 % des dépenses militaires mondiales en 2013, un budget

militaire de 460 milliards d'euros), les coupes annoncées par les États-Unis sont impressionnantes (– 7,8 % en 2013, près de 500 milliards de dollars sur dix ans à partir de 2012). Épuisée par ses aventures irakienne et afghane aux côtés de l'allié américain, l'armée britannique subit le programme d'austérité décidé par David Cameron en 2011 (8 % de réduction sur la défense). La France a amorcé, avec le Livre blanc de 2008 sur la défense et la sécurité nationale, un nouveau modèle d'armée, c'est-à-dire une réduction de son outil militaire (intensifiée encore par le Livre blanc de 2013). Si le budget global est à peu près maintenu du fait d'un effort sur les équipements (autour de 31 milliards d'euros annuels), ce sont 78 000 personnels qui sortent des effectifs (54 000 entre 2009 et 2015, plus 24 000 autres annoncés en 2013).

Un point amène certes à relativiser cette tendance : le temps n'est plus aux armées de masse, de conscrits ou de chair à canon, mais plutôt à des professionnels entraînés et équipés pour des missions de haut niveau. Et, de ce point de vue, les trois armées concernées maintiennent leur savoir-faire, ainsi qu'un niveau technologique peu égalé ailleurs. Elles conservent l'outil de la dissuasion nucléaire, qui leur confère un statut politique précieux. Mais comment ne pas voir également les rééquilibrages et les défis ? D'une part, ces trois puissances peuvent de moins en moins compter sur l'appoint de leur propre camp, otanien ou européen : les États membres de l'Union européenne ont quasiment renoncé à la puissance et réduisent leurs budgets de défense dérisoires tout autant, sans doute, que leur volonté politique : – 0,7 % pour l'UE en 2013 mais huit pays – dont l'Italie, les Pays-Bas et le Royaume-Uni – ont diminué leur budget de plus de 10 %.

D'autre part, de nouvelles puissances développent un instrument militaire à la vocation agressive peu dissimulée, tandis que des régions entières sont engagées dans la course aux armements. La Chine, avec un budget estimé par les observateurs occidentaux à environ 100-150 milliards de dollars annuels, travaille au développement de sa puissance maritime et met en place des systèmes de déni d'accès aux espaces qu'elle considère comme siens en mer de Chine du Sud (les fameux A2/AD, ou *anti-access/area denial*). Elle a augmenté ses dépenses militaires de 7,4 % en 2013 et a annoncé une augmentation de 12,2 % de son budget défense pour 2014. La Russie, qui n'a pas la même marge de manœuvre, a augmenté son budget de 4,8 % en 2013 et semble réhabiliter le fait accompli militaire, comme on l'a vu en Géorgie puis en Crimée. Dans le monde, vingt-trois pays ont doublé leurs dépenses en dix ans, et aucun n'appartient à l'Alliance atlantique. C'est le cas, par exemple, de l'Arabie saoudite qui devient, avec 67 milliards de dollars et 9,1 % de son PIB consacré à la défense, le quatrième pays du monde pour les dépenses militaires (devant la France et après les États-Unis, la Chine et la Russie). À l'heure où, de surcroît, les troubles de sécurité issus du monde non étatique se multiplient (piraterie maritime, bandes armées, contestation religieuse armée, guerres de cartels...), le paysage se transforme et le fossé, pour les grands intervenants occidentaux, semble se creuser entre les objectifs affichés et les moyens alloués.

▒▒▒ Armées de riches, guerres de pauvres ?

La question dépasse la simple promenade chiffrée, qui se résumerait comme au temps de la guerre froide à compter les missiles, chars et avions des uns et des autres. Car la mesure du rapport de force, avec les mutations de la guerre, a changé. Après l'Armée rouge dans les années 1980, ce sont les États-Unis qui sortent d'Afghanistan sans avoir atteint leurs objectifs. Après le camouflet somalien de 1992 et peu de temps avant sa retraite afghane, la même Amérique quittait en 2011 un Irak en ruines. La France, qui pouvait jadis, disait-on, « changer le cours de l'histoire » en Afrique avec quelques avions et une poignée d'hommes, s'est trouvée à la peine en Côte d'Ivoire (depuis le lancement de l'opération Licorne en 2002). Plus efficace dans l'opération Serval au Mali (depuis janvier 2013), elle fut prise ensuite dans une mission difficile en Centrafrique (opération Sangaris, depuis décembre 2013), sans jamais se trouver face à une armée régulière. Avec l'appui de son allié britannique et force soutien logistique américain, elle dut mobiliser des moyens importants pour venir à bout de la garde et des mercenaires du colonel Kadhafi. Bien que ce dernier ait été tué dans l'opération, la Libye a sombré dans le chaos et la violence a proliféré au Sahel. Face aux machettes, aux pick-up et aux combattants de fortune, les riches peuvent-ils encore faire les guerres des pauvres ?

Le débat porte notamment sur l'industrie de défense occidentale. Accusés de privilégier des matériels sophistiqués et chers, les grands fabricants d'armes (7 Américains dans les 10 premiers groupes mondiaux) fourniraient aux États des « jouets » inadaptés à la réalité des batailles actuelles : l'acquisition de ces armes coûteuses se ferait au détriment de l'équipement de base, donc de la sécurité des troupes sur le terrain. Alors que certains remettent en cause le « tout technologique », d'autres appellent à une armée à deux vitesses qui, sans se priver de son industrie d'armement de pointe, resterait capable de mener des guerres rustiques moins coûteuses. A-t-on besoin, demande-t-on, d'avions Rafale pour combattre une poignée de djihadistes ? Et la grande peur, en toile de fond, devient celle d'une armée réduite à des matériels si chers qu'ils sont de moins en moins nombreux et de moins en moins utilisables (coût de l'entraînement, de la maintenance, du remplacement éventuel, etc.). L'US Air Force et le Cost Assessment & Program Evaluation Office (CAPE) de la Défense américaine chiffraient en 2013 le coût d'une heure de vol d'un F-35A à 24 000 dollars. En France, l'estimation du coût d'une heure de vol du Rafale varie de 14 000 à 39 000 euros. Le coût total de l'opération Serval a été évalué en 2013 par la Cour des comptes à 647 millions d'euros, tandis qu'un député la chiffrait en consommation réelle de crédits à 1,2 milliard. En janvier 2013, une étude de Laura J. Bilmes à la Kennedy School d'Harvard estimait le coût cumulé des guerres afghane et irakienne de 4 à 6 trillions de dollars pour les finances publiques américaines. Si les estimations précises sont difficiles à établir, une certitude demeure : les insurgés d'en face ont un coût de fonctionnement bien moindre... La guerre, craignent certains alliés des États-Unis, serait devenue trop chère pour des pays occidentaux suréquipés qui chercheraient dès lors à l'éviter à tout prix, en Syrie comme en Crimée ou en mer de Chine.

Autant la guerre du Golfe de 1991 avait célébré le triomphe de la Révolution des affaires militaires (RMA) et d'une combinaison technologie-communication, autant le 11 septembre 2001 a remis en cause ces certitudes : échec du renseignement technologique – moins efficace que le renseignement humain – lorsqu'il s'agit de prévenir ; échec des technologies de pointe dans les montagnes, les grottes et les villes, lorsqu'il s'agit de punir. Mais si ces arguments ont bonne presse, y compris dans certaines sphères militaires, l'affaire n'est pas si simple. On voit là toute l'ampleur du dilemme des grandes armées de l'Organisation du traité de l'Atlantique nord (OTAN) : la fuite en avant technologique entraîne certes des coûts exorbitants, mais le renoncement à cette supériorité technologique laisse les troupes face à des adversaires déterminés et bénéficiant de l'avantage du terrain (du côté des insurgés non étatiques) ou du nombre (du côté des rivaux étatiques russes, chinois ou autres). Pour de nombreux observateurs, les efforts pour maintenir l'avantage technologique restent donc, en dépit de son prix, la seule option possible.

▬▬▬ Crise de la pensée stratégique face aux conflits actuels

Aussi profondément que la crise budgétaire elle-même, c'est la difficulté de la penser à l'heure des nouvelles asymétries qui menace désormais d'obsolescence les interventions militaires occidentales. Car les modèles de guerre sont aujourd'hui multiples.

Le premier de ces modèles, que l'OTAN continue de promouvoir tout en cherchant à l'adapter, est donc celui de la supériorité technologique, dont on attend désormais la rationalisation économique grâce aux techniques les plus récentes (drones, voire cyberattaques). Le président Obama a pris le risque de suivre cette voie (multiplication des attaques de drones comme au Pakistan, cyberattaques probables contre l'Iran et sa centrale de Bouchehr), sans savoir encore si ces technologies assureront la supériorité des pays les plus riches ou, à l'inverse, seront des facteurs égalisateurs de puissance. Grâce à ces techniques de guerre à distance, on mise sur le « *shoot and go* » (tire et va-t'en), économe, espère-t-on, en vies, en temps et en budget.

À ce modèle, typique des pays du Nord, répond, au Sud, celui que nous pourrions qualifier de « nuisance simmélienne ». Nuisance parce que, au lieu de chercher à l'emporter grâce à une bataille décisive, on oppose à la puissance le harcèlement sur la durée, plus favorable aux combattants de fortune sur les plans psychologique et financier. Il suffit au faible, sur ce mode, de survivre pour être symboliquement vainqueur face au fort, comme l'a illustré la guerre libanaise de 2006 entre Israël et le Hezbollah. Et cette nuisance est « simmélienne » parce que, conformément à ce que décrivait le sociologue allemand Georg Simmel au début du XXᵉ siècle, le conflit devient une dialectique politique prolongée, un dialogue social, qui ne permet plus de distinguer clairement guerre et paix. Aux puissances du Nord qui cherchent la frappe chirurgicale et le moins d'implication possible sur le terrain (ou le *light footprint*), les conflits récents imposent des confrontations prolongées au sein des populations. Face à ce phénomène, les pensées comme les budgets du Nord doivent être revus.

Enfin, un troisième modèle guerrier pourrait émerger, dans le Sud riche cette fois : la remise au goût du jour du mercenariat le plus coûteux. Les Émirats arabes unis ont ainsi défrayé la chronique en 2011 en confiant des secteurs importants de leur défense à des sociétés privées, pour des sommes estimées à 360 millions d'euros, et la rumeur a circulé qu'ils voulaient recruter une armée composée de 80 000 combattants étrangers. Si ce modèle venait à se développer, le modèle occidental de la guerre, qui compte aujourd'hui ses centimes, s'en trouverait encore embarrassé.

Les doctrines des puissances les plus interventionnistes sont-elles prêtes pour ces confrontations guerrières qui ne parlent pas toutes le même langage, pour ces imbrications entre stratégie classique, sociologie du conflit et économie de défense ? Il semble plutôt, au moins aux États-Unis, que le réflexe réaliste – qui consiste à raisonner en termes purement interétatiques d'alliances compensatoires – reste dominant. Voyant les moyens des puissances interventionnistes traditionnelles s'amenuiser, leurs stratèges cherchent à leur agréger ceux d'alliés, anciens ou nouveaux, mieux dotés et susceptibles de renforcer les capacités. On calcule donc toujours, pour l'essentiel, en masses budgétaires de *hard power*. Celles-ci laissent apparaître que deux pays (les États-Unis pour 37 %, suivis de la Chine pour 11 %) représentent en 2013 près de la moitié des dépenses militaires mondiales ; que les quatre cinquièmes de ces dépenses planétaires sont réalisées par quinze pays seulement ; et que, sur ces quinze pays, deux seulement sont ouvertement rivaux des États-Unis (Chine pour 11 % donc, et Russie pour 5 %), tandis que tous les autres sont des alliés avérés ou potentiels [1]. Dans cette grammaire, le leader américain et ses alliés ou partenaires n'ont pas de souci à se faire.

---

[1] Arabie saoudite (3,8 %), France (3,5 %), Royaume-Uni (3,3 %), Allemagne (2,8 %), Japon (2,8 %), Inde (2,7 %), Corée du Sud (1,9 %), Italie (1,9 %), Brésil (1,8 %), Australie (1,4 %), Turquie (1,1 %), Émirats arabes unis (1,1 %).

En dépit de cette supériorité sur le papier, les États-Unis ont cumulé les revers sur le terrain. C'est que, dès que l'on sort de ces calculs dont on sait qu'ils ne veulent rien dire (ces comptes intègrent par exemple les salaires et les retraites qui contribuent peu à l'efficacité militaire), les défis se situent sur des terrains moins mesurables. Le coût du *staying power* (ou de l'engrenage qui consiste à obliger une armée à rester sur le terrain une fois les opérations terminées pour ne pas en perdre tous les bénéfices, quitte à devenir une cible permanente) reste élevé aussi bien économiquement que politiquement et symboliquement. L'énigme d'une gestion post-conflit réussie reste entière dans la plupart des cas et les volontaires prêts à s'y associer et en partager les frais ne sont pas nombreux. L'incertitude sur l'origine des menaces, étatiques aussi bien que non étatiques, continue d'imposer une veille permanente et une étude onéreuse des scénarios stratégiques possibles. Lesquels apparaissent comme autant de tonneaux des Danaïdes pour qui veut vraiment, comme le firent les néoconservateurs américains dans les années 2000, anticiper jusqu'aux *« unknown unknowns »*, ces « inconnues que l'on ne sait même pas ne pas connaître ». Vaste programme...

À l'heure où les notions de puissance, de guerre, de paix et d'intervention se réinventent, le retour aux calculs de guerre froide fait manquer l'essentiel. L'approche par les seuls budgets de défense, utile pour observer des tendances, ne suffit pas : il convient désormais de l'articuler avec d'autres critères. Des armées modernes aux instruments hors de prix sont tenues en échec sur le long terme par des combattants invisibles, fondus dans le paysage géographique et social, et à peine rémunérés. Cela ne signifie ni la fin de la technologie, ni le déclin inexorable de l'« Occident », mais certainement le retour nécessaire du microsocial, de l'individu et des sociétés, dans l'analyse stratégique.

Pour en savoir plus

Yves Bélanger, Aude Fleurant, Hélène Masson et Yannick Quéau, *Les Mutations de l'industrie de défense : regards croisés sur trois continents*, Cahiers de l'IRSEM, n° 10-2012, (<www.defense.gouv.fr/irsem>).

Renaud Bellais, Martial Foucault et Jean-Michel Oudot, *Économie de la défense*, La Découverte, coll. « Repères », Paris, 2014.

Linda J. Bilmes, « The financial legacy of Iraq and Afghanistan. How wartime spending decisions will constrain future National Security budgets », Harvard Kennedy School, mars 2013 (<http://web.hks.harvard.edu>).

Paul K. Davis, *Analysis to Inform Defense Planning Despite Austerity*, Rand Corporation, Washington, 2014.

Andrew M. Dorman et Joyce P. Kaufman (dir.), *Providing for National Security : A Comparative Analysis*, Stanford Security Studies, Stanford, 2014.

Michel Goya, *Sous le feu. La mort comme hypothèse de travail*, Tallandier, Paris, 2014 ; et *Israël contre le Hezbollah : Chronique d'une défaite annoncée (12 juillet-14 août 2006)*, Éditions du Rocher, Paris, 2014.

Maya Kandel et Aude Fleurant, « États-Unis : quelle transition stratégique ? La politique de défense stratégique sous Obama, entre dynamiques internes et évolutions internationales », *Études de l'IRSEM*, n° 29-2013 (<www.defense.gouv.fr/irsem>).

Julian Lindsay-French et Yves Boyer, *The Oxford Handbook of War*, Oxford University Press, Oxford, 2014.

Ministère de la Défense, *Livre blanc sur la défense et la sécurité nationale*, <www.defense.gouv.fr>, Paris, 2013.

SIPRI Yearbook 2014, Oxford University Press, Oxford, 2014.

Site du Stockholm International Peace Research Institute : <www.sipri.org>.

Site de Michel Goya, *La Voie de l'Épée* : <http://lavoiedelepee.blogspot.fr>.

Les ventes d'armes comme vecteur d'influence dans les relations internationales

Olivier Zajec
Maître de conférences, université de Lyon 3

L es théories des relations internationales mettant en valeur l'influence (le « *soft power* ») plutôt que la puissance (le « *hard power* ») ont tendance à minorer le facteur militaire, en faisant prévaloir d'autres variables. C'est le cas, entre autres, dans le modèle de la « puissance structurelle » de Susan Strange, qui préfère insister sur la finance et la culture pour hiérarchiser les États. Intimement liées au potentiel militaire, les exportations mondiales d'armement montrent toutefois, en leur dynamique même, l'existence d'un pont paradoxal mais très effectif entre puissance et influence, voire entre arsenaux et culture. À travers la diffusion de standards doctrinaux et d'entraînement, ou de normes technologiques, des liens d'interdépendance complexes se créent, parfois à très long terme, entre pays exportateurs et importateurs. Une meilleure prise en compte de cette dimension permettrait de pondérer la mesure comparée des arsenaux (la puissance militaire *détenue*) par ce que l'on pourrait appeler la puissance militaire *diffuse*, notion précieuse pour une meilleure appréhension de l'état du monde actuel.

Le contexte : des ventes d'armes en constante augmentation, malgré la crise.

Du point de vue des dépenses militaires mondiales, qui représentent 1 739 milliards de dollars en 2012 selon la publication annuelle du Stockholm International Peace Research Institute (SIPRI), la répartition par régions montre, parmi les phénomènes les plus significatifs, un effritement du bloc transatlantique par rapport aux efforts consentis par les pays asiatiques. C'est surtout la part de l'Europe de l'Ouest qui s'affaisse dans ces statistiques (– 8 % entre 2008 et 2012). L'« effritement » est plus que relatif concernant les États-Unis, qui représentent encore à eux seuls 39 % du total mondial. L'Europe de l'Est, quant à elle, est la région du monde connaissant la plus forte hausse en 2012 (+ 15 %), une donnée à mettre en regard de l'accroissement des dépenses russes (+ 16 % en 2012, à 90 milliards de dollars), qui dépassent à présent régulièrement les 4 % du PIB national. En Asie (particulièrement en Asie de l'Est), les budgets progressent, tirés par la montée en puissance de la Chine, et l'effort de rééquipement de la Corée du Sud, du Japon, du Vietnam et de l'Indonésie. Le Moyen-Orient, marqué par les tensions entre l'Iran et ses voisins sunnites, continue à augmenter ses dépenses, avec un rôle d'entraînement de l'Arabie saoudite (+ 12 % en 2012, à 56 milliards de dollars). L'Afrique connaît la plus forte hausse des dépenses mondiales en une décennie : entre 2003 et 2012, le continent accroît son effort d'équipement militaire de 85 %. On notera le cas limite du Zimbabwe, pays dévasté économiquement par la dictature de Robert Mugabe, qui représente pourtant la plus forte hausse du continent en 2012 (+ 53 %).

Du point de vue des États, la hiérarchie des dépenses militaires mondiales fait apparaître deux groupes. Le premier rassemble les pays qui dépassent, en 2012, les 50 milliards de dollars annuels consacrés à la défense : États-Unis, Chine, Russie, Royaume-Uni, Japon, France et Arabie saoudite. Le second comprend ceux dont le curseur varie entre 30 et 50 milliards de dollars annuels : Inde, Allemagne, Italie, Brésil et Corée du Sud. Les États-Unis (682,5 milliards de dollars) et la Chine (166 milliards de dollars) se détachent à présent de tout le reste du tableau (la Russie, troisième du classement, étant à 90 milliards).

Force est donc de constater que les ventes d'armes ne connaissent pas la crise (sauf en Europe de l'Ouest) et que les enjeux économiques associés demeurent gigantesques : en 2012, le secteur de l'armement emploie en

Europe 670 000 personnes. D'après le cabinet IHS Jane's, le marché mondial de la défense (exportations et importations d'armements) pourrait atteindre 100 milliards de dollars d'ici 2018. Entre 2008 et 2012, il a d'ailleurs progressé de 30 %, en passant de 56,5 à 73,5 milliards de dollars. Les premiers exportateurs mondiaux, toujours selon le SIPRI, restent en 2012 les puissances majeures : les États-Unis en premier lieu avec 29 % du marché, suivis par la Russie (27 %), l'Allemagne (7 %), la Chine (6 %) et la France (5 %). Lorsque l'on considère les volumes de ventes sur dix ans, ce classement est relativement stable (la France repassant simplement devant la Chine).

« Bouts », « Zaharoff », « Wilson » : trois modèles pour les ventes d'armes

Cette hiérarchie des exportateurs mérite d'être affinée, en dégageant en son sein une typologie plus fine. Il est ainsi éclairant de distinguer trois types ou « modèles » de ventes d'armes. Pour souligner leurs différences, nous choisissons ici de les baptiser « Victor Bouts », « Basil Zaharoff » et « Charlie Wilson », trois noms hautement symboliques. Victor Bouts, né en 1967, est l'un des plus fameux trafiquants d'armes du monde. Surnommé *« lord of war »*, spécialisé dans les ventes massives aux pays sous embargo, il a été condamné en 2012 à vingt-cinq ans de prison. Basil Zaharoff (1849-1936), marchand d'armes et directeur de la firme Maxim-Vickers-Armstrong durant la Première Guerre mondiale, bâtira sa carrière en suscitant l'hostilité entre grandes nations, de manière à les convaincre de s'armer *via* ses sociétés et son intermédiation. Charles Wilson (1933-2010), parlementaire démocrate américain, fut l'une des chevilles ouvrières du soutien militaire américain aux moudjahidines afghans, dans le cadre plus large de la doctrine Reagan de refoulement du communisme mondial.

Le premier type de ventes d'armes (« Victor Bouts ») est celui du trafic illégal, qui se concentre souvent sur le marché très opaque des armes légères et de petit calibre (ALPC). S'il cause des ravages, il ne possède pas une capacité de structuration géopolitique prépondérante.

Dans le deuxième type (« Basil Zaharoff »), les exportations sont légales mais gardent un objectif prioritairement lucratif : le commerce est stimulé et orienté par les conflits régionaux, même si ce lien s'avère moins direct que dans le modèle « Bouts ». Les opérateurs de ces ventes du deuxième type sont les entreprises et multinationales de l'armement : elles agissent donc de manière relativement autonome, suivant une logique opportuniste de marché. Mais l'État dont relèvent ces opérateurs est informé, et peut faire jouer des mécanismes de contrôle nationaux plus ou moins coercitifs. Cependant, le gouvernement ne déclenche pas forcément la vente : il se contente de ne pas l'empêcher – c'est par exemple le rôle de la commission interministérielle pour l'étude des exportations de matériels de guerre (CIEMMG) dans le système français.

Le troisième type de ventes d'armes (« Charlie Wilson ») peut être dit « régalien », tant du point de vue des exportations que des acteurs. La stratégie remplace ici l'opportunisme, le gain financier passe au second plan, et les ventes sont impulsées et conduites par les États dans une claire optique d'influence, sur la base d'une « suggestion » plus ou moins appuyée à leurs entreprises d'armement nationales. C'est ce qu'Éric Lahille appelle, à propos des facteurs explicatifs de la montée en puissance des exportations d'armes russes dans les années 1990, « la prévalence des facteurs non économiques sur la dynamique d'ensemble des exportations d'armement ». Les facteurs en question sont politiques et relèvent de calculs d'intérêt national. Ils peuvent être déterminés par la volonté d'équilibrer ou de déséquilibrer les forces en présence dans une « zone d'accroche » géopolitique spécifique (ainsi des perspectives de ventes de systèmes antiaériens russes S-300 au Moyen-Orient). Ils peuvent aussi ressortir à une logique d'influence de long terme, visant les élites tant militaires que civiles des pays ciblés, en dehors de tout lien avec une crise majeure.

Dans le modèle Wilson, contrairement aux modèles Zaharoff ou Bouts, ce ne sont pas seulement des armes qui sont exportées (des ALPC aux « armements conventionnels majeurs », selon la nomenclature du SIPRI), mais également des prestations d'entraînement, des services de maintenance, des transferts de technologie soigneusement sélectionnés, des infrastructures logistiques ou des sessions de formation. C'est-à-dire ce qui accompagne, environne, oriente et donne un sens à une vente ou un transfert « brut » d'équipement militaire. Cette dimension additionnelle – présente dans les deux premiers modèles mais de façon moindre – relève d'un calcul politique, au premier chef de la part de celui qui vend, mais aussi, et de manière complexe, de celui qui achète. Le phénomène le plus structurant des ventes d'armes « régaliennes » est en effet le désir, chez certains clients, d'acheter une prestation de protection de long terme. Les relations entre la France et certains pays du Golfe (Émirats arabes unis, Arabie saoudite), entre les États-Unis et Taïwan, le Japon, la Corée du Sud, ou bien entre la Chine et le Pakistan, le montrent assez clairement. La vente devient transfert, au sens propre, et, ce transfert se modelant sur les cycles longs de la formation, de la maintenance et de l'entraînement, la relation entre le vendeur et le client change de nature, pour s'établir au plus haut niveau de l'interaction politique, celui du *partenariat stratégique*. Ce phénomène d'action réciproque, inscrit dans le temps long, distord les logiques de « marché » (comme le montre le dispositif de subvention à perte du Foreign Military Financing Program – FMFP – américain) et n'est pas toujours facile à appréhender statistiquement. Les bases de données du SIPRI, à titre d'exemple, n'incluent pas les transferts de technologie ou de services. De plus, la nature duale (civile et militaire) d'un certain nombre de technologies transférées complique les mesures.

▨▨▨▨ Diplomatie, culture, technologie : la dimension d'influence des transferts d'armement

Les transferts d'armement d'État à État s'accompagnent de plus en plus systématiquement d'un volet d'acculturation opérationnelle. Dans le cas des États-Unis (le pays le plus conscient de ces enjeux), celui-ci est conduit sous le timbre de la Security Assistance, programme global piloté par le département d'État, qui concerne la fourniture de matériels de défense, les prestations d'entraînement militaire et plus généralement un large panel de services à caractère sécuritaire (prêts, dons ou ventes de biens de défense) en application des buts stratégiques et d'influence des États-Unis. La « SA » possède toujours deux faces : une progressive « autonomie » acquise par les troupes étrangères équipées et conseillées, doublée d'une mise en place pérenne de matériels américains et/ou interopérables avec les capacités américaines. Ainsi de la « renaissance contrôlée » de l'armée de l'air afghane (marquée par son héritage soviétique) : les Américains n'ont pas hésité, *via* la Security Assistance, à la rééquiper en hélicoptères Mi-17 et en avions de transport An-32, tous de fabrication russe. Dans le même temps, leurs instructeurs ont séparé les « anciens » pilotes afghans des nouveaux, formés à l'américaine, le but étant que les plus jeunes ne soient pas « pollués » par les habitudes de ceux ayant connu une formation sous l'ère soviétique. Des aéronefs américains remplaceront peu à peu les vieux matériels russes. Dans le modèle des ventes d'armes « régaliennes », le plus élaboré, le rôle des liens culturels tissés avec les élites militaires clientes apparaît donc fondamental. Depuis de nombreuses années, la culture opérationnelle des militaires indiens est moins britannique que russe, celle des Néerlandais moins européenne qu'américaine, celle des Pakistanais de plus en plus chinoise.

Le plan de l'*accoutumance technologique* complète le volet culturel. Dans le cadre « capacitaire » du modèle Wilson, la plupart des exportateurs d'armement cherchent ainsi à grouper leurs clients en « communautés d'utilisateurs », en les incitant à développer des forums leur permettant d'échanger leurs expériences de mise en œuvre d'un même matériel. Cette socialisation entre « clients-pairs », puissamment accélérée dans le cadre d'alliances au très fort pouvoir de normalisation comme l'Organisation du traité de l'Atlantique nord (OTAN), génère un lien producteur d'interopérabilité, mais aussi, de façon plus subliminale, un *désir* d'interopérabilité. L'acculturation aidant, il devient plus difficile, pour certaines armées, de songer à changer de modèle d'équipement, car cela aboutirait à un changement de référentiel fastidieux. Les élites militaires, formées et entraînées par le pays fournisseur, consommatrices de ses manuels de doctrine, sont les premières à défendre le maintien des liens « traditionnels » et des automatismes qui en découlent, de leur point de vue d'« utilisateurs finaux ». Dans les transferts d'armement modernes, le « système d'armes » se double donc de plus en plus consciemment d'un « système d'hommes » : dès lors, l'objectif de tout grand exportateur régalien est de renforcer chez ses clients les liens entre ces deux dimensions, pour rendre plus coûteuse une « bascule d'influence » vers un modèle alternatif. À travers leurs choix d'armement, des pays de l'OTAN comme les Pays-Bas ou la Pologne expriment clairement cette subordination volontaire qui, en tant que phénomène *culturel*, va bien au-delà d'un arbitrage purement technique entre différents équipements.

Le mélange entre puissance et influence qu'incarnent les transferts modernes d'armement a aussi d'autres conséquences, plus préoccupantes que les équations politiques de protection ou de partenariat. Dans certains cas précis, en aggravant de manière irresponsable les conflits existants, et en poussant à des pratiques de corruption, ces transferts peuvent en arriver à détériorer l'image du pays exportateur. Suite aux dérives de certaines opérations sud-américaines dans les années 1960-1980, la loi des États-Unis se veut désormais vigilante sur le mélange entre « programmes d'échange et de formation » et « fournitures de matériel ». Les problèmes de corruption inhérents à ces transferts, et qui concernent toutes les grandes nations exportatrices, montrent cependant que cette « vigilance » est à géométrie variable, l'exemple le plus symbolique en la matière étant l'abandon en 2006 par Londres, au nom de l'intérêt national, d'une enquête concernant les pots-de-vin versés dans le contrat gigantesque liant BAE Systems et son client saoudien pour l'achat d'avions de combat Eurofighter/Typhoon.

Les phénomènes qui viennent d'être très succinctement décrits méritent d'être approfondis : l'étude de leurs effets de long terme, et de la manière dont interagissent les modèles « Bouts », « Zaharoff » et « Wilson », peut ouvrir des pistes d'interprétation éclairantes. Quoi qu'il en soit, le monde de 2015 montre que les transferts d'armement, qui voient la puissance militaire « diffuse » se marier à la puissance militaire « brute » pour produire de l'influence sur le plan diplomatique, culturel et technologique, représentent bien un volet des relations internationales particulièrement structurant.

Pour en savoir plus

Sophie Durupt et Luc Mampaey, *Dépenses militaires, production et transferts d'armes*, Compendium 2014, Groupe de recherche et d'information sur la paix et la sécurité (GRIP), Bruxelles, 2014.

Éric Lahille, « Le retour de la Russie sur le marché des armements : un choix stratégique », *Recherches internationales*, n° 79, juillet-août-septembre 2007.

Olivier Zajec, « Le "paradigme ROVER" : paradoxes politico-stratégiques de la stan-dardisation en coalition », *Défense et sécurité internationale*, n° 57, mars 2010.

SIPRI Yearbook 2014. Armaments, Disarmament and International Security, Stockholm International Peace Research Institute, août 2014.

La Guerre selon Charlie Wilson, film américain (2007). Réalisation : Mike Nichols.

Prolifération des armes légères : un état des lieux

Cédric Poitevin
Directeur adjoint du Groupe de recherche et d'information sur la paix
et la sécurité (GRIP)

875 millions. C'est, selon les estimations minimales du Small Arms Survey, le nombre d'armes légères et de petit calibre (ALPC) aujourd'hui en circulation dans le monde [1]. Et ce chiffre ne cesse de croître, le nombre d'armes produites annuellement excédant largement celui des armes mises hors service ou détruites. D'autres facteurs permettent d'expliquer cette véritable prolifération à l'échelle planétaire de ces armes si faciles à manipuler, transporter et dissimuler. D'une part, les armes légères ont une longue durée de vie. On en veut pour preuve l'utilisation encore aujourd'hui de fusils britanniques Lee-Enfield fabriqués en 1915 par les talibans en Afghanistan. D'autre part, comparativement aux autres types d'armements, elles nécessitent un minimum d'entretien et sont relative-ment aisées à produire.

---

[1] Faute de définition faisant consensus au niveau international, on considère généralement que les ALPC sont des armes qui tirent un projectile et qui peuvent être portées par un seul individu (armes de petit calibre comme les revolvers, pistolets, fusils, fusils d'assaut, etc.) ou par un petit groupe de gens ou un véhicule léger (mitrailleuses lourdes, lance-grenades, systèmes portatifs de défense aérienne, mortiers, etc.).

▓▓▓▓ Un marché en croissance

Il existe à l'heure actuelle plus de mille sociétés réparties dans une centaine de pays capables de fabriquer des ALPC et leurs munitions. La fabrication artisanale restant marginale et confinée à certaines zones géographiques (comme le Ghana et certaines régions du Pakistan), on estime que 95 % de la production d'ALPC et de leurs munitions se font de manière industrielle et légale. Cette production industrielle massive n'est cependant pas homogène : la qualité des produits varie grandement entre, par exemple, un fusil d'assaut moderne produit par une société européenne comme FN Herstal ou Heckler & Koch et une copie non autorisée d'un fusil d'assaut AK. De plus, en raison des contraintes technologiques, la fabrication de certains types d'ALPC reste difficile : ainsi, si plus d'une centaine de pays sont capables de produire des armes de petit calibre (comme des pistolets, revolvers ou fusils d'assaut), seuls quatre-vingts environ produisent des munitions. Quant à la capacité de fabriquer des armes légères au sens strict (mitrailleuses, mortiers, etc.), elle n'est présente que dans une soixantaine d'États. Il n'y a guère qu'une trentaine de pays qui détiennent le savoir-faire technologique du MANPADS (abréviation de l'anglais *Man-portable air-defense systems*), ce système antiaérien portable dont la prolifération est tant redoutée pour sa capacité à frapper des avions (notamment civils) volant à basse altitude.

L'immense majorité des armes commencent donc leur vie dans la légalité et font par la suite l'objet d'un commerce local mais aussi et surtout international. Malgré la transparence limitée et variable (à l'instar des pays occidentaux), voire inexistante ou presque (la majorité des autres pays) dont les gouvernements font preuve, et bien qu'il s'agisse d'un marché hétéroclite en raison de la diversité du type d'armements, de transactions et de destinataires, le Small Arms Survey a estimé en 2012 que le commerce international légal des ALPC représente annuellement environ 8,5 milliards de dollars (USD). Ce marché des transferts autorisés recouvre tant les transactions d'État à État (principalement du matériel militaire et des armes destinées aux forces de l'ordre) que les transactions à destination des marchés civils (à des fins de chasse et de tir sportif principalement et, dans certains pays, de légitime défense). Il a connu une nette croissance durant la dernière décennie principalement en raison de la hausse de la demande sur le marché civil américain et de l'émergence de conflits particulièrement gourmands en armements, au premier rang desquels ceux menés par Washington en Afghanistan et en Irak. Autre élément significatif : la répartition de la valeur financière du commerce international selon les quatre sous-catégories d'ALPC (armes de petit calibre, armes légères, pièces et composants, munitions) montre que le commerce des munitions (4,3 milliards de dollars) pèse à lui seul plus lourd que les trois autres catégories réunies (respectivement, 1,58, 1,1 et 1,4 milliard de dollars). Ce constat rappelle le rôle incontournable des munitions qui, à la différence des armes, sont à usage unique. Sans elle, les armes ne sont pas d'une grande utilité. Leur caractère à la fois éphémère et essentiel en fait, dès lors, une denrée très convoitée en zones de guerre, de tensions ou de criminalité. Les munitions sont donc bel et bien le combustible des conflits.

Bien que tous les États soient susceptibles d'acquérir et donc d'importer des ALPC et que la centaine d'États producteurs soient des exportateurs d'armes en puissance, un petit nombre de pays tiennent le haut du pavé. Ainsi, sur la période 2002-2008, les États-Unis, qui disposent d'une importante industrie militaire et civile et connaissent une énorme demande tant militaire que civile, sont de très loin les premiers exportateurs (plus de 500 millions de dollars annuels) et importateurs (également plus de 500 millions de dollars annuels). Suivent, plus loin, d'autres pays occidentaux, ce qui n'a rien d'étonnant puisqu'ils affichent une plus grande transparence que d'autres pays et vendent et achètent généralement du matériel sensiblement plus onéreux. Du côté des pays exportant pour plus de 100 millions de dollars annuels, on retrouve l'Allemagne, l'Autriche, la Belgique, le Brésil et l'Italie. Ceux-ci sont accompagnés de la Chine et de la Russie, dont la position est vraisemblablement sous-estimée en raison de leur manque de transparence. Cinq pays importent pour plus de 100 millions chaque année : l'Allemagne, le Canada, la France, le Royaume-Uni ainsi que l'Arabie saoudite. En effet, Riyad s'approvisionne massivement et régulièrement auprès des États-Unis mais aussi chez les États membres de l'Union européenne, dont elle est la première importatrice d'ALPC depuis de nombreuses années. Plus surprenant, malgré l'inexistence de capacités de production, ce pays exporte régulièrement des ALPC pour des montants annuels allant de 10 à 50 millions (il s'agit vraisemblablement d'armes en surplus bien que l'absence de transparence ne permette pas de le confirmer).

Frontière ténue entre le légal et l'illégal

Depuis une trentaine d'années, le commerce international d'armes n'a pas échappé à la transformation radicale du commerce à l'échelle planétaire. Les dynamiques de mondialisation et la privatisation de pans entiers de l'économie – en particulier dans le commerce et le transport – ont multiplié les acteurs impliqués dans un transfert d'ALPC : en plus du producteur et de l'exportateur, qui ne sont pas toujours les mêmes entités, et de l'importateur et du destinataire final, qui peuvent aussi être différents, il faut également compter avec le transporteur et l'affréteur (ou propriétaire), les compagnies d'assurances ainsi que l'intermédiaire (aussi appelé courtier). Pour compliquer un peu plus la donne, dans le cas d'une transaction de longue distance, plusieurs modes de transport (air, mer ou terre), et donc plusieurs sociétés de transport et parfois plusieurs intermédiaires, peuvent se révéler nécessaires pour acheminer les armes de leur lieu de fabrication et/ou d'exportation à leur destinataire final.

Au fil du temps, le rôle de l'intermédiaire, chargé de faciliter et d'organiser les transactions moyennant une compensation matérielle ou financière, est devenu incontournable dans bon nombre de transferts en raison de la connaissance qu'il a du commerce des ALPC en général mais aussi des réalités et des acteurs locaux à travers le monde. En principe, l'intermédiation est une activité légale. Cependant, cette légalité découle le plus souvent de l'absence de cadre juridique, seule une cinquantaine de pays réglementant ce type d'activité. Insuffisamment contrôlés, les intermédiaires n'ont souvent qu'un pas à franchir pour s'engouffrer dans la brèche qui sépare leurs activités légales du trafic illicite.

Cela leur est d'autant plus facile que le commerce des ALPC reste insuffisamment encadré. Marqué du sceau « secret défense » dans l'immense majorité des États, ce commerce est généralement réglementé de manière minimale et partielle. Par exemple, dans de nombreux pays africains, seules les armes destinées aux civils sont soumises à contrôle et il n'existe aucun encadrement des importations et exportations faites par le gouvernement ou encore des activités des intermédiaires. Dans les pays qui réglementent plus strictement le commerce des ALPC (principalement les pays occidentaux), les contrôles se font presque entièrement sur papier : une exportation se fait généralement sur la base d'un certificat signé par le destinataire final et, dans certains cas, un document sera envoyé au pays exportateur pour accuser la bonne réception des armes. Souveraineté nationale de l'État importateur oblige, les inspections physiques des armes une fois la livraison effectuée (notamment pour vérifier qu'elles n'ont pas été détournées) sont l'exception plutôt que la règle. De par la faiblesse globale des normes de contrôle et les disparités entre ceux-ci, il est relativement aisé de contourner les règles tout en respectant une certaine façade de légalité, de basculer du marché blanc au marché gris, voire noir.

Un exemple de la complexité du commerce des armes et de la frontière ténue entre le légal et l'illégal a été donné en 2008, lorsque des pirates somaliens s'emparèrent du bateau *MV Faina* et y trouvèrent à leur grande surprise une trentaine de chars d'assaut T-72 ainsi qu'une très large cargaison d'ALPC, dont des munitions, des lance-roquettes et des systèmes antiaériens. Ce chargement, en provenance d'Ukraine et dûment autorisé par le gouvernement de Kiev, était officiellement destiné au ministère kényan de la Défense, qui avait signé un certificat d'utilisation finale à cet effet. Or, une fois libéré, le navire débarqua son chargement au Kenya... d'où le matériel fut directement acheminé vers le sud du Soudan par voie terrestre à destination de l'Armée de libération du Soudan du Sud. Sur la base des garanties papier fournies par Nairobi, le gouvernement ukrainien pouvait se prévaloir de sa bonne foi : le Kenya n'étant pas sous embargo, il avait respecté le droit international et n'était donc pas responsable du transfert ultérieur de ces armes à un groupe armé en guerre ouverte contre Khartoum et peu enclin à respecter les droits humains et le droit de la guerre. Et pourtant, un télégramme de l'ambassadeur américain au Kenya dévoilé par WikiLeaks révéla que la destination finale de ces armes était depuis longtemps un « secret de polichinelle ». En réalité, les mécanismes mis en place pour effectuer la livraison se révèlent particulièrement complexes : en plus du bénéficiaire et de l'expéditeur, la compagnie d'État ukrainienne Ukrinmash, plus de dix sociétés différentes ont été impliquées dans la gestion des différentes étapes du transfert et du paiement du matériel. Lesquelles étaient enregistrées dans des pays aussi différents que l'Allemagne, Antigua et Barbuda, Belize, la Bulgarie, le Kenya, la Lettonie et le Royaume-Uni – *via* l'île de Man et les îles Vierges britanniques). Fait symptomatique, dans ce transfert comme pour tout détournement d'armes transférées, il y a bien souvent un gouvernement impliqué à un degré ou à un autre...

▰▰▰▰ Prolifération : le brouillage de la paix et de la guerre

Si ces détournements d'armes en cours de transfert marquent les esprits, ils ne sont pas les seules portes d'entrée vers les trafics et ils restent moins fréquents que d'autres types de détournement. Dans de très nombreux pays, les pratiques en matière de gestion des stocks et d'arsenaux gouvernementaux restent totalement insuffisantes, ce qui engendre des risques énormes pour la sécurité du personnel et des populations environnantes, comme l'a dramatiquement rappelé l'explosion de la caserne de M'Pila à Brazzaville, qui a fait au moins 300 morts et plus 2 500 blessés en mars 2012. Mais cette faible sécurisation des arsenaux fait de ces derniers la principale source pour le marché noir. Ainsi, un grand nombre d'armes utilisées par les groupes rebelles proviennent directement des stocks des gouvernements qu'ils combattent, ces armes ayant été volées, récupérées, voire – pratique courante – achetées en contrebande aux membres de l'armée gouvernementale. Le cas des rebelles libyens se servant directement dans les entrepôts laissés à l'abandon par l'armée de Kadhafi est le plus frappant. Pourtant, bien souvent, cette dynamique passe inaperçue et relève davantage d'un compte-gouttes insidieux. Citons l'exemple des soldats loyalistes syriens qui revendent des munitions aux rebelles qu'ils combattent ou encore des groupes rebelles dans l'est de la RDC qui ramassent les armes et munitions abandonnées par les forces armées gouvernementales quittant le champ de bataille en pleine débandade.

Ce « trafic de fourmi » n'a pas uniquement pour origine les stocks gouvernementaux, loin s'en faut. Entre 2010 et 2012, ce sont quelque 250 000 armes à feu qui ont traversé la frontière entre les États-Unis et le Mexique, principalement pour fournir les cartels de la drogue. Malgré ces chiffres impressionnants, ces armes n'ont pas été envoyées par cargo aérien mais bien par des particuliers achetant leurs armes sur le marché civil américain et les revendant par la suite à des trafiquants d'un côté ou l'autre de la frontière. Facilité par les différences de réglementations sur les armes entre les deux pays et par la forte demande en armes dans les réseaux criminels mexicains, ce trafic le long de la frontière réputée la plus surveillée au monde illustre l'énorme difficulté qu'il y a pour les États à contrôler un tel phénomène.

Phénomène complexe et multiforme, la prolifération des ALPC touche durement de nombreux pays, qu'ils soient en guerre ou non. Ainsi, contrairement à ce que l'on pourrait penser, le taux de morts dus à la violence armée est plus élevé dans les pays souffrant de la criminalité que dans ceux qui sont impliqués dans des conflits : des dix pays les plus affectés, seul l'Irak peut aujourd'hui être considéré comme un pays en guerre [1]. Que ce soit au niveau international ou national, les mesures prises par les gouvernements pour contrôler le commerce des ALPC et limiter leur prolifération restent généralement insuffisantes et, lorsqu'elles existent, elles sont appliquées de manière inégale et se heurtent encore trop souvent au refus de transparence. Elles sont même régulièrement bafouées lorsque les gouvernements considèrent qu'elles vont à l'encontre des intérêts supérieurs de leur pays.

Pour en savoir plus

Armes, trafic et raison d'État, documentaire de Paul MOREIRA et David ANDRÉ, Arte France/Premières lignes, 2008.

Groupe de recherche et d'information sur la paix et la sécurité (Group for Research and Information on Peace and Security, GRIP) : <www.grip.org>.

La déclaration de Genève sur la violence armée et le développement : <www.geneva-declaration.org>.

Saferworld : <www.saferworld.org.uk>.

SIPRI : <www.sipri.org>.

Small Arms Survey : <www.smallarmssurvey.org>.

---

1   Ces dix pays sont dans l'ordre : le Salvador, l'Irak, la Jamaïque, le Honduras, la Colombie, le Venezuela, le Guatemala, l'Afrique du Sud, le Sri Lanka et le Lesotho.

Israël, laboratoire de guerre

Dominique Vidal
Historien et journaliste

Exportation d'armes en progression

Dans le « top five » des États exportateurs de matériels et de formations militaires, Israël, en 2012, a dépassé la France et pris la quatrième place, avec plus de 7 milliards de dollars pour Tel-Aviv (soit + 20 % en un an) contre 4,8 milliards (– 26 %) pour Paris [1]. Les deux pays arrivent néanmoins loin derrière les États-Unis et la Russie, et peu après la Chine, également nouvelle venue dans ce classement.

Ponctuellement, deux contrats expliquent cette nouvelle percée israélienne : d'abord la vente, pour 1,6 milliard de dollars, de drones et de systèmes de défense antiaérienne à l'Azerbaïdjan ; ensuite, l'achat par l'Italie, pour 1 milliard de dollars, de deux avions de contrôle aérien et d'un satellite d'observation, en échange de l'acquisition par Israël de nouveaux avions d'entraînement italiens.

Mais le record d'Israël tient surtout à l'évolution de ses clients. Si les États-Unis et l'Europe demeurent pour lui des marchés substantiels, bien que réduits par la crise, l'Asie occupe désormais la première place. Les exportations israéliennes dans le domaine de la défense vers la région Asie-Pacifique représentent à elles seules 4 milliards de dollars pour 2012. Il faut dire que Tel-Aviv dispose d'un contrat de formation et d'équipement avec l'armée indienne comme avec l'armée chinoise. Il fournit aussi la Corée du Sud, le Vietnam et Singapour.

Pour le reste, selon la presse israélienne, des contrats pour un montant de 1,6 milliard de dollars ont été signés avec des pays européens ; des armes et des technologies militaires ont été vendues pour un montant de 1,19 milliard de dollars aux États-Unis et au Canada ; 604 millions de dollars d'armements ont été livrés à des pays d'Amérique latine ; et 197 millions de dollars à des pays d'Afrique. Ces deux derniers chiffres correspondent à des marchés traditionnels, Israël ayant toujours été très proche des dictatures africaines comme latino-américaines, pour son compte ou pour celui des États-Unis (on se souvient de l'*Irangate* [2]). Héritage de ce passé, Global CST,

---

1 En 2013, Paris a repris sa quatrième place grâce à un bond en avant de 30 %, avec un total de 6,3 milliards d'euros, dont 40 % au Proche-Orient.
2 Dans les années 1980, l'administration Reagan vendit, *via* Israël, des armes à l'Iran pour aider, en violation d'une décision du Congrès, les *Contras* nicaraguayens.

une entreprise de Petah Tikva présidée par l'ex-général Israël Ziv, est active en Colombie où elle participe encore au combat contre les Forces armées révolutionnaires (FARC), au Pérou contre le Sentier lumineux et au Honduras où elle soutient les « golpistes » (les putschistes qui ont pris le pouvoir en juin 2009) [1]. Et, comme on le voit dans le film *Vendeurs de guerre*, de Yotam Feldman, des Israéliens entraînent les Forces spéciales brésiliennes pour les aider à « nettoyer » les favelas...

Quant au type d'armements, radars, missiles et systèmes de défense anti-aérienne ont représenté 49 % des exportations militaires, les systèmes militaires maritimes et satellitaires 10 %, le reste comprenant des ventes de kits d'armement, des systèmes électro-optiques et d'observation ainsi que des systèmes de communication. Les drones, dont Israël était longtemps le principal exportateur, ont vu leur vente baisser du fait de la concurrence américaine et européenne.

Les quatre grands industriels israéliens de la défense – Israel Aerospace Industries (IAI), Israel Military Industries (IMI), Rafael et Elbit Systems [2] – réalisent 70 % à 80 % de leurs ventes à l'export. Mais ils ne sont pas les seuls acteurs de ce marché, loin de là. On en sait plus aujourd'hui car, pour la première fois, le ministère israélien de la Défense a levé en 2012 une partie du mystère qui entoure les exportations d'armes de l'État hébreu [3]. Le département chargé d'examiner les demandes d'entreprises pour la vente de matériel militaire avait délivré, en 2011, 8 000 licences de ventes destinées à un total de 130 pays, dont la liste est tenue secrète. Au total, la base de données du ministère comprend une liste de 17 000 « produits » autorisés à la vente à l'étranger par 12 000 sociétés.

▬▬ En vitrine, des opérations militaires réelles et des « villes arabes » reconstituées

« Pendant que certains pays d'Europe et d'Asie nous condamnent pour les pertes civiles, ils envoient ici leurs généraux. [...] L'hypocrisie est grande » : cette bravade de Yoav Galant, le planificateur de l'opération « Plomb durci » lancée sur Gaza fin 2008, dans le film *Vendeurs de guerre*, fournit la clé des succès de l'État juif dans ce domaine. Le fait de vivre dans un état de guerre quasi permanent depuis sa naissance lui a permis d'accumuler une compétence exceptionnelle en matière d'armement. Les opérations

---

1   Selon d'autres sources, Global CST agit aussi au Mexique et au Panama ainsi qu'en Abkhazie et en Géorgie *(sic)*, en Afghanistan et en Guinée. À l'époque des dictatures, Israël a armé ou/et entraîné les forces de répression en Argentine, au Brésil, au Chili, au Costa Rica, au Guatemala, au Nicaragua, en République dominicaine, au Salvador...
2   Les trois premiers sont en voie de privatisation, le quatrième est privé.
3   Pascal LACORIE, « En 2011, Israël a délivré 8 000 licences de ventes d'armes à l'exportation », *La Tribune*, 24 avril 2012.

« Rempart » (2002), « Plomb durci » (hiver 2008-2009), « Pilier de défense » (2012) et « Bordure protectrice » (2014) ont surtout attiré l'attention des chefs d'état-major étrangers.

Pour l'armée américaine, qui préparait alors l'invasion de l'Irak, la reconquête de la Cisjordanie menée par le général Ariel Sharon en 2002 offrait en particulier un intérêt majeur : elle se présentait comme un modèle de combat en milieu urbain, en l'occurrence dans les camps de réfugiés palestiniens de Balata, près de Naplouse, et de Jénine. Jusque-là, l'armée israélienne s'était bien gardée d'y pénétrer. Cette fois, elle en investit plusieurs, avec trois innovations, que deux auteurs, Eyal Weizman et Stephen Graham, analysent en profondeur [1]. Les troupes se déploient en « essaims » et non en colonnes. Au lieu d'entrer dans les ruelles de Balata, où les *fedayin* les attendent, elles passent par les maisons en creusant des trous dans les murs mitoyens. De même dans la casbah de Naplouse. Et elles n'hésitent pas à raser, avec d'énormes bulldozers, quatre hectares d'habitations au centre du camp de Jénine, faisant 4 000 sans-abri.

Ces nouvelles méthodes de combat ont été théorisées au sein de l'Institut de recherches de théorie opérationnelle (OTRI), dirigé de 1996 à 2006 par les généraux de brigade de réserve Shimon Naveh et Dov Tamari. Chef d'état-major de Tsahal, Moshe Yaalon confiera, après la fermeture de l'Institut : « La méthode d'évaluation opérationnelle, utilisée aujourd'hui dans les commandements régionaux et à l'état-major, a été développée en collaboration avec l'OTRI. [...] L'OTRI a aussi travaillé avec les Américains et leur a enseigné les méthodes que nous avions développées. » Le lieutenant-colonel David Pere, officier de l'US Marine Corps, chargé de la rédaction du Manuel de doctrine opérationnelle, confirme cette collaboration entre l'OTRI et l'armée américaine : « [Shimon] Naveh et l'OTRI ont considérablement influencé notre discours intellectuel et notre approche du niveau opérationnel de la guerre [...]. On peut difficilement assister à une conférence militaire aux États-Unis où l'on ne débatte [du travail] de Shimon. » Les armées britannique et australienne, précise-t-il, ont également intégré à leur doctrine officielle les concepts formulés par l'OTRI.

Plus précis, Stephen Graham relève ce commentaire de l'*Army Times*, journal qui s'adresse aux militaires américains, le 17 juin 2002 : « Alors que les forces israéliennes étaient engagées dans une campagne que beaucoup qualifiaient de brutale – et certains même de criminelle – pour écraser les militants palestiniens et les cellules terroristes dans les villes de Cisjordanie, des officiels militaires américains étaient en Israël, observant ce qu'ils

---

1   Eyal WEIZMAN, *Hollow Land. Israel's Architecture of Occupation*, Verso, Londres/New York, 2007 ; Stephen GRAHAM, *Cities Under Siege. The New Military Urbanism*, Verso, Londres/New York, 2010. Sauf indication contraire, les citations qui suivent en sont tirées.

pourraient apprendre de ce combat urbain. » De fait, une délégation de chefs d'état-major américains y a séjourné du 17 au 23 mai afin d'« opérer des changements dans la doctrine de combat urbain pour refléter ce qui a marché pour les Israéliens ». Et, en septembre, les chefs d'état-major mirent au point une nouvelle doctrine pour les opérations urbaines, en tenant compte des leçons apprises à Jénine et ailleurs, en vue de l'attaque à venir contre l'Irak et, plus largement, de la « guerre contre le terrorisme » lancée par l'administration Bush.

Les Américains n'ont pas seulement étudié à chaud, sur le terrain, les armements et les méthodes des Israéliens : leurs troupes ont également pu s'entraîner à… « Chicago ». C'est ainsi que Tsahal a en effet nommé la fausse « ville arabe » qu'elle a construite dans le Néguev, au cours des années 1980. Agrandie pendant la seconde *intifada*, elle comporte des simulacres de casbah aux rues étroites, de camp de réfugiés, de centre-ville aux voies plus larges et de village rural. « À Chicago, résume Eyal Weizman, on a recréé l'écologie de la guerre urbaine, avec des acteurs qui jouent les militaires, les journalistes, les civils, les ONG. » Depuis 2006, Chicago a une grande sœur, Baladia, qui comprend 11 000 bâtiments et plusieurs mosquées, faits de cubes de béton de six mètres de côté et de deux mètres de haut.

▰▰▰ Convoquer Deleuze et Guattari pour former des « tueurs en série »

Caractéristique de l'OTRI, le vocabulaire de ses stratèges puise volontiers dans les écrits de Gilles Deleuze et Félix Guattari. Dans leur livre *Mille plateaux*, ceux-ci – note Eyal Weizman – « opèrent une distinction entre deux types de territorialité : un système étatique hiérarchique, cartésien, géométrique, solide, hégémonique et spatialement rigide ; l'autre fait d'espaces flexibles, mouvants, lisses, réticulaires et "nomades". À l'intérieur de ces espaces nomades, ils envisagent des organisations sociales dans une variété de réseaux opérationnels polymorphes et diffus ». Shimon Naveh, qui se présente comme « philosophe militaire », explique : « Plusieurs concepts des *Mille plateaux* sont devenus instrumentaux pour nous [les Forces de défense d'Israël] en nous permettant d'expliquer des situations contemporaines que nous n'aurions pas pu expliquer autrement. Ce qui a problématisé notre propre paradigme. [...] Le plus important est la distinction que [Deleuze et Guattari] ont signalée entre les concepts d'espaces "lisses" et "striés" [...]. Dans l'armée israélienne, nous utilisons maintenant souvent l'expression "lisser l'espace" lorsque nous nous référons à une opération dans un espace de telle sorte que les frontières ne nous affectent pas. [...] Se déplacer en traversant les murs est une simple solution mécanique qui connecte la théorie et la pratique. Transgresser les limites est la définition même de la dimension "lisse"… »

Cette rhétorique savante dissimule mal la vraie nature de l'opération
« Rempart » : criminelle. Les citations que produit Eyal Weizman sont acca-
blantes. Ariel Sharon à son chef d'état-major Shaul Mofaz : « Les Palestiniens
[...] doivent payer le prix [...] Il faudrait qu'ils se lèvent tous les matins et
découvrent qu'ils ont dix ou douze morts, sans savoir ce qui s'est passé. [...]
Vous devez être créatifs, efficaces, sophistiqués. » Mofaz en déduit qu'il faut
« dix morts palestiniens chaque jour dans chacun des commandements
régionaux ». Et Shimon Naveh de commenter : « Les militaires ont
commencé à penser comme des tueurs [...] comme des tueurs en série [...]. Ils
se voyaient attribuer une zone et y étudiaient [...] les personnes des organisations ennemies qu'on leur demandait de tuer, leur apparence, leur voix, leurs
habitudes [...] comme des tueurs professionnels. Lorsqu'ils entraient dans la
zone, ils savaient où chercher ces gens et commençaient à les tuer. »

Assassinats ciblés, mur de séparation, torture... un « modèle efficace » ?

Cette absence d'état d'âme trouve son symbole dans les « assassinats
ciblés », crimes de guerre légalisés – sous condition – par la Cour suprême israélienne en 2006. Selon l'organisation israélienne des droits de l'homme
Betselem, Tsahal en a perpétré 384 de la fin septembre 2000 à la fin décembre
2008 [1]. La plupart des victimes ont été tuées par des missiles tirés depuis des hélicoptères ou des drones. Cette « technique » a été généralisée depuis par l'armée
américaine en Irak, en Afghanistan, au Pakistan, en Somalie et au Yémen. Selon
le sénateur Linsey Graham, qui en est un fervent partisan, ces drones auraient
provoqué 4 700 morts dans ces différents pays. « Parfois, on frappe des
personnes innocentes, ce que je déteste, mais nous sommes en guerre, et nous
avons tué plusieurs hauts responsables d'Al-Qaida », ajoutait-il début 2013 [2].

Autre « innovation » israélienne mise en œuvre par l'armée américaine :
le mur, dont la construction, commencée en 2002, se poursuit et qui couvrira
723 kilomètres (au lieu de 315 s'il suivait la « Ligne verte » tracée par les
armistices de 1949). Le bouclage des populations palestiniennes derrière une
« barrière de sécurité », tout comme l'installation de centaines de *checkpoints*
et de routes réservées limitant leurs déplacements et fragmentant leur territoire, aurait là encore inspiré les Américains en Irak, selon Stephen Graham :
« Il y a peu de doute que les tentatives américaines, début 2007, de reconstruire par la force la géographie urbaine de Bagdad et d'autres villes troublées
d'Irak, afin de réduire les possibilités des insurgés de se mouvoir et de lancer
leurs attaques étaient directement inspirées par l'expérience israélienne dans
les Territoires occupés. »

1   « Statistics : Fatalities before operation "Cast Lead" », <www.btselem.org>.
2   AFP, « Les drones US ont tué 4 700 personnes », <www.lefigaro.fr>, 20 février 2013.

Relevant « la coopération entre les conseillers militaires israéliens et les Américains sur le terrain », Toufic Haddad ajoute : les « techniques américaines en Irak [étaient] sans erreur possible similaires à celles des Israéliens ». Le journaliste palestino-américain listait notamment « les unités spéciales, les fouilles maison par maison, les arrestations à grande échelle [...] et la torture ; l'érection d'un système de miradors, de bases militaires, de *checkpoints*, de barbelés et de tranchées pour surveiller, contrôler et restreindre les transports et les mouvements ; le fait de raser de larges bandes de terrain à proximité des routes ; l'utilisation de bulldozers blindés pour détruire les maisons des militants suspectés ; le défrichage de champs entiers où des militants pourraient trouver refuge ; la valorisation des *snipers* et des drones automatiques ainsi que le développement de réseaux de collaborateurs pour obtenir de la population locale des informations sur les activités de résistance – à la fois militaires et politiques ».

Reste à savoir si le « modèle » israélien permet à qui s'en inspire de gagner les conflits asymétriques dans lesquels il est censé assurer la victoire. Dans le cas de l'Irak, l'expérience se révèle peu probante : les États-Unis ont dû s'en retirer sans avoir assuré leur maîtrise du pays, en proie à une guerre civile rampante. Mais Israël lui-même n'a pas mieux réussi, en 2006, son offensive contre le Liban : ni sa campagne de bombardements de trente-trois jours, ni son opération terrestre n'ont suffi à venir à bout du Hezbollah. Rien n'indique donc que les techniques israéliennes soient particulièrement efficaces. À moins de ne s'intéresser qu'au nombre de victimes – en grande majorité civiles – enregistrées dans le camp adverse... Dans *Vendeurs de guerre*, Yotam Feldman relève que les responsables israéliens ont tendance à évaluer le « succès » de leurs opérations en calculant – à l'aide, parfois, de modèles mathématiques aussi fumeux qu'alambiqués – le ratio entre leurs propres pertes et celles de leurs « ennemis ». Et le documentariste de filmer, au cours d'un séminaire militaire, Amiram Levin, général de réserve, ancien commandant des Forces armées du Nord et actuellement président d'une société privée de « sécurité » (STI Ltd), confiant à son auditoire : « Entre nous, dès leur naissance, la plupart de ces gars sont destinés à mourir. Alors, aidons-les... »

Pour en savoir plus

Yotam Feldman, *The Lab* (*Vendeurs de guerre*), Gum Films, 2013.

Stephen Graham, *Cities Under Siege. The New Military Urbanism*, Verso, Londres/New York, 2010 (une traduction partielle est disponible en français : *Villes sous contrôle. La militarisation de l'espace urbain*, La Découverte, Paris, 2012).

Eyal Weizman, *Hollow Land. Israel's Architecture of Occupation*, Verso, Londres/New York, 2007 (traduction française très partielle : *À travers les murs. L'architecture de la nouvelle guerre urbaine*, La Fabrique, Paris, 2008).

Paix et guerre entre les nations : la mue contemporaine du renseignement

Sébastien-Yves Laurent
Professeur des universités à l'université de Bordeaux

L es brumes de la guerre froide sont maintenant dissipées de longue date et l'on peut confronter les projections de certains analystes optimistes du début des années 1990 à la réalité de la persistance de la conflictualité armée et de la guerre. Les distinctions entre conflits de haute et de basse intensité, guerre régulières et irrégulières sont utiles mais ne prennent pas en compte un facteur commun : le rôle déterminant du « renseignement » dans le conflit armé, quelle qu'en soit la forme ou l'ampleur. La collecte d'information et le processus analytique qui en fait un « renseignement » sont indispensables pour décider de la guerre, pour y entrer et pour la conduire. Mais le renseignement apparaît également incontournable pour sortir des conflits. Les guerres contemporaines s'achevant presque toujours par une intervention de l'ONU, et très souvent par une opération de maintien de la paix, la nature du renseignement se transforme et joue un rôle nouveau à l'échelle internationale.

Renseigner dans la guerre

Aujourd'hui, la guerre persiste, à diverses échelles. En 2013, six conflits d'importance (Afghanistan, Irak, Pakistan, Somalie, Syrie, République démocratique du Congo) et plusieurs dizaines de conflits de basse intensité (principalement en Afrique, en Asie et au Proche- et Moyen-Orient) étaient en cours [1]. Dans tous ces conflits, la fonction de renseignement est essentielle pour la conduite des opérations. Elle fait partie intégrante du métier militaire depuis ses origines : aux « reconnaissances » sur le champ de bataille a succédé, au XIXe siècle, le « renseignement », dont le spectre n'a cessé de s'élargir pour devenir, aujourd'hui, le « renseignement stratégique »

---

[1] Pour une vue d'ensemble, voir « Conflict analysis and conflict trends », *The Military Balance*, International Institute for Strategic Studies, vol. 114, n° 1, 2014, p. 9-12.

dont la signification est globale et dont la dimension militaire ne représente qu'une partie.

C'est d'abord la doctrine militaire qui a institué le renseignement comme un élément déterminant pour éclairer la décision du chef militaire. On peut à cet égard rappeler l'observation de Carl von Clausewitz qui insiste très clairement, dans le chapitre VI du livre I de *De la guerre* (*Vom Kriege*, 1831), sur la difficile position du chef : « Par renseignements, nous entendons l'ensemble de la connaissance que l'on a de l'ennemi et de son pays, le fondement donc de nos plans et de nos opérations. Que l'on songe à la nature de ce fondement, à son inexactitude et à son inconstance, et l'on saisira vite la fragilité de l'édifice militaire, le danger qu'elle représente et comment la guerre peut nous écraser sous ses décombres [1]. » Réaliste, Clausewitz analyse le renseignement comme un élément décisif mais si fragile qu'il peut devenir un facteur d'échec.

Toutes les armées modernes ont adopté, à partir du XIXᵉ siècle, une structuration issue du modèle prussien, avec un bureau d'état-major spécialisé, dès le temps de paix, dans la synthèse de l'information utile aux armées et son analyse en vue d'aider à la décision pour la conduite des opérations en temps de guerre. À la fin du XIXᵉ siècle, la plupart des puissances européennes de rang mondial ont en outre créé des services spécifiques pour la recherche du renseignement, qualifié plus trivialement d'« espionnage ». Tous les états-majors militaires ont suivi cette double évolution : création de structures de recherches, d'une part, et d'analyse, de l'autre. Il en va de même des organisations régionales militaires, notamment l'Organisation du traité de l'Atlantique nord (OTAN), ou des organisations politiques atypiques comme l'Union européenne (UE).

Le poids croissant de la technique et de la technologie dans les armements et, plus généralement, dans l'emploi des armées peut être observé tout au long du XXᵉ siècle. Cette évolution a modifié en profondeur le renseignement qui a suivi ce mouvement. Ainsi sont nées des agences techniques spécialisées dans l'interception des communications : Government Communications Headquarters (GCHQ) en 1948 en Grande-Bretagne ; National Security Agency (NSA) en 1952 et National Imagery and Mapping Agency (NIMA) en 1996 [2] aux États-Unis. Ces agences indépendantes des services de renseignement jouent aujourd'hui un rôle majeur dans la collecte du renseignement et rivalisent parfois avec eux. Dans la plupart des autres pays, les services techniques de collecte font partie intégrante des services de renseignement.

---

1   Carl von Clausewitz, *De la guerre*, Perrin, coll. « Tempus », Paris, 2006, p. 101.
2   Devenue, en 2003, la National Geospatial Intelligence Agency (NGA).

Les moyens techniques mis au service de la collecte du renseignement, notamment dans les conflits armés, sont désormais d'une très grande variété : le renseignement aérien et satellitaire d'imagerie, le renseignement d'interception électromagnétique et les interceptions filaires et celles pratiquées sur les câbles sous-marins constituent les principaux moyens de ce qui est appelé le SIGINT (*signals intelligence*). Les grands systèmes militaires régionaux et mondiaux sont devenus entièrement dépendants de ces technologies de surveillance pour élaborer un renseignement stratégique à vocation mondiale. L'idée d'un équilibre entre renseignement d'origine humaine pratiqué traditionnellement et renseignement d'origine technique est totalement dépassée : même dans des conflits limités, le second l'emporte largement. La croissance des coûts d'innovation, de fabrication et d'exploitation du SIGINT rend en outre plus aiguë la portée de la dépendance technologique. On renseigne aujourd'hui à coût très croissant.

Renseigner pour faire la paix

Auxiliaire traditionnel de la guerre, le renseignement est devenu après 1945 un outil indispensable pour faire la paix. Il constitue ainsi un instrument de plus en plus important dans les opérations de maintien de la paix menées dans le cadre des Nations unies. L'apogée de ces opérations fut atteint au sortir immédiat de la guerre froide avec 22 d'entre elles pour la période 1988-1994, puis 12 pour la décennie 2000-2010, tout en mobilisant plus d'hommes : vers la fin de cette décennie, l'ONU avait près de 90 000 hommes déployés. L'UE, à un niveau bien moindre en effectifs que l'ONU, est également présente sur des théâtres extérieurs au continent pour des opérations militaires ainsi que des missions civiles ; elle assure dans ces contextes singuliers la collecte et l'exploitation du renseignement. En 2013, l'UE conduisait 4 opérations militaires (océan Indien, Bosnie-Herzégovine, Mali et Somalie) pour un total de 2 485 personnels et 13 missions d'opérations civiles dénombrant 3 667 personnes engagées en Europe (Kosovo et Moldavie-Ukraine), en Irak et en Afghanistan, mais principalement en Afrique [1]. La plupart de ces opérations s'inscrivent dans la durée : ainsi l'UE intervient-elle en Bosnie-Herzégovine depuis 2004, en Irak depuis 2005, en RDC depuis 2005 également et en Afghanistan depuis 2007. Cette présence dans le monde, à laquelle il faut ajouter les 140 représentations diplomatiques de l'UE, ainsi que les moyens de collecte des satellites européens (European Union Satellite Center, Satcen) fournissent des flux importants d'informations au service de renseignement européen, l'EU Intelligence

---

[1] EUROPEAN UNION INSTITUTE FOR SECURITY STUDIES, *Y.E.S 2014. EUISS European Yearbook of European Security*, <www.iss.europa.eu>, 2014, p. 58.

Analysis Centre (Intcen), créé en 2001 [1] et rattaché au Service européen d'action extérieure.

Dans le cadre des opérations de paix, les forces armées doivent adapter la recherche du renseignement avec des objectifs spécifiques : respect des conditions de cessez-le-feu, détection des mouvements de troupes en dehors des zones de cantonnement, médiation dans les processus de secours aux blessés et d'échanges de prisonniers, surveillance des processus de désarmement lorsqu'ils existent, conduite d'opérations civilo-militaires liées à la reconstruction ou encore sauvetage de populations civiles. Les tâches sont d'une plus grande diversité que la collecte et l'analyse du temps de guerre et supposent d'être conduites avec des règles différentes, sous mandat de l'ONU, mais dans des cadres juridiques de transition entre guerre et paix. C'est principalement le cas des opérations de *peacekeeping* (maintien de la paix) et de *peacemaking* (rétablissement de la paix). Ce qui relève du *peace enforcement* (imposition de la paix) est conduit sous chapitre VII de la Charte de l'ONU : les missions de renseignement conduites dans ce cadre sont un véritable entre-deux juridique et technique dans la mesure où les actions militaires offensives sont conçues pour établir la paix.

La production de renseignement dans le cadre des opérations de paix n'est pas plus aisée que dans la guerre. Peut-être n'a-t-on pas assez pris garde au fait que les échecs manifestes du renseignement stratégique dans un cadre offensif (Barbarossa, Pearl Harbor, le 11 septembre 2001, etc.) pouvaient aussi être observés dans des opérations de maintien de la paix. Ainsi l'échec de l'opération des Nations unies en Somalie (ONUSOM) en 1992, de la Mission des Nations unies pour l'assistance au Rwanda (MINUAR) en 1994 ou de la Force de protection des Nations unies (FORPRONU) à Srebrenica en 1995 ont été en partie des échecs du renseignement, que ce soit au niveau de la collecte ou de l'exploitation.

Quoi qu'il en soit, quelle que soit la situation (guerre, interposition ou établissement de la paix par la force), ce sont les armées qui collectent et exploitent le renseignement. Dans ces contextes, les corps civils, diplomates ou policiers, jouent un rôle marginal.

Le renseignement de coopération : une techno-dépendance croissante

Dans la guerre comme pour la paix, le renseignement ne peut reposer sur la seule puissance d'un pays. Mais si, en temps de guerre, les possibilités de coopération sont limitées aux pays membres d'une alliance ou d'une coalition, en temps de paix, il en va différemment, car les échanges de renseignement procèdent de la prise en considération d'intérêts nationaux

---

1   À cette époque sous le nom de Sitcen.

évalués avec des partenaires changeants. Ainsi, l'étendue actuelle du renseignement de coopération bouleverse toutes les idées communément admises
sur ce que sont les alliances et la souveraineté. Les échanges de renseignement s'inscrivent en outre dans une échelle de temps particulière qui est celle
de l'*hic et nunc* et donc dans une autre vision de l'intérêt national, plus
circonstanciel.

Par ailleurs, alors que renseigner dans la guerre et renseigner pour faire la
paix sont le fait des armées, le renseignement de temps de paix est aussi
conduit par d'autres acteurs, plus variés, notamment les différentes polices
qui ont des organisations propres fondées entièrement sur la coopération.
C'est le cas en particulier d'Interpol [1], mais aussi des processus largement
informels, notamment dans le cadre de clubs, de réseaux et de bourses
d'échanges. La coopération y est parfois multilatérale mais plus souvent bila-
térale.

Ces coopérations relèvent de façon croissante des services techniques : il
en est ainsi de l'alliance UKUSA, mise en place au tout début de la guerre
froide, qui unit les services d'interceptions de communications et de
données de cinq pays : les États-Unis, la Grande-Bretagne, le Canada,
l'Australie et la Nouvelle-Zélande (d'où son surnom : « *five eyes* »). Le rapport
à la technologie des services de renseignement a été bouleversé avec l'extension du monde numérique : naguère auxiliaire des services, cette alliance est
devenue si importante qu'elle guide en grande partie leur politique. Devenue
très célèbre depuis l'été 2013 dans le sillage de l'affaire Snowden, elle révèle
l'ampleur de la techno-dépendance pour les services.

Mais c'est au gré des tensions et des crises que se nouent des partenariats
d'occasion le temps d'une évaluation, le temps d'un plan d'action, parfois en
vue d'opérations communes. La lutte contre le terrorisme a décuplé le
nombre des partenariats dans le monde entier. La réalité de la menace terroriste a favorisé les coopérations régionales et locales. Les grandes puissances,
malgré leur statut, ont dû mettre en place des coopérations avec des États
autoritaires aux actions souvent structurellement opposées aux valeurs
démocratiques et libérales. Rendu public au milieu de la décennie 2000, le
phénomène des « *extraordinary renditions* » (transferts extrajudiciaires de
détenus considérés comme « combattants ennemis ») a montré que les
États-Unis avaient décentralisé le renseignement en livrant des suspects de
terrorisme à des pays pratiquant systématiquement la torture physique.

Au titre des coopérations surprenantes, pour des raisons différentes, on
peut citer celle entre la France et l'Algérie dans le cadre de la lutte contre
Al-Qaida au Maghreb islamique (AQMI) dans la zone saharo-sahélienne,

---

1 International Police, connu également en français sous le nom d'Organisation internationale de police criminelle (OIPC).

rendue publique, pour la première fois, au printemps 2014, alors que des contentieux politiques et mémoriels importants demeurent entre les deux pays. Dans le cadre de la surveillance des filières djihadistes ou des libérations d'otages, la plupart des pays occidentaux coopèrent avec les services des pays de la zone dite « MENA » (pour Middle East and North Africa). Ainsi l'idée avancée il y a quelques années d'un *policing* international prend-elle de plus en plus de sens. Ce *policing*, qui n'est pas en soi coercitif, relève de l'action des services de renseignement qui contribuent ainsi, dans la paix, à la surveillance. Encore faut-il bien comprendre que celle-ci n'est ni orwellienne ni panoptique, mais partielle, conjoncturelle et flottante.

Le cadre classique clausewitzien de « renseignement » paraît aujourd'hui largement dépassé. Le renseignement n'est plus uniquement militaire, il est devenu « stratégique » dans son contenu et dans sa finalité, débordant ainsi très largement du champ d'action des armes. Dans le monde entier, les armées contribuent encore à son élaboration, mais les acteurs du renseignement se sont très fortement diversifiés et le monopole militaire n'existe plus. Dans ce contexte post-clausewitzien le renseignement ne sert plus seulement à mener la guerre, il permet désormais de tenter de faire la paix et d'essayer de la garantir. Le renseignement d'origine technique et les services de police spécialisés jouent là un rôle crucial sans que les armées en soient pour autant dépossédées. Le renseignement apparaît désormais déterminant car il assure une fonction essentielle dans les registres de la puissance ou de l'influence, pouvant contribuer aussi bien à la paix qu'à la guerre entre les nations. La nature des services a été profondément modifiée : ils sont d'une certaine façon dans une situation où ils ne connaissent ni la paix ni la guerre, mais les deux en même temps, se trouvant ainsi dans un état de « veillance » contribuant toujours à la surveillance.

Pour en savoir plus

Didier Bigo, *Polices en réseaux. L'expérience européenne*, Presses de Sciences Po, Paris, 1996.

David Carment et Martin Rudner, *Peacekeeping Intelligence. New Players, Extended Boundaries*, Routledge, New York, 2006.

Olivier Forcade et Sébastien Laurent, *Secrets d'État. Pouvoirs et renseignement dans le monde contemporain*, Colin, Paris, 2005.

Michael Pugh, « Peace operations », *in* Paul D. Williams (dir.), *Security Studies. An Introduction*, Routledge, Londres/New York, 2008.

James Sheptycki (dir.), *En quête de police transnationale. Vers une sociologie de la surveillance à l'ère de la globalisation*, De Boeck/Larcier, Bruxelles, 2005.

Cyberguerres et cyberconflits

Frédérick Douzet
Professeure à l'Institut français de géopolitique de l'université Paris 8.
Titulaire de la chaire Castex de cyberstratégie

La cyberguerre aura-t-elle lieu ? À en croire les journaux, certains bestsellers, les déclarations officielles, les agences et entreprises de cybersécurité, elle a d'ores et déjà commencé et pourrait prendre des proportions inattendues dans les années qui viennent. Cyberguerre, cyberterrorisme, Pearl Harbor numérique, cyber-Armageddon, cyber-guerre froide, cyber-champ de bataille ou encore « cool war » : les analogies vont bon train et annoncent les pires catastrophes. La littérature scientifique et stratégique est cependant plutôt partagée sur le concept de « cyberguerre » et le potentiel destructeur des cyberattaques, alors qu'elles n'ont à, ce jour, encore tué personne. Et pourtant, en mars 2013, le directeur du renseignement national américain, Jim Clapper, dans son adresse annuelle à la commission renseignement du Sénat, plaçait les cyberattaques en tête des menaces auxquelles les États-Unis devaient faire face pour la sécurité de leur territoire, devant le terrorisme. De même, en avril 2013, le Livre blanc sur la défense française identifiait clairement les cyberattaques comme menace stratégique majeure pour la sécurité du territoire.

Pour beaucoup d'États, la prise de conscience date de 2007, lorsque des attaques informatiques ont paralysé les serveurs des services publics de l'Estonie, suite au déplacement d'un monument à la gloire des soldats soviétiques. L'année suivante, des cyberattaques venaient en appui des armes conventionnelles dans l'offensive russe contre la Géorgie. S'il s'est révélé impossible à l'époque de prouver la responsabilité de l'État russe – qui a toujours démenti – dans ces attaques en déni de service [1], nombre de pays ont alors réalisé à quel point ils étaient mal préparés à faire face à de telles menaces et ont commencé à mettre en place des stratégies et à se donner les moyens d'y répondre.

Qu'est-ce que la cyberguerre et quels en sont les enjeux ? S'il faut manier le terme avec précaution, force est de constater que les outils informatiques

---

[1]   Opération peu sophistiquée, à la portée d'individus ou petits groupes politiques, consistant à lancer simultanément de multiples requêtes sur des serveurs, à l'aide de réseaux d'ordinateurs infectés par des logiciels malveillants, jusqu'à les mettre hors service.

font désormais partie intégrante de la plupart des conflits géopolitiques contemporains et conduisent à l'émergence de nouvelles menaces, diffuses et imprévisibles. Les cyberattaques sont difficiles à anticiper, à détecter, à attribuer, à décourager et à contrer. Leur spécificité rend ainsi les paradigmes stratégiques classiques et les règles internationales obsolètes, à l'heure où les États mènent dans le cyberespace des opérations qui flirtent parfois avec les limites de la déclaration de guerre. À l'ère du numérique, alors que la course aux cyberarmes a bel et bien commencé et que ses conséquences sont incertaines, il semble nécessaire de repenser les cadres de la sécurité collective.

Cyberguerre, cyberconflits, cyberespace... un brouillard sémantique

Les États-Unis auraient-ils ouvert la boîte de Pandore ? En 2012, le journaliste David Sanger, du *New York Times*, révélait les détails du programme Stuxnet, virus informatique très sophistiqué élaboré par les services américains, en collaboration avec les services israéliens, visant à perturber secrètement le programme nucléaire de l'Iran[1]. Sorte de troisième voie entre une diplomatie coercitive et une attaque armée, ce sabotage d'un nouveau genre, hors du cadre des conflits armés, est souvent considéré par les experts comme le premier acte connu de cyberguerre, en raison de son attribution à un acteur étatique, de son niveau de sophistication et de la nature de son action. Les révélations d'Edward Snowden ont montré l'ampleur inégalée de l'arsenal américain, même si d'autres États sont connus pour mener des actions offensives *via* les réseaux, comme la Chine, Israël ou la Russie, notamment dans le conflit avec l'Ukraine où les services russes auraient utilisé leur bonne connaissance du réseau pour infiltrer les systèmes et récolter des informations stratégiques[2].

Il n'existe toutefois pas de consensus sur une définition de la cyberguerre, qui fait l'objet de nombreux débats parmi les universitaires et experts. Dans son ouvrage *Cyberwar Will Not Take Place*, Thomas Rid critique l'usage du terme, rappelant qu'une guerre doit comporter trois caractéristiques : elle doit être violente (usage de la force), potentiellement causer des morts et être instrumentalisée à des fins politiques. Passant en revue les principales cyberattaques connues, il en conclut qu'elles se résument toutes peu ou prou à des actes de sabotage, d'espionnage et de subversion.

Dans la même ligne, de nombreux experts se montrent réticents à user du préfixe *cyber* à profusion, dans la mesure où il peut masquer la réalité des

---

1   David E. SANGER, « Obama order sped up wave of cyberattacks against Iran », *New York Times*, 1ᵉʳ juin 2012

2   Julien LEPOT, « L'emploi des capacités cyber russes en Ukraine ». <www.ceis.eu>, 7 mars 2014.

enjeux en conférant un caractère virtuel à des menaces ou des actions qui sont bien réelles. Une attaque reste une attaque, un crime reste un crime, qu'il passe par les réseaux informatiques ou non. Enfin, les limites de la « guerre » dans le cyberespace restent à définir, comme nous le verrons, d'un point de vue aussi bien politique que juridique, voire technique.

Le cyberespace lui-même ne fait pas l'objet d'une définition consensuelle. Désignant à la fois l'ensemble des réseaux informatiques interconnectés (Internet) et l'espace d'échange et de communication qu'il génère, il fait l'objet de représentations géopolitiques contradictoires : celle, issue de la littérature de science-fiction et de l'esprit des pionniers d'Internet, d'un territoire indépendant, libre de contraintes et de régulations, à préserver de l'ingérence des États ; et celle d'une terre d'opportunités à conquérir, d'un territoire à contrôler, d'un univers menaçant à maîtriser, dans lequel « planter son drapeau ». Dans le registre militaire, cette seconde conception tend à faire du cyberespace le cinquième champ de bataille, aux côtés de la terre, de la mer, de l'air et de l'espace... Outre que le cyberespace n'est pas un milieu comme les autres, cette représentation laisse peu de place à la vulnérabilité, pourtant intrinsèque au cyberespace, et pousse au développement d'un véritable arsenal offensif et de commandements militaires spécialisés dans les pays les plus avancés. En 2010, les États-Unis ont mis en place un commandement interarmées (USCYBERCOM) dont les effectifs devraient être multipliés par cinq dans les années à venir, et passer de 900 à 4 900 personnes.

Malgré le flou qui les entoure, les termes de cyberguerre, cyberconflits, cyberarmes, cyberespace sont devenus incontournables. Ils prolifèrent dans la presse, les doctrines, les discours politiques, ce qui nécessite de s'en saisir pour comprendre les représentations auxquelles ils renvoient et la fonction qu'ils jouent dans les conflits géopolitiques. Au sens strict, la cyberguerre pourrait être définie comme la conduite d'actes de guerre (usage stratégique de la force, potentiellement létal, à des fins politiques) par le biais d'attaques informatiques (logiciel malveillant). Mais les formes et contours de la guerre évoluent et, dans une acception plus large, le terme cyberguerre (*cyberwarfare*) englobe souvent toutes les actions, menées *via* les réseaux informatiques, susceptibles de venir en appui d'autres moyens d'action, dans le cadre de conflits géopolitiques plus ou moins ouverts, entre des acteurs étatiques et/ou non étatiques. On désigne généralement par cyberconflit toute forme de conflit qui « s'exprime de façon totale ou partielle dans le cyberespace, qu'il s'y déroule ou l'utilise comme un véhicule [1] ». Un aperçu des enjeux et des moyens permet d'en comprendre les ressorts.

---

1   Daniel VENTRE, *Cyber Conflict. Competing National Perspectives*, Wiley-ISTE, Londres, 2012, p. 77.

Enjeux géopolitiques des cybermenaces

Loin du paisible village global rêvé par les utopistes ou vanté par la publicité, le cyberespace est devenu à la fois l'objet, le théâtre et un outil des conflits géopolitiques contemporains. Au cours des dernières années, les débats – récemment relancés par l'affaire Snowden – ont proliféré à propos de son contrôle et sa régulation alors que la position dominante des États-Unis est inéluctablement remise en question par la croissance fulgurante des utilisateurs dans les pays émergents et par la pression de régimes autoritaires. Mais les États s'inquiètent surtout des défis posés à leurs pouvoirs régaliens, dans un contexte de très forte intrication des enjeux politiques, économiques et sécuritaires et de multiplicité des acteurs : hackers, groupes d'utilisateurs, criminels, géants économiques du secteur privé, dissidents, acteurs non étatiques et, plus encore, autres nations qui ont développé des cybercapacités.

Par les réseaux informatiques, les protagonistes peuvent mener différents types d'actions : perturber les instruments de communication et d'information (dysfonctionnements, manipulation de l'information) ; saboter des installations, des armes ou des infrastructures critiques ; influer sur l'opinion (défacement [1] de sites, propagande, dénigrement, déni de service) ; espionner (avantage stratégique) ; mobiliser à des fins politiques (subversion, coordination, levée de fonds…).

Les États craignent en particulier pour leur capacité à assurer la sécurité de la nation et la défense du territoire, notamment en cas d'attaque contre des infrastructures vitales qui pourraient causer des pertes civiles. Le faible coût et la forte accessibilité de la technologie renforcent le pouvoir de petits acteurs, faisant émerger l'idée d'une menace asymétrique diffuse de type terroriste. Mais ces technologies renforcent aussi le pouvoir des États. Pour les régimes autoritaires, la maîtrise de l'information – et donc des contenus en circulation dans le cyberespace – est essentielle à leur survie et, dès lors, hautement stratégique. Mais c'est aussi la capacité des États à maintenir la sécurité intérieure, à faire respecter leurs lois et assurer leur souveraineté économique et financière qui est mise au défi par la cybercriminalité, l'enchevêtrement des juridictions dans un cyberespace transfrontalier ou encore les monnaies virtuelles, type bitcoin, pour ne prendre que quelques exemples.

---

1   Défacement (défaçage ou défiguration) est un néologisme issu du terme anglais *defacing*. Défacer un site, c'est en modifier l'apparence sans l'assentiment de son titulaire, pour signaler une faille de sécurité, nuire à la réputation de la marque ou du titulaire du site ou, tout simplement, par provocation ou revendication.

▬▬▬▬ Des menaces vraiment nouvelles ?

La plupart de ces menaces existaient bien avant l'émergence d'Internet. Mais la croissance des réseaux offre de nouveaux moyens d'action particulièrement puissants, rapides et peu coûteux qui permettent d'agir à une échelle sans précédent, avec des conséquences d'une ampleur parfois inédite. La masse invraisemblable de données collectées par la NSA, les centaines de milliers de fichiers emportés par Edward Snowden, l'étendue des dégâts causés par la Russie dans les serveurs ukrainiens ou encore les 30 000 ordinateurs de Saudi Aramco sabotés d'un coup de virus informatique par des hackers à l'été 2012 témoignent de ce changement d'échelle et des nouvelles possibilités accessibles y compris à des acteurs individuels.

La technologie elle-même pose de nouveaux défis qui rendent la menace plus diffuse, plus imprévisible, et bousculent la réflexion stratégique. Qu'il s'agisse d'intrusion dans les systèmes à des fins d'espionnage (économique ou stratégique), de sabotage, de corruption d'information ou de déstabilisation, les outils sont les mêmes et empruntent souvent les mêmes réseaux. La qualification d'une attaque dépend dès lors de ses initiateurs et de leurs motivations. Or la question de l'attribution reste extrêmement problématique. Il est quasiment impossible d'identifier l'attaquant à coup sûr s'il a efficacement masqué ses traces et, même si un faisceau d'indices permet de retracer l'origine d'une attaque avec un degré plus ou moins élevé de certitude, cela reste difficile à prouver. *In fine*, l'attribution est avant tout une décision politique. Et la qualification de l'attaque qui en découle l'est tout autant. Elle dépend des représentations des protagonistes et du rapport de force entre acteurs. L'Iran aurait pu choisir de qualifier le virus Stuxnet d'acte de guerre.

Contrairement aux autres champs militaires, le cyberespace n'est pas un milieu naturel mais un environnement entièrement construit par l'homme et, surtout, en recomposition permanente et très rapide. Or l'architecture même des réseaux affecte directement leur vulnérabilité, on peut donc la modifier pour réduire les risques. Ainsi, les effets d'une cyberattaque dépendront certes du niveau de compétence des attaquants mais aussi de la qualité des informations qu'ils détiennent sur la cible, à savoir les systèmes d'information et de communication visés, et de ses capacités de résistance et de résilience. Et les attaques les plus efficaces sont en général celles qui restent non détectées.

Il reste toujours une part d'incertitude quant aux effets des cyberattaques, d'autant qu'il est impossible de les tester en situation réelle. Lorsque la victime détecte une attaque, elle peut l'analyser et remédier ainsi à ses vulnérabilités – ce qui rendrait une seconde attaque similaire inopérante –, voire s'en saisir pour l'adapter à ses propres fins. Difficile aussi de maîtriser les effets collatéraux, ce qui nécessite une connaissance approfondie de l'interconnexion et la géographie des systèmes d'information adverses pour envisager les possibles effets de cascade.

Les concepts stratégiques de dissuasion et de réponse graduée hérités de la guerre froide s'appliquent dès lors mal au cyberespace. Comment riposter si l'on ne peut pas identifier l'ennemi ou prouver son identité ? Quelles conséquences en cas d'erreur d'identification ? Comment répliquer quand l'ennemi n'a pas d'infrastructures équivalentes à détruire ? Faut-il tenir compte de l'intention de l'agresseur ou des conséquences, y compris non intentionnelles, de l'attaque ? Que répondre lorsque l'attaque est découverte plusieurs mois ou années après ? Comment s'assurer d'une réponse graduée ?

Les États sont dès lors prudents dans la manipulation de ces nouvelles capacités mais la tentation est forte de les utiliser, car elles permettent de mener des actions offensives sans nécessairement se dévoiler ni déclarer ouvertement la guerre... du moins pour le moment, en l'absence de consensus international sur les modalités d'application du droit des conflits armés au cyberespace. Car les discours se musclent et rien ne garantit que ce qui se passe dans le cyberespace restera dans le cyberespace.

En 2011, la Maison-Blanche affirmait que les cyberattaques pouvaient être considérées comme un acte de guerre, justifiant d'y répondre par tous les moyens, y compris les armes conventionnelles, voire de frapper de façon préemptive (en cas de danger imminent) [1]. En 2012, le *Manuel de Tallinn*, rédigé par un groupe d'experts de l'OTAN, formulait des recommandations pour l'application du droit des conflits armés dans le cyberespace, notamment en termes de légitimation de la réponse armée. Le potentiel d'escalade des cyberconflits pourrait s'en trouver renforcé, alors que la riposte, si elle peut être nécessaire à la dissuasion, n'est pas toujours la réponse la plus pertinente dans le cyberespace.

Alors que les initiatives des États sont de plus en plus audacieuses, les règles du jeu internationales restent à définir et sont en cours de négociation. La Chine et la Russie mettent en garde contre la « militarisation du cyberespace », alors que la position des États-Unis est – temporairement au moins – affaiblie par les révélations d'Edward Snowden. La grande intrication des enjeux politiques, économiques et de défense dans le cyberespace complique sérieusement la discussion, y compris entre des nations alliées sur le plan sécuritaire mais en compétition sur le plan économique et commercial.

---

1   David E. Sanger et Thom Shanker, « Broad powers seen for Obama in cyberstrikes », *New York Times*, 3 février 2013.

Pour en savoir plus

Bertrand Boyer, *Cyberstratégie. L'art de la guerre numérique*, Nuvis, Paris, 2012.

Cyberespace : enjeux géopolitique, *Hérodote*, n° 152-153, 1er-2e trimestre 2014.

Olivier Kempf, *Introduction à la cyberstratégie*, Economica, Paris, 2012.

Thomas Rid, *Cyber War Will Not Take Place*, Hurst/Oxford University Press, Londres, 2013.

David Sanger, *Confront and Conceal. Obama's Secret War and Surprising Use of American Power*, Broadway Books, New York, 2012.

Daniel Ventre, *Cyber Conflict. Competing National Perspectives*, Wiley-ISTE, Londres, 2012.

Les drones : le triomphe d'une nouvelle arme ?

Thomas Hippler
Maître de conférences à Sciences Po Lyon

L e nombre de drones est en augmentation constante dans le monde. Les États-Unis, de très loin les mieux équipés en la matière, disposent aujourd'hui de plus de 600 appareils [1]. D'autres nations investissent également dans cette nouvelle technologie d'armement : soixante-seize pays posséderaient déjà des drones et on peut estimer que ces armes continueront à se répandre. Un de leurs avantages réside dans leur prix, très compétitif par rapport aux avions de combat : un drone du type Reaper M-9 coûte 10,5 millions de dollars, contre 150 millions de dollars pour un avion de chasse F-22. Aussi les dépenses liées à l'acquisition de matériaux et à la recherche dans le domaine des engins volants sans pilote embarqué ne cessent-elles d'augmenter. En ce qui concerne les seuls États-Unis, le budget dans ce domaine est passé de 667 millions de dollars en 2001 à 4,5 milliards en 2012. À l'échelle mondiale, il s'élève actuellement à 6,6 milliards de dollars.

---

1   Le *Datablog* du quotidien britannique *The Guardian* présente des chiffres pour l'année 2013 (<www.theguardian.com>).

Si, pour l'heure, la plus grosse partie des dépenses est liée aux emplois militaires, l'utilisation civile des drones se développe elle aussi rapidement. À grand renfort de publicité, l'entreprise de commerce en ligne Amazon a ainsi annoncé, fin 2013, son intention d'utiliser des drones pour la livraison de ses produits. Mais d'autres champs d'application existent déjà, comme la surveillance de forêts pour lutter contre les incendies. Tout porte à croire que le secteur de la sécurité intérieure, en forte croissance, constituera également un marché porteur pour l'industrie des appareils pilotés à distance.

Les drones militaires proprement dits se divisent en plusieurs catégories. Tout d'abord, il faut distinguer les drones de combat, d'une part, et les drones d'observation, de reconnaissance et de surveillance, de l'autre. Si les drones bombardiers ont focalisé l'attention publique ces dernières années, il faut insister sur le fait que l'utilisation à des fins de renseignement prime très nettement sur l'emploi de combat. On distingue en outre les drones tactiques et stratégiques. Parmi ces derniers, il faut notamment mentionner les MALE (moyenne altitude et de longue endurance) et les HALE (haute altitude et de longue endurance). Signalons également que le poids et la taille de ces appareils sont extrêmement variables. À un bout du spectre, le drone de surveillance stratégique Global Hawk pèse près de 15 tonnes pour une envergure de près de 40 mètres, comparable à celle d'un avion de ligne. À l'autre bout de l'échelle, les ingénieurs travaillent actuellement aux appareils de la taille d'un petit insecte.

De la Première Guerre mondiale à l'Irak, une longue histoire

Les drones ont connu un essor impressionnant après l'élection de Barack Obama à la Maison-Blanche : la réorientation de la politique de sécurité des États-Unis voulue par le nouveau président se démarquant nettement de l'interventionnisme musclé de son prédécesseur, l'usage de ces appareils en a fait une des marques de fabrique de son administration.

En tant que tel, ce système d'armement est pourtant bien plus ancien. Les premiers essais dans ce domaine remontent à l'époque de la Première Guerre mondiale, mais la faible fiabilité des liaisons sans fil, ainsi que les imaginaires attachés aux « chevaliers de l'air » ont favorisé les avions habités. Lors de la guerre du Vietnam, les forces américaines utilisent des véhicules volants sans pilote pour des missions de reconnaissance. Le développement technique s'accélère à partir des années 1970. L'armée israélienne figure parmi les acteurs précoces, la surveillance des territoires occupés représentant une priorité pour la politique de sécurité israélienne [1]. Cette avance a

---

1   Mary DOBBING et Chris COLE, *Israel and the Drone Wars. Examining Israel's Production, Use and Proliferation of UAVs*, Oxford, Drone Wars UK, 2014, <http://dronewarsuk.files.wordpress.com>.

permis à l'industrie d'armement israélienne d'acquérir la place incontournable qu'elle occupe jusqu'à nos jours. Lors de la guerre du Golfe de 1991, les forces américaines utilisent ainsi des drones de fabrication israélienne.

Le progrès fulgurant des drones observé depuis quelques années n'est pas uniquement imputable à la technique. Cet essor s'explique aussi par le concours d'une multiplicité de facteurs, sociaux, économiques et stratégiques, notamment le poids grandissant des industries numériques et l'émergence de ce qu'on appelle le « postfordisme ». Dans l'histoire récente, les deux guerres en Irak – celle de 1991, qui coïncide avec la chute de l'Union soviétique, et celle déclenchée en 2003 – peuvent être considérées comme des étapes déterminantes.

En 1991, les forces américaines mettent en pratique, à grande échelle, les innovations doctrinales et technologiques initiées depuis la guerre du Vietnam, y compris l'utilisation de « bombes intelligentes » et des systèmes de guidage par satellite. L'utilisation de ces armes rend le champ de bataille et le pilotage des opérations tellement complexe que le recours à des systèmes informatiques extrêmement puissants est nécessaire pour éviter l'autoparalysie du système. Selon la pensée stratégique américaine, ce nouveau paradigme constitue une « révolution dans les affaires militaires » (RAM), plus tard conceptualisée comme « guerre réseau-centrée » (*network-centric warfare*). Dans ce schéma, le contrôle intégral d'un champ de bataille entièrement numérisé permettrait à l'armée américaine de diriger une « force écrasante » contre n'importe quel ennemi.

Depuis la disparition de l'Union soviétique, la perspective d'une guerre contre une puissance majeure passe au second plan. Les missions militaires semblent désormais devoir se limiter à des interventions relativement ponctuelles, sur des théâtres souvent éloignés et contre des forces très inférieures et beaucoup moins bien équipées. Reste que le soutien public pour de telles opérations paraît de plus en plus difficile à obtenir. C'est ainsi que naît l'idée d'une « guerre post-héroïque [1] » ne causant la mort d'aucun soldat en opération, du côté des forces d'intervention, et le moins possible de pertes civiles – simple « dommages collatéraux » – dans le camp adverse.

Pour les responsables politiques et militaires, les drones, alors en plein développement sur le plan technique, apparaissent comme une solution idoine, à la jointure entre la logique du « zéro mort [2] » et celle de la « guerre en réseau ». Ces engins semblent permettre de moins exposer les militaires dans des missions dangereuses et de perfectionner les systèmes de surveillance, de

1   Edward LUTTWAK, « Toward post-heroic warfare », *Foreign Affairs*, vol. 74, n° 3, mai-juin 1995, p. 109-122.
2   André DUMOULIN, « Le "zéro-mort" : entre le slogan et le concept », *Revue internationale et stratégique*, n° 44, 2001, p. 17-26.

reconnaissance et de traitement de cible par des missions de repérage, d'« appui rapproché » et d'attaque directe. C'est la raison essentielle pour laquelle l'armée américaine mise sur les drones à partir des années 1990. Le conflit du Kosovo en 1999 est l'occasion de tester les nouveaux matériels et d'utiliser à grande échelle ces appareils pilotés à distance. L'invasion de l'Irak de 2003 est le point d'aboutissement de cette évolution où la supériorité américaine se révèle écrasante. Elle constitue également un tournant essentiel dans la mesure où l'insurrection qui s'est ensuivie a révélé l'utilité limitée de la « guerre réseau-centrée » : confrontées à des difficultés majeures sur le terrain, les forces occidentales en Irak et en Afghanistan ont remis au goût du jour les théories de guerre contre-insurrectionnelle. Or il se trouve que les drones interviennent massivement dans ce type de missions.

Un élément clé des dispositifs contre-insurrectionnels et des systèmes de surveillance

Combattre une guérilla est aussi « lent et compliqué que de manger sa soupe avec un couteau », selon le mot célèbre de Thomas Edward Lawrence (« Lawrence d'Arabie »). Selon le théoricien militaire Martin Van Creveld, la difficulté tient essentiellement au facteur temps : le temps joue inéluctablement en faveur des insurgés, dont la simple présence apparaît comme une défaite pour les forces qui tentent de les combattre [1]. Mais cela n'est vrai que dans le cadre d'une conception classique de la guerre selon laquelle la paix doit nécessairement être la fin de toute action guerrière : on fait la guerre pour obtenir la paix. Le moyen classique d'imposer la paix, c'est l'occupation du territoire : la puissance occupante pacifie le territoire en se l'appropriant localement et institue avec la population civile un rapport de protection et d'obéissance. Le temps, celui qui joue immanquablement en faveur des insurgés, n'est alors rien d'autre, pour cette puissance, que la durée nécessaire pour imposer sa paix. On voit bien en quoi l'utilisation des drones est un moyen de court-circuiter le flanc ouvert par le facteur temps, en court-circuitant son fondement même : la distinction entre guerre et paix.

En ce qui concerne la guerre « contre-insurrectionnelle », l'avantage principal des drones n'est pas tellement qu'ils rendent invulnérable celui qui les utilise. Dans des régions comme le Pakistan ou le Yémen, et contre des adversaires dépourvus de défense antiaérienne, les pertes en matériel et en personnel volant apparaissent négligeables, voire inexistantes (la plaisanterie qui circule dans les milieux de l'aviation veut qu'il soit plus sûr pour un pilote de voler en zone de guerre qu'en zone de paix...). L'avantage principal est plus directement politique : les drones bombardiers apportent une

---

1   Martin Van Creveld, *The Changing Face of War. Combat from the Marne to Iraq*, Ballantine, New York, 2008, p. 219-46.

solution technique au problème posé par les opérations de type policier menées à une intensité guerrière et à l'échelle mondiale. Il est tout à fait significatif que beaucoup de drones soient pilotés non par l'armée américaine, mais par la CIA, c'est-à-dire par des services secrets échappant au contrôle de l'opinion publique démocratique.

L'usage le plus connu des drones consiste à mener des « frappes ciblées » permettant l'exécution extrajudiciaire de personnes suspectées de jouer un rôle clé dans les insurrections et les réseaux terroristes. Ces missions ont principalement lieu au Pakistan et au Yémen. En ce qui concerne le Pakistan, on estime que les différents services américains effectuent en moyenne une frappe de ce type tous les quatre jours et qu'ils ont tué, jusqu'à présent, au minimum 2 562 personnes et, plus vraisemblablement, plus de 3 300. Parmi ces victimes, il y avait entre 474 et 881 civils, dont 176 enfants.

Si ces attaques meurtrières font aujourd'hui controverse, les drones sont en fait très majoritairement employés non pour le bombardement, mais dans le cadre de missions de surveillance. Les caméras installées sur les drones peuvent en effet enregistrer tous les mouvements dans une région donnée. Ces images, stockées, permettent aux analystes de remonter dans le temps pour surveiller *a posteriori* les agissements et les déplacements des suspects. Autrement dit, surveillance et élimination physique sont les deux pôles d'un même continuum de la logique contre-insurrectionnelle.

Alors que les missions de bombardements sont pour l'instant géographiquement limitées, l'emploi des drones à des fins de surveillance constitue d'ores et déjà un phénomène mondial qui n'affecte pas seulement les théâtres d'opérations extérieures. De fait, la sécurité intérieure est certainement un des champs dans lesquels on peut s'attendre à une forte augmentation du nombre des drones dans les années à venir. Une publication du Centre d'études stratégiques aérospatiales de 2013 fait ainsi état des expériences dans ce domaine. En 2003, des drones Hunter de fabrication israélienne guident les unités de la gendarmerie mobile et des CRS lors du sommet du G8 à Évian. L'année suivante, on les sollicite à l'occasion du soixantième anniversaire du débarquement en Normandie et, en 2008, lors de la visite du pape Benoît XVI à Lourdes. Lors du sommet du G8 à Deauville en 2011, c'est un drone Harfang qui sert à « suivre en permanence l'évolution des contre-manifestations » et à « anticiper toute action potentielle d'un groupe d'activistes installés dans un village "autogéré" dans la forêt de Montgeon [dans la banlieue du Havre] ».

Preuve supplémentaire que les opérations extérieures nourrissent l'imagination des responsables de la sécurité intérieure, le colonel Bruno Mignot, commandant du Centre national des opérations aériennes, préconise de se servir de l'expérience de la surveillance des talibans en Afghanistan pour appliquer la même logique aux missions de maintien de l'ordre en France métropolitaine [1]. L'intégration des drones dans les dispositifs de sécurité intérieure, en France comme ailleurs, est pleinement en marche.

L'extension infinie du domaine de la guerre

L'utilisation des drones pose un certain nombre de problèmes. Tout d'abord, ces engins sont à maints égards plus vulnérables qu'on pourrait le croire. Lors d'un déploiement au Congo dans le cadre d'une mission EUFOR en 2006, l'armée belge a par exemple appris à ses dépens qu'une kalachnikov peut suffire pour abattre un drone. Mais le plus grand risque concerne la sécurité des transmissions. En 2009, les rebelles irakiens sont parvenus à intercepter les liaisons émises par un drone américain et, en 2011, la défense aérienne iranienne a réussi à détourner un drone américain en lançant une cyberattaque contre le système de pilotage. Sur les 60 Predator utilisés par les forces américaines entre 2001 et 2003, pas moins de 19 ont été perdus.

Outre la vulnérabilité à laquelle un système technique aussi complexe est nécessairement exposé, la prolifération de ces appareils constitue un autre risque majeur. Il est ainsi relativement facile pour les acteurs non étatiques de se procurer de tels engins. Israël a ainsi officiellement reconnu que des drones opérés par le Hezbollah ont pénétré par deux fois son espace aérien (la guerre au sud du Liban, à l'été 2006, est le premier conflit dans lequel les deux adversaires ont eu recours aux drones).

À ces questions sécuritaires s'ajoutent bien entendu d'innombrables problèmes juridiques et éthiques, comme en témoignent les débats autour des exécutions extrajudiciaires. Ces enjeux deviendront plus cruciaux avec le développement, souvent hors de tout contrôle démocratique, de ces nouvelles technologies. Sur le champ de bataille, les drones accompagnent et approfondissent le phénomène de robotisation des activités de répression, où l'agent humain est en passe de devenir un appendice d'un système technique : certains laboratoires expérimentent déjà des appareils totalement autonomes, sans même de pilote à distance (présageant, selon un commentateur américain, de futurs « assassinats automatiques [2] »). Mais les drones participent aussi à l'extension infinie du champ de bataille. Aux drones de surveillance stratégique, opérant à l'échelle mondiale et complétant les systèmes satellitaires, s'ajoutent progressivement les micro-drones qui pourraient être utilisés, comme l'explique l'Office national d'études et de

---

1   Colonel Bruno Mɪɢɴᴏᴛ, « Drones à longue endurance et sécurité publique, des perspectives intéressantes », *in* Cᴇɴᴛʀᴇ ᴅ'ᴇ́ᴛᴜᴅᴇꜱꜱᴛʀᴀᴛᴇ́ɢɪǫᴜᴇꜱ ᴀᴇ́ʀᴏꜱᴘᴀᴛɪᴀʟᴇꜱ, *Les Drones aériens : passé, présent et avenir. Approche globale*, La Documentation française, Paris, 2013, p. 279-288.
2   Peter Fɪɴɴ, « A future for drones : automated killing », <www.washingtonpost.com>, 20 septembre 2011.

recherches aérospatiales (ONERA), dans le cadre de « missions d'observation et de renseignement en milieu urbain éventuellement confiné (intérieur des bâtiments) ».

Pour en savoir plus

Centre d'études stratégiques aérospatiales, *Les Drones aériens : passé, présent et avenir. Approche globale*, La Documentation française, Paris, 2013.

Grégoire Chamayou, *Théorie du drone*, La Fabrique, Paris, 2013.

Thomas Hippler, *Le Gouvernement du ciel. Histoire globale des bombardements aériens*, Les Prairies ordinaires, Paris, 2014.

Océane Zubeldia, *Histoire des drones de 1914 à nos jours*, Perrin, Paris, 2012.

Drone Wars UK : <http://dronewars.net>.

Living Under Drones : <www.livingunderdrones.org>.

La guerre privatisée ?
Multinationales et mercenariat

Alain Deneault
Docteur en philosophie et essayiste

Beaucoup de lieux communs circulent aujourd'hui sur les sociétés militaires privées. Soit on les folklorise en les faisant passer pour des repaires d'aventuriers amateurs, soit on les dit, au contraire, encadrées par les régimes constitutionnels. Quant aux mercenaires eux-mêmes, ils sont généralement décrits comme de froids prestataires d'interventions armées obéissant à leurs clients tout en n'étant au service de rien. Cette représentation n'est plus d'actualité. Dans un cadre plus large, la violence commanditée par des instances privées s'intègre à leur nouvel ordre de pouvoir, celle d'acteurs qui ne répondent plus d'aucun cadre constitutionnel.

▬▬▬ La montée en puissance des multinationales et des sociétés militaires privées

À notre époque, bien des entités privées se révèlent aussi puissantes que des États. En 2010, 58 % des 150 puissances économiques les plus importantes – États et entreprises confondus – étaient strictement privées [1]. Si les critères utilisés – le produit intérieur brut des uns *versus* les revenus des autres – ne sont pas strictement comparables, ce chiffre donne néanmoins une idée de la puissance des organisations privées. La pétrolière Shell a déclaré plus de profits cette année-là que la valeur commerciale générée par l'activité économique de l'Afrique du Sud, de l'Argentine et de l'Autriche réunies. Si on compare les revenus des entreprises aux budgets d'États, on observe par exemple qu'à elles seules les dix premières sociétés du Fortune 500 ont déclaré un revenu cumulé équivalant à plus de la moitié du budget fédéral américain [2]. Ces données sont d'autant plus significatives que les fonds détenus par ces groupes privés ne regardent en rien la gestion d'institutions publiques ni l'entretien d'infrastructures territoriales, mais strictement les intérêts restreints des entités comme telles. Ces acteurs échappent largement, grâce aux paradis fiscaux, aux règles de droit, quand ils ne contribuent pas à la rédaction de celles-ci dans les États traditionnels, grâce à des investissements massifs dans des stratégies de lobbying.

Conséquence de cette montée en puissance des entreprises multinationales, les armées nationales, manifestation de pouvoir traditionnelle de la souveraineté étatique, ont tendance à céder le pas devant les firmes de mercenaires dans des opérations de contrôle territorial. Il n'est pas certain qu'aujourd'hui United Fruits aurait besoin que l'armée de l'air des États-Unis bombarde la capitale du Guatemala, ni que la CIA renverse un président de centre gauche tel que Jacobo Arbenz, comme ce fut le cas en 1954, pour obtenir l'instauration d'une dictature favorable à ses intérêts. Forte de sa valeur boursière de 1,07 milliard de dollars, l'entreprise – aujourd'hui baptisée Chiquita Brands International – aurait les moyens financiers de s'imposer auprès des pouvoirs publics de manière autonome, au Guatemala comme dans tous les pays où elle est présente en Amérique du Sud. Disposant de moyens comparables à ceux d'États, elle ferait comme Chevron, Monsanto, Walt Disney, la Deutsche Bank ou Barclays qui, dès la fin du XXe siècle, ont loué les services des firmes de sécurité majeures telles que Blackwater pour consolider leur position ou mener des enquêtes [3].

---

1 Tracey KEYS et Thomas MALNIGHT, *Corporate Clout Distributed 2012 : The Influence of the World's Largest 100 Economic Entities*, <www.globaltrends.com>, mai 2012.

2 « Fortune 500 », CNN Money, 3 mai 2010, <http://money.cnn.com>. Voir aussi US Government Spending.com : <www.usgovernmentspending.com>.

3 Jeremy SCAHILL, « Blackwater's black ops, Internal documents reveal the firm's clandestine work for multinationals and governments », *The Nation*, 15 septembre 2010, <www.thenation.com>.

De leur côté, les sociétés militaires privées figurent parmi les membres des holdings ayant des actifs dans les secteurs de l'aviation, de la construction, des communications, des mines, de l'agroalimentaire, du tourisme ou des services médicaux. C'est le cas, par exemple, d'Executive Outcomes, une entité de la Strategic Resources Corporation jusqu'à sa dissolution en 1998 [1].

Mélange des genres

Les sociétés militaires privées sont donc intégrées de plain-pied aux projets d'exploitation controversés qu'elles rendent possibles. Précurseur, le militaire britannique Tony Buckingham s'est imposé grâce à elles dans les années 1990. Alors que la guerre civile faisait rage en Angola, il obtint de militaires privés d'Afrique du Sud composant Executive Outcomes (créée en 1989) la libération de la concession pétrolière de Soyo (extrême nord de l'Angola), que sa société Heritage Oil avait acquise avec la pétrolière canadienne Ranger Oil. Quelque temps plus tard, Buckingham est devenu l'intermédiaire d'Executive Outcomes pour d'autres opérations ciblées concernant ses intérêts privés, aidant par exemple la Sierra Leone – où sa firme DiamondWorks exploitera plus tard une mine de diamants – à vaincre une armée rebelle dans une guerre affreusement sanglante. Il a également su faire fructifier ses affaires au Zaïre, future République démocratique du Congo (RDC), en s'alliant financièrement et militairement à Salim Saleh, le beau-frère du président ougandais Yoweri Museveni opposé à un Joseph Mobutu en fin de règne, afin de favoriser un projet d'exploitation minière dans le nord-est du pays. La Sandline, que Buckingham a fondée en 1996 avec les officiers britanniques Tim Spicer et Simon Mann, s'emploie pour sa part à réprimer une rébellion opposée à l'exploitation d'une mine de cuivre par Rio Tinto sur l'île de Bougainville, en Papouasie-Nouvelle-Guinée.

Le cas de Tony Buckingham marquera aux yeux du chercheur Laurent Joachim « le passage à un mercenariat véritablement professionnel : des forces non gouvernementales peuvent, pour la première fois dans l'histoire du XXᵉ siècle, mettre en œuvre l'équipement et le savoir-faire d'une armée moderne [2] ». Dans ce domaine, on pourrait citer bien d'autres noms : Paul Barril, fondateur de la firme de mercenaires Secrets ; Marc Rich, fondateur de la société de courtage Glencore ; Pierre Falcone, l'employé de la Sofremi ; ou encore l'homme de l'ombre Arcadi Gaydamak. Tous ont évolué dans des secteurs stratégiques comme l'énergie, les mines ou l'agroalimentaire en plus du trafic d'armes et des services de sécurité, à partir de structures créées dans

---

1   Philippe CHAPLEAU et François MISSER, « Le retour des mercenaires », *Politique internationale* n° 94, hiver 2002.
2   Laurent JOACHIM, « "Security business" : les nouveaux mercenaires », *Politique internationale* n° 131, été 2011, p. 335-359.

les paradis fiscaux. Ainsi intégrées, leurs forces armées ne se mettent pas seulement ponctuellement au service d'entités privées, mais elles en constituent une composante stable et durable. Les sociétés militaires privées surclassent désormais les armées nationales, lesquelles se révèlent souvent de simples forces d'appoint.

Les excès terribles auxquels se livrent des armées aveuglément liées à des projets industriels ont culminé dans le très meurtrier conflit des Grands Lacs, principalement dans l'Est congolais [1]. La situation a dégénéré lorsque Laurent-Désiré Kabila, auteur d'un coup d'État contre Joseph Mobutu (alors qu'il était notamment soutenu par les hommes d'Executive Outcomes), a remis en question ses engagements auprès des compagnies minières avec lesquelles il était lié, comme la société canadienne AMFI, ou qui étaient auparavant alliées au régime Mobutu, telles que Barrick Gold, titulaire d'une concession de 82 000 km^2 dans la Province orientale. Une société comme la minière Banro Corporation a même nommé Victor Ngezayo, cofondateur de factions politiques armées dans l'est du pays en 1998, à la direction de deux de ses filiales, l'AMR et Sakima.

Ce mélange des genres sévit partout dans le monde. Entre 1998 et 2000, en Colombie, des paramilitaires ont rasé des villages dans le nord du pays où se trouvaient des sociétés minières canadiennes (Conquistador Mines, Archangel Diamonds Corporation, Sud American Gold, BWR Gold). Ce type de situation s'est produit également au Pérou et au Mexique. En Asie, une milice privée a attenté à la vie de nombreux environnementalistes de Mindanao, aux Philippines, alors qu'ils s'opposaient à l'érection d'une centrale hydroélectrique et au développement de projets miniers [2].

La violence au fondement d'un pouvoir illégitime

Les sociétés militaires privées se sont multipliées ces dernières années. Fondées aux États-Unis, au Canada, en France, au Royaume-Uni, en Israël ou en Afrique du Sud, elles sont au centre, respectivement, ou tout à la fois, des interventions armées, du soutien en armement, de la formation, du soutien logistique et des programmes de prévention. Leur clientèle est constituée d'entreprises privées, de détenteurs de fortunes, d'États et d'organisations non gouvernementales. Il est difficile d'évaluer l'importance économique des quelques dizaines d'entités qui sont au cœur de cette filière, leurs activités étant associées au secret d'État ou gérées dans les paradis

1   P. W. SINGER, *Corporate Warriors. The Rise of the Privatized Industry*, Cornell University Press, Ithaca/Londres, 2003, p. 10.
2   Jacques FOLLOROU, « Les Philippines découvrent l'ampleur des exactions perpétrées par une milice », *Le Monde*, 10 décembre 2009.

fiscaux [1]. Leurs revenus avoisinaient annuellement 50 milliards de dollars au début des années 2000 et elles engageaient alors deux millions de personnes. Certaines entreprises sont tentaculaires, comme l'ArmorGroup International, fort d'un personnel de 5 500 personnes provenant de près de 30 pays et présente dans 38 pays au début du siècle.

Ces firmes ne font pas que soutenir ponctuellement les entreprises d'exploitation. Elles leur fournissent la puissance de frappe qu'elles requièrent pour se constituer ni plus ni moins en forces politiques. Firmes privées elles-mêmes, elles métissent leurs intérêts à ceux de ces puissances industrielles et s'y confondent. Elles suscitent ainsi beaucoup de désordre. Aux frontières nationales s'ajoutent des délimitations de propriété et d'exploitation d'un autre ordre, que des adversaires tenteront de faire évoluer ou de contrôler par la violence [2].

Les firmes privées paraissent mieux adaptées que les armées étatiques pour évoluer dans la nouvelle géopolitique de la violence. Les militaires qui combattent strictement pour une rémunération sont à l'image du nouvel ordre mondial, ultralibéral et ultrapermissif. Ils sont le bras armé d'une loi qui n'est plus celle de l'État constitutionnel, mais la loi du marché, la loi de la concurrence, la loi de la finance. Ce « droit » des affaires se voit ensuite encadré par des tribunaux et des institutions internationaux soumis à l'idéologie néolibérale (Organisation mondiale du commerce, Fonds monétaire international, etc.).

L'intégration des États au nouvel ordre

Si des armées nationales continuent d'épauler des sociétés privées, comme l'ont fait les forces françaises en Côte d'Ivoire, où se trouvaient Alcatel, Bolloré, Bouygues, France Telecom, Pinault, la Sagem, Technip, Seillière ou Vinci [3], de plus en plus d'entreprises se dégagent de toute tutelle publique en intégrant des pans de l'armée dans leur entreprise. En maintes circonstances, c'est l'État qui semble avoir besoin des firmes privées, plutôt que l'inverse. Main dans la main avec les lobbies d'entreprises, les États hésitent de moins en moins à recourir aux dizaines de sociétés militaires privées qui leur apportent leur savoir-faire, que ce soient les États-Unis en Afghanistan ou en Irak [4], la Croatie en Bosnie-Herzégovine, l'Ukraine sur son propre territoire ou la France à bord de ses navires exposés à la piraterie.

1   Ian HAMEL, « Les mercenaires se plaisent en Suisse », *Le Point*, 13 décembre 2011.
2   Brian Glyn WILLIAMS, « Fighting with a double-edge sword ? Proxy militias in Iraq, Afghanistan, Bosnia et Chechnya », *in* Michael A. INNES, *Making Sense of Proxy Wars*, Potomac books, Dulles, 2012.
3   Raphaël GRANVAUD, *Que fait l'armée française en Afrique ?*, Agone, Marseille, 2009, p. 284.
4   Laurent JOACHIM, *loc. cit.*

Mais tout donne à penser que les États qui recourent à ces services se montrent davantage soumis à ce nouveau régime de puissance qu'aptes à le contrôler. La guerre en Irak, lancée par les États-Unis en 2003, fut pratiquement un conflit privé : une majorité des soldats, soit 182 000, provenaient de sociétés militaires privées. La plupart d'entre eux n'étaient même pas américains. Les mandats confiés à ces firmes peuvent être de la plus haute importance. Des sociétés comme Titan ou CACI assurent des tâches logistiques liées au service d'espionnage des États-Unis tandis que Blackwater (devenu depuis Academi), DynCorp et Triple Canopy veillent à la protection des diplomates américains présents en Irak [1].

L'implication croissante de ces sociétés dans les tâches traditionnellement considérées comme régaliennes porte à controverse, les firmes privées étant réputées d'autant plus difficiles à tenir qu'elles échappent à bien des dimensions du droit international. Mais cela ne semble pas freiner leur ascension : alors que la Chambre des représentants américaine dénonçait les mercenaires de Blackwater en 2007 pour des fusillades injustifiées en Irak, l'État canadien embauchait la firme pour qu'elle forme ses soldats dans le cadre d'un contrat de 7,7 millions de dollars canadiens [2]. L'armée britannique a également mandaté des firmes privées pour former ses pilotes d'hélicoptères, pendant que les hauts gradés de quarante pays africains se trouvaient encadrés par la firme états-unienne MPRI. À l'aise dans un ordre politique pervers où les frontières se brouillent entre les intérêts publics et privés, les firmes fournissent également des services de protection aux organisations non gouvernementales présentes sur le terrain, le plus souvent pour pallier les situations d'urgence provoquées par des conflits qu'elles alimentent par ailleurs…

Ces partenariats public-privé en matière de sécurité et d'opérations militaires symbolisent moins une prise de contrôle de l'État sur un secteur dont il a eu historiquement le monopole qu'une fusion des infrastructures et des prérogatives à l'avantage de la défense des intérêts capitalistes.

Pour en savoir plus

Dario Azzellini et Boris Kanzleiter, *Das Unternehmen Krieg. Paramilitärs, Warlords und Privatarmeen als Akteure der Neuen Kriegsordnung*, Assoziation A, Berlin, 2003.

Kateri Carmola, *Private Security Contractors and New Wars*, Routledge, New York, 2010.

---

1   Selon des documents rendus publics par le secrétariat d'État et le département de la Défense en 2007, cités *in* Laurent Joachim, *loc. cit.*
2   Alec Castonguay, « Blackwater : à l'école des mercenaires », *L'Actualité*, Montréal, 5 octobre 2011.

Philippe CHAPLEAU, *Sociétés militaires privées, Enquête sur les soldats sans armées*, Éditions du Rocher, coll. « L'art de la guerre », Monaco, 2005.

Pascal DE GENDT, *Les Sociétés militaires privées, une nouvelle superpuissance*, Service international de recherche, d'éducation et d'action sociale, Bruxelles, mai 2013.

Madelaine DROHAN, *Making A Killing. How and Why Corporations Use Armed Force to Do Business*, Random House, Toronto, 2003.

Xavier RENOU, *La Privatisation de la violence. Mercenaires et sociétés militaires privées au service du marché*, Agone, Marseille, 2005.

Jeremy SCAHILL, *Blackwater. L'ascension de l'armée privée la plus puissante du monde*, Actes Sud, Arles, 2008.

Andreas ZUMACH, *Die Kommenden Kriege. Ressourcen, Menschenrechte, Machtgewinn – Präventivkrieg als Dauerzustand ?*, Kiepenheuer & Witsch, Cologne, 2005.

Milices et sous-traitance de l'(in)sécurité

Marielle Debos
Maîtresse de conférences à l'université Paris Ouest-Nanterre-La Défense et chercheuse à l'Institut des sciences sociales du politique (ISP/CNRS)

Désignant originellement des citoyens mobilisés occasionnellement par l'État pour venir en appui aux forces régulières, le terme milice est désormais employé à propos de groupes armés qui ont peu de choses en commun sinon un supposé manque de discipline, un discours peu idéologique et des pratiques prédatrices. Que les milices se constituent pour assurer la protection de civils ou pour prélever des ressources, qu'elles soient mobilisées par l'État ou qu'elles remettent en cause son autorité, leur formation et leurs interventions obéissent à des logiques politiques. Après une analyse des principales approches des mobilisations miliciennes dans les sociétés en guerre, cet article s'interroge sur la frontière floue entre les forces régulières et les milices. La dernière partie montre que l'intervention des milices s'inscrit dans les reconfigurations contemporaines des modes de production et de gestion de la violence sur la scène internationale.

▩▩▩ Les mobilisations miliciennes dans les sociétés en guerre

Quel est le ressort des mobilisations miliciennes ? Pourquoi et comment se développent-elles dans les sociétés en guerre ? Une première explication fréquemment avancée renvoie à l'identité. Formées à partir d'organisations ou de réseaux sociaux préexistant au conflit, les milices peuvent s'identifier (et/ou être identifiées) à une communauté spécifique. On parle alors de milices nationales, ethniques ou religieuses. La grille de lecture identitaire connaît un certain succès depuis la fin la guerre froide, au moment où on a assisté à une inflation du nombre de conflits civils, à des violences de masse et à des génocides au Rwanda (1994) et dans les Balkans (à Srebrenica en 1995). Ces conflits, qui ont été un peu hâtivement qualifiés de « nouveaux », ont désarçonné les chercheurs, les journalistes et les experts. Comment expliquer des conflits qui ne sont plus réductibles aux rivalités entre grandes puissances et qui ne sont plus lisibles en termes de « libération nationale » ou de « lutte contre l'impérialisme » ? Comment expliquer la multiplication des groupes belligérants, rebelles et miliciens, aux agendas politiques flous ?

Les conflits des années 1990, en particulier ceux de l'Afrique et des Balkans, ont été analysés comme le résultat de la résurgence de haines ancestrales considérées comme gelées par la guerre froide. Les supposées « guerres ethniques » éclateraient en raison de rivalités renvoyant à des temps immémoriaux ou de l'animosité entre des groupes aux identités irréconciliables. Cette perspective pose problème, car elle est marquée par le culturalisme. Si des milices peuvent s'appuyer sur l'identité pour mobiliser, il faut se garder d'une grille de lecture exclusivement identitaire.

La lecture ethnique des mobilisations miliciennes a récemment cédé le pas à une lecture religieuse. En Centrafrique, les milices « anti-balaka » (dont le nom signifie « anti-machettes » mais aussi « anti-balles AK », référence à la kalachnikov AK-47) sont unanimement présentées dans les médias comme « chrétiennes ». Ces milices se sont formées après la prise du pouvoir par la coalition de la Séléka en mars 2013. Constituant un ensemble hétérogène de groupes d'autodéfense locaux dont certains sont liés à des membres de l'armée régulière et à l'ancien président François Bozizé, elles rassemblent des chrétiens qui affirment se défendre contre les musulmans associés aux rebelles de la Séléka. La supposée « haine » entre les communautés musulmane et chrétienne ne peut cependant tenir lieu d'explication. En Centrafrique comme dans bien des régions du monde, la violence n'est pas le résultat mécanique de la haine. Elle est organisée par des entrepreneurs politiques qui jouent la carte de l'identité. La violence ne se développe pas parce que les combattants veulent en découdre avec les membres des autres communautés religieuses, mais parce que des entrepreneurs politiques ont fait le choix des armes. Le recours aux armes est l'une des formes possibles de mobilisation et de contestation. La polarisation identitaire est plus souvent une conséquence qu'une cause de la guerre.

La lecture identitaire des mobilisations est d'autant plus problématique qu'elle masque les ressorts politiques et sociaux des conflits. Dans le cas de la Centrafrique, la formation de groupes armés sur des identités religieuses s'inscrit dans un contexte spécifique, marqué par la violence d'État (notamment des forces régulières), le maintien d'une économie concessionnaire, la captation des ressources par des entrepreneurs politiques et économiques connectés à l'économie globale, la concentration des ressources dans la capitale, la marginalisation des zones rurales et l'absence de services publics. Peut-on s'étonner que des civils prennent les armes quand leur vie est déjà souvent un combat quotidien ? Quand la violence de l'État et de l'économie entretient un « entre-guerres » permanent ?

Un autre discours dominant sur les mobilisations miliciennes dans les pays du Sud est la faillite de l'État. Le recours à la violence est alors pensé comme une réaction au « vide sécuritaire ». Cette approche a été développée dans les années 1990 avant de connaître une résurgence après le 11 septembre 2001, quand les zones en crise ont été considérées comme des lieux privilégiés du terrorisme et de la criminalité transnationale. Cette approche a le mérite de souligner que les États peuvent jouer un rôle clé en matière de sécurité et de développement. Elle renvoie à une réalité si l'on entend par « faillite de l'État » la faillite des services publics. C'est cependant la résilience des États et leur capacité à externaliser la guerre et le maintien de l'ordre, plus que leur tendance à s'effondrer, qui doit attirer notre attention. Dans bien des cas, c'est la violence d'État, plus que l'absence ou la faiblesse de l'État, qui explique les mobilisations armées. Autrement dit, les gens souffrent moins d'un « vide sécuritaire » que d'un manque de justice.

La milicianisation des forces régulières

Travaillant sur la violence armée en Afrique subsaharienne, le chercheur Roland Marchal propose de distinguer la « milicianisation de la société », qui renvoie à la mobilisation de secteurs de la société, et la « milicianisation de l'armée ». Cette notion désigne « le processus de désinstitutionnalisation qui remet en cause les modes de fonctionnement hiérarchiques et bureaucratiques et transforme progressivement des pans entiers de l'armée en bandes qui tirent l'essentiel de leurs revenus non de leur allégeance à l'État, mais des ressources confisquées à la société et volées aux civils [1] ». Au-delà des pratiques des militaires mal payés qui rackettent la population, comment caractériser une armée milicianisée ?

La milicianisation renvoie à trois processus distincts mais susceptibles de se renforcer mutuellement. Elle peut tout d'abord désigner la fragmentation des forces régulières en différentes factions. Un tel mode de fonctionnement n'est pas nécessairement une faiblesse. Il peut présenter certains avantages ; il permet notamment d'adapter les modes de recrutement et de promotion et de gérer les troupes en fonction des circonstances.

Les forces régulières peuvent ensuite être de véritables entrepreneurs de l'insécurité, quand elles s'adonnent à des pratiques violentes et prédatrices. Des officiers supérieurs de l'armée ougandaise ont ainsi profité de l'intervention dans l'est de la République démocratique du Congo (RDC) pour devenir des acteurs clés des réseaux commerciaux qui lient les zones locales d'extraction de ressources naturelles aux marchés régionaux et internationaux. Le développement de l'économie de rapine n'est cependant pas une simple faiblesse du bras armé de l'État. Encourager ou tolérer l'extorsion des civils, octroyer l'impunité aux membres des forces armées est une façon de les récompenser et de les rémunérer à moindre coût. Les ententes entre les acteurs de l'économie illégale, les forces armées et plus largement les espaces politico-institutionnels ne sont pas propres aux situations de guerre. Les forces paramilitaires des Rangers ont par exemple été autorisées à extraire des ressources économiques à Karachi, poumon économique du Pakistan, en échange de leur participation à des missions de maintien de l'ordre qui ne faisaient pas initialement partie de leur mandat [2]. Les rapports ambivalents d'extraction et de protection que ces forces entretiennent avec la population participent du renforcement de l'État et du contrôle des populations.

Enfin, la milicianisation peut renvoyer au recours par l'État à des groupes armés constitués en dehors des forces régulières, que ceux-ci soient locaux ou étrangers. En Turquie, l'armée a utilisé des unités de sécurité et des milices privées dans le cadre de la guerre contre le Parti des travailleurs du Kurdistan (PKK), l'organisation armée kurde [3]. Au Tchad, entre 2005 et 2010, le régime a conclu une alliance avec l'un des groupes rebelles du Darfour voisin, le Justice and Equality Movement. Celui-ci opérait *de facto* comme une milice

---

1   Roland MARCHAL, « Terminer une guerre », *in* Christine MESSIANT et Roland MARCHAL (dir.), *Les Chemins de la guerre et de la paix. Fins de conflit en Afrique orientale et australe*, Karthala, Paris, 1997, p. 34.

2   Laurent GAYER, « Les Rangers du Pakistan. De la défense des frontières à la "protection" interne », *in* Jean-Louis BRIQUET et Gilles FAVAREL-GARRIGUES (dir.), *Milieux criminels et pouvoir politique. Les ressorts illicites de l'État*, Karthala, Paris, 2008.

3   Élise MASSICARD, « Le politique à l'articulation entre institutions de sécurité et univers criminel : les "bandes en uniforme" en Turquie », *in* Jean-Louis BRIQUET et Gilles FAVAREL-GARRIGUES (dir.), *Milieux criminels et pouvoir politique, op. cit.*

progouvernementale sur le territoire tchadien. Dans certains contextes, les milices finissent par être officiellement intégrées à l'appareil coercitif de l'État. Au Soudan, des éléments des milices janjawid, qui ont mené une campagne de « contre-insurrection bon marché » pour le compte du régime, ont poursuivi leur carrière dans les forces paramilitaires [1]. Le recours à des forces supplétives s'inscrit donc dans une rationalité politique et économique. La milicianisation des armées est un véritable mode de gouvernement.

Les professionnels de la guerre et de l'ordre peuvent être recrutés alternativement ou simultanément dans les forces régulières et irrégulières. Les militaires et les miliciens ont d'ailleurs souvent des profils proches, voire similaires. Dans certains contextes, les frontières entre les forces régulières et irrégulières sont proprement brouillées. Pendant la guerre en Sierra Leone, les civils parlaient des *sobels* pour qualifier ces individus qui étaient « soldats le jour, rebelles la nuit ». Des individus, mais aussi des pratiques, circulent entre les différents groupes de porteurs d'armes, plus ou moins réguliers et officiels, à tel point que l'on observe des phénomènes de mimétisme – des chefs miliciens s'octroyant par exemple des grades et adaptant des rituels militaires. On ne peut donc opposer des forces régulières qui auraient un mode de fonctionnement institutionnalisé et stable, respectueux de la légalité et des droits humains, à des groupes miliciens qui seraient par nature criminels et violents.

Globalisation néolibérale et privatisation de la sécurité

Si le phénomène milicien s'inscrit dans des trajectoires historiques spécifiques à chaque société, il est lié à des dynamiques néolibérales globales. On assiste au développement de nouveaux modes de gestion de l'(in)sécurité et de la guerre. Deux éléments sont à cet égard cruciaux. D'une part, on peut penser les violences sur un continuum qui va du local à l'international, des violences quotidiennes aux interventions armées et aux systèmes économiques qui maintiennent et renforcent les inégalités. Les recompositions de l'État et de l'économie dans le contexte de la globalisation ont favorisé les alliances entre des chefs de guerre locaux et des entrepreneurs économiques transnationaux. La croissance dramatique des violences (y compris des violences sexuelles) dans l'est de la RDC est liée à la guerre, qui est elle-même alimentée par l'économie mondialisée des minerais rares.

D'autre part, on peut s'interroger sur le recours à la forme « milice » par les armées occidentales. Les compagnies de sécurité privée jouent désormais un rôle clé en Afghanistan, en Irak et dans la plupart des conflits internationaux.

---

1   Julie FLINT et Alex DE WAAL, *Darfur. A Short History of a Long War*, Zed Books, Londres/New York, 2005.

En outre, comme le souligne l'anthropologue Danny Hoffman, les théoriciens de la sécurité et les experts militaires américains et européens s'intéressent au potentiel que représentent les milices locales qui peuvent être rapidement mobilisées et déployées. Autrement dit, la militarisation des communautés locales dans les pays du Sud intéresse les acteurs politiques ou militaires bien au-delà de ces pays [1]. Dans le cadre de la « guerre globale contre le terrorisme », les armées occidentales forment déjà des unités commandos dans les pays de la bande sahélo-saharienne.

Enfin, les politiques néolibérales de privatisation de la sécurité ont conduit à la multiplication de milices et de centres de surveillance privés chargés de la sécurité des entreprises et des quartiers riches. Parallèlement, les politiques de militarisation des frontières s'accompagnent, aux États-Unis, du développement des groupes de vigilantisme et, en Israël, de la privatisation des *checkpoints* [2]. Loin d'être le symptôme du retrait ou de la faillite de l'État, la sous-traitance de la guerre et du maintien de l'ordre s'inscrit dans les reconfigurations contemporaines des modes de production et de régulation de la violence.

Pour en savoir plus

Marielle DEBOS, *Le Métier des armes au Tchad. Le gouvernement de l'entre-guerres*, Karthala, Paris, 2013.

Laurent GAYER et Christophe JAFFRELOT (dir.), *Milices armées d'Asie du Sud*, Presses de Sciences Po, Paris, 2008.

Martin LAMOTTE, « Le vigilantisme aujourd'hui : les milices nord-américaines à la frontière mexicano-américaine », *in* Rémy BAZENGUISSA-GANGA et Sami MAKKI (dir.), *Sociétés en guerres. Ethnographie des mobilisations violentes*, Éditions de la Maison des sciences de l'Homme, Paris, 2012.

Federico LORENC VALCARCE, *La Sécurité privée en Argentine. Entre surveillance et marché*, Karthala, Paris, 2011.

---

1   Danny HOFFMAN, *The War Machines. Young Men and Violence in Sierra Leone and Liberia*, Duke University Press, Durham, 2011.

2   Shira HAVKIN, « La privatisation des *checkpoints* : quand l'occupation militaire rencontre le néolibéralisme », *in* Stéphanie LATTE-ABDALLAH et Cédric PARIZOT (dir.), *À l'ombre du mur*, Actes Sud/MMSH, Arles, 2011, p. 51-72.

Le « pirate des mers », ennemi intermittent de la scène internationale

Éric Frécon
Enseignant-chercheur à l'École navale, coordinateur de l'Observatoire Asie du Sud-Est
à Asia Centre (Paris)

En 2013, la geste pirate aura une fois de plus éclipsé la réalité du phénomène. Tandis que les pirates des Somalies prenaient d'assaut les écrans – dans *Hijacking* et *Captain Philips* –, succédant ainsi aux quatre opus de *Pirates des Caraïbes* entre 2003 et 2011, les pirates des Indes orientales repartaient discrètement en mer. Avec 106 attaques recensées, contre 15 en 2009, l'Indonésie est redevenue le pays le plus touché par les abordages (effectifs ou tentés), devant le Nigeria ciblé à 31 reprises, contre 29 en 2009. En Somalie et dans le golfe d'Aden, au contraire, 13 bateaux ont été attaqués contre 197 quatre ans plus tôt [1]. Les courbes se croisent, les zones changent mais le pirate demeure ce « héros » incontournable et insaisissable de la nouvelle scène internationale. Menace en libre-service et à géométrie variable, disponible à tout instant et à tous endroits, la piraterie est souvent mobilisée comme facteur de dramatisation par les médias et les chancelleries. Mais il faut se méfier des images furtives aperçues sur les écrans, et aller voir derrière ce qui ressemble à un théâtre d'ombres. Qui sont ces personnages et ces groupes qui enflamment les imaginaires ? Comment s'organise la lutte contre cette « menace » ?

De l'ennemi mythique aux « nouvelles menaces »

L'image du lion est utile pour évoquer le comportement du pirate : « il ne meurt pas ; il dort » quand les opportunités manquent. Pour différentes raisons, beaucoup guettaient son réveil, prêts à braquer les projecteurs sur ce roi des voleurs des mers.

---

[1]   D'après le rapport du Bureau maritime international pour le premier semestre 2014, 23 incidents ont été rapportés en Indonésie et dans le détroit de Singapour, 4 en Somalie et dans le golfe d'Aden, ainsi que 9 au Nigeria et au Congo (Brazzaville).

En ce qui concerne l'Asie du Sud-Est, l'exotisme orientalisant a pu peser dans l'inconscient collectif occidental [1]. Les écrits sur la piraterie de Conrad, comme *Karain* (1898) ou *Lord Jim* (1900), avant la série télévisée *Sandokan* (1976), inspirée du roman *Les Tigres de Mompracem* (1900), ont depuis longtemps préparé le terrain. Puis, dans les années 1990, la menace écologique a été mise en avant, les experts évoquant en particulier l'hypothèse – au demeurant plausible – d'attaques de navires pétroliers : que se passerait-il si ces derniers venaient à percuter les récifs du détroit de Malacca, tout l'équipage étant ligoté et incapable de piloter le navire ?

Si le phénomène inquiète en Asie, c'est en Afrique orientale que la « menace pirate » a été jugée la plus sérieuse. Bien que le trafic maritime y soit moindre, plusieurs affaires retentissantes ont réveillé la crainte des pirates dans les imaginaires, notamment en France : des Français ont été pris en otages sur leurs bateaux (le *Ponant* et le *Carré d'As* en 2008, le *Tanit* en 2009), l'un d'eux a été tué (dans le cas du *Tanit*) et des troupes françaises ont été engagées sur décision présidentielle. Mais le phénomène ne touche pas que des Français, loin de là : 449 marins ont été pris en otages en 2011 et 250 en 2012 – surtout des Philippins – en Somalie et dans le golfe d'Aden. La Corne de l'Afrique est ainsi devenue le rendez-vous de toutes les plus grandes marines, la force navale européenne (Eunavfor) lançant dans la zone sa première opération navale fin 2008 (mission Atalanta).

Reste que la lumière médiatique n'est pas toujours en phase avec les phénomènes réels. Alors que celle-ci se focalisait sur le bassin somalien, c'est surtout le golfe de Guinée qui attirait l'attention des armateurs – et pas seulement depuis 2013 comme il est souvent écrit. En 2008, par exemple, le Bureau maritime international (BMI) recensait déjà quarante incidents au Nigeria. La piraterie ayant eu tendance à reculer en Afrique de l'Est, c'est aujourd'hui le golfe de Guinée qui attire les regards [2]. À croire qu'il aurait fallu trouver un pirate de substitution au pirate somalien…

Avant de refaire surface dans les médias, le pirate s'était déjà invité, depuis plusieurs années, dans les cénacles diplomatiques et militaires, comme l'illustre la mise en place d'une antenne spécialisée du BMI, installée à Kuala Lumpur, en 1992. Illustrant les *Turbulences* et « The coming anarchy » qui tentaient de restructurer les relations internationales post-guerre froide [3], le

---

1   Denys LOMBARD, « Aux origines du thème du "pirate malais", *in* Denys LOMBARD (dir.), *Rêver l'Asie : exotisme et littérature coloniale aux Indes, en Indochine et en Insulinde,* EHESS, Paris, 1993, p. 154.

2   Édouard PFLIMLIN, « La piraterie maritime en net recul, sauf dans le golfe de Guinée », *Le Monde*, 17 juillet 2013.

3   James N. ROSENAU, *Turbulence in World Politics : A Theory of Change and Continuity,* Princeton University Press, Princeton, 1990 ; Robert KAPLAN, « The coming anarchy », *Atlantic Monthly*, vol. 273, n° 2, février 1994.

« pirate » a permis – avec quelques autres : le « terroriste », le « trafiquant », le « clandestin », etc. – d'offrir un nouveau cap aux gouvernements : un ennemi s'éteint, une menace s'éveille...

En Asie du Sud-Est, pour accréditer cette doctrine des « nouvelles menaces », et appuyer la « guerre contre le terrorisme » après 2001, des experts abondamment cités par des officines diplomatiques ont construit l'idée d'une collusion pirate-terroriste [1]. Fort de cette psychose, les Américains ont proposé leurs services aux pays riverains du détroit de Malacca, dès 2004, pour patrouiller dans les eaux d'Insulinde ou, à défaut, pour coopérer. Sous prétexte de lutte contre la piraterie et de terrorisme maritime, les États-Unis se positionnent aujourd'hui non seulement dans le détroit de Malacca mais aussi dans celui de Makassar, future autoroute maritime, par le biais, entre autres, de l'International Criminal Investigative Training Assistance Program (Icitap).

Dans la Corne de l'Afrique, les Européens, sans doute soucieux de faire état de leurs capacités militaires, ont fait des pirates somaliens une cible de choix. Alors que la piraterie dans cette zone ne représentait, comme l'expliquait l'amiral Laurent Mérer, qu'« un caillou dans une chaussure [2] », gênant certes, mais pas fatal, les prétextes d'intervention ne manquèrent pas : il s'agissait de protéger le commerce mondial, était-il d'abord annoncé, dès 2007, et surtout les convois du Programme alimentaire mondial (PAM). Mais, sur la façade occidentale de l'Afrique, la redécouverte tardive de la « menace pirate » ne tomberait-elle pas à propos pour permettre, en parallèle, la protection des nouveaux flux d'hydrocarbures issus du golfe de Guinée ? Elle s'inscrit en tout cas dans le sillage des dispositifs de sécurisation et de défense mis en place dans la région, à l'instar du partenariat initié en 2007 par les forces navales américaines avec les pays africains de la zone (Africa Partnership Station) et du Commandement des États-Unis pour l'Afrique (Africom) mis sur pied en 2008. La France, pour sa part, maintient son opération (permanente) « Corymbe », lancée dans la région dès 1990, et a envoyé sa mission « Jeanne d'Arc » sur les côtes ouest-africaines au printemps 2014. À ces intérêts géostratégiques, qui expliquent en partie, indirectement, ce retour de la piraterie sur le devant de la scène, pourraient s'ajouter ceux des industriels qui ont trouvé dans ce phénomène un juteux marché pour vendre leurs produits de défense.

---

1   Michael RICHARDSON, *A Time Bomb for Global Trade : Maritime-Related Terrorism in an Age of Weapons of Mass Destruction*, ISEAS, Singapour, 2004.
2   Voir Laurent MÉRER, *Moi, Osmane, pirate somalien*, Éditions du Rocher, Paris, 2012.

Réalités contrastées de la « piraterie »

La marque « pirate » est séduisante, utile mais trompeuse. La piraterie Potemkine donne l'illusion d'une « Internationale pirate », ou d'une « nébuleuse » qui, pourtant, n'existe pas. Aux différences par région s'ajoutent des différences au sein même des communautés concernées, entre le chef de gang, l'agent corrompu et l'homme de main désœuvré. La définition façon « poupées russes » du phénomène témoigne de cette complexité : à la « piraterie » qui, selon la convention de Montego Bay (1982), n'existe qu'en haute mer (article 101), l'Organisation maritime internationale (OMI) a ajouté le « banditisme maritime » (dans les eaux territoriales). Aux divers modes opératoires correspondent des motivations et racines multiples.

En Asie du Sud-Est, celui que l'on promettait à une carrière de « terroriste » n'est en réalité qu'un « pirate des champs » n'osant s'attaquer qu'aux bateaux lents, à quai ou au mouillage. Agissant avec opportunisme, il tire profit de ses compétences maritimes et de sa localisation pour aborder les bateaux qui passent ou stationnent à quelques encablures de sa cabane sur pilotis. C'est le cas dans le repaire de Belakang Padang, île indonésienne au point le plus resserré du détroit de Malacca. Une fois enrichis, fatigués ou effrayés par les patrouilles, ces voyous des mangroves cessent leurs méfaits. Le « pirate des villes » – par exemple dans la zone franche de Batam en Indonésie – est quelque peu différent. Descendu de ses montagnes dans l'espoir d'un emploi en usines, il doit souvent se contenter des marchés poussiéreux de Jodoh et des bidonvilles de Tanjung Uma. À la première occasion, il accepte de répondre aux appels de parrains informés, depuis Singapour, de possibles détournements. Il faut en effet distinguer les petits criminels, ruraux ou urbains, des chefs de gang. Certains, comme le potentat local de Belakang Padang surnommé « Bulldog », ont repris leurs activités ces dernières années. Jamais rassasiés, ceux-là vivent la piraterie comme un business rentable et profitent des désillusions des oubliés du miracle asiatique.

Dans la Corne de l'Afrique, la problématique de l'État failli a longtemps accompagné le regain d'activité de la piraterie. Si cette situation explique la pérennité du phénomène, l'étincelle est sans doute à trouver dans le pillage des ressources halieutiques, voire dans la pollution des approches maritimes, notamment par le biais de déchets toxiques jetés à la mer – et que le tsunami de 2004 aurait rejetés sur les plages. Les débats sont en cours mais, de la même manière que certains pêcheurs de Belakang Padang ont pu se plaindre du manque de poissons suite au pillage du sable indonésien par Singapour, entre autres, des Somaliens ont pu se sentir légitimes dans la défense de leurs eaux territoriales. D'autres, en revanche, ont pu ne voir dans la piraterie qu'une niche criminelle prometteuse : sitôt les patrouilles mises en place en 2009-2011, ils se sont recyclés dans d'autres activités crapuleuses.

Quant aux liens supposés avec les milices shebabs, théorie très en vogue chez certains experts, ils restent à être démontrés.

Le pirate du golfe de Guinée demeure le plus méconnu. Marc-Antoine Pérouse de Montclos a proposé une analyse novatrice en réfutant l'hypothèse de la pauvreté ou de l'État failli. Plus qu'une progression de la piraterie, il perçoit une modernisation des activités illégales, animées par de multiples gangs, sociétés secrètes ou trafiquants d'armes, associés aux mouvements insurrectionnels locaux, en particulier le Mouvement pour l'émancipation du delta du Niger (MEND). « Les organisations criminelles ont étendu et politisé leur capacité de nuisance » en menant des attaques jusqu'en haute mer, explique le chercheur, et « la criminalisation de l'opposition politique a [...] conduit à "moderniser" ou "sophistiquer" la piraterie d'antan ».

Les images qui nourrissent les médias et les théories véhiculées par les administrations peinent donc à rendre compte des réalités contrastées des phénomènes de « piraterie ». À cela s'ajoute le problème des statistiques du BMI, qualifié de « juge et partie » par un ancien membre de cabinet ministériel français. En Asie comme en Afrique, les petits pêcheurs, voire des armateurs pressés, ne rapportent pas toutes les attaques dont ils sont témoins, et parfois victimes. Cette vue erronée de la violence en mer, pour des motifs sociaux ou diplomatiques, nuit mécaniquement à la résorption du phénomène.

Des réponses inadaptées

Sur le mode de la guérilla navale, le pirate se terre, surgit, disparaît. Il opère à la frontière des États riverains, des genres criminels, des ordres internationaux établis et des types d'opérations : policières ou militaires. Héritiers de la vision du pirate comme « ennemi du genre humain », les États occidentaux ont encouragé des réponses souvent inadaptées, soit de façon unilatérale comme dans le détroit de Malacca en 2004, soit par le biais de résolutions du Conseil de sécurité des Nations unies en Afrique de l'Est puis de l'Ouest en 2008-2012. De leurs côtés, les organisations régionales – Association des nations d'Asie du Sud-Est (ASEAN), voire Union africaine (UA) – ont brillé par leur absence.

Dans chaque zone, des opérations ont été lancées, dès 2004, mais sans les succès escomptés. En Asie du Sud-Est, la réussite est plus apparente que réelle : les patrouilles aériennes – baptisées « *Eyes in the Sky* » – sont inexistantes ou inutiles car diurnes ; en mer, les patrouilles sont coordonnées, chacun ne dépassant pas ses propres eaux territoriales, et non conjointes, main dans la main et transfrontalières, donc plus adaptées pour les poursuites ; à terre, où les mesures sont les plus attendues, la zone franche Batam-Bintan-Karimun (2009), héritière du triangle de croissance SiJoRi (Singapour-Johor-Riau), peine à se développer. Quant à la coopération régionale *ad hoc*, elle souffre de l'absence de l'Indonésie et de la Malaisie [1]. Forts du succès de façade en Asie du Sud-Est [2], les Africains ont tenté de suivre ces démarches, à travers le Code de conduite de Djibouti (2009) à l'est et avec la récente mise en place du Centre régional de la sécurité maritime de l'Afrique centrale (Cresmac) à l'ouest, inauguré par le ministre français de la Défense Jean-Yves Le Drian en février 2014 [3]. Mais des témoignages ont rapporté que les inimitiés régionales, notamment en Afrique centrale, contrecarrent les projets de coopération approfondie.

De façon générale, ces mesures ne valent finalement que par la psychose qu'elles créent chez les criminels et délinquants des mers. Mais, sur le terrain, les pirates restent les maîtres du jeu ; ils traversent les frontières comme aucun patrouilleur ne peut le faire [4]. Aussi les États et les organismes internationaux cherchent-ils depuis quelque temps à coordonner davantage leurs efforts et à adopter une approche globale. Tel est le schéma retenu dans le cadre de l'Information Fusion Centre (IFC), à Singapour, qui rassemble des officiers de liaison de différents pays, dont la Malaisie et l'Indonésie. Cette structure, qui semble assez opérationnelle, devrait inspirer de semblables initiatives en océan Indien. De son côté, le comité pour la sécurité maritime de l'OMI encourage les États ouest-africains à adopter le modèle français de l'Action de l'État en mer (AEM) qui permet de coordonner les opérations de police et d'associer tous les moyens maritimes et navals à disposition. On touche ici à la spécificité de la piraterie, symbole de l'évolution des relations internationales post-guerre froide et du glissement de la sphère militaire vers l'action policière. Enfin, l'Union européenne prône une approche globale et apporte son concours aux États concernés par le biais de multiples programmes. En plus de l'opération Atalanta en mer, Bruxelles agit en amont, avec la formation des forces de l'ordre locales [5], et en aval, auprès des juridictions et administrations pénitentiaires régionales.

Mais les outils strictement militaires, mal adaptés à la traque en mer, et juridiques, arc-boutés sur la protection des frontières, montrent leurs limites. Lors des procès des premiers pirates arrêtés, les avocats n'ont pas eu de mal à soulever les lacunes du droit. Car les phénomènes hybrides et variés que recouvre la notion de piraterie appellent de nouvelles approches. Il est

---

1   Cette coopération s'organise autour du *Regional Cooperation Agreement on Combating Piracy and Armed Robbery against Ships in Asia* (ReCAAP), signé en 2006 sous l'impulsion du Japon.
2   En réalité uniquement dans la partie nord du détroit de Malacca.
3   Les armateurs espéraient que la Communauté économique des États de l'Afrique de l'Ouest (Cedeao) suive le mouvement pour faire de même en Afrique occidentale.
4   Voir notamment les dispositions restrictives en matière de poursuite dans la Convention des Nations unies sur le droit de la mer (article 111).
5   À travers la Mission européenne de renforcement des capacités maritimes dans la Corne de l'Afrique et l'océan Indien (EU CAP NESTOR).

temps d'opérer à la source, avec l'aide d'ONG. Si le but lié à la sécurité humaine est de mettre les populations à l'abri de la peur (du pirate), il doit être aussi de mettre le potentiel pirate à l'abri du besoin (on peut noter, en cette matière, les efforts enclenchés par le BMI pour implanter des pêcheries en Somalie). Phénomène « postmoderne » qui remet en cause les catégories traditionnelles de l'analyse géopolitique, la piraterie n'est-elle pas, en fin de compte, une invitation à aller voir sur place la réalité sociale des populations prises dans les rets de la mondialisation ?

Pour en savoir plus

Louis BORER et Édouard PFILMIN, « Piraterie maritime au large de l'Afrique, solutions et nouvelles tendances », *Revue Défense nationale*, n° 768, mars 2014.

COLLECTIF, *Frères de la côte. Mémoire en défense des pirates somaliens, traqués par toutes les puissances du monde*, L'insomniaque, Montreuil, 2013.

Éric FRECON, *Chez les pirates d'Indonésie*, Fayard, Paris, 2011.

Laurent MÉRER, *Moi, Osmane, pirate somalien*, Éditions du Rocher, Paris, 2012.

Marc-Antoine PÉROUSE DE MONTCLOS, « La piraterie maritime au Nigeria : un phénomène ancien en voie de modernisation », *Diplomatie*, n° 56, Paris, mai-juin 2012.

Droit international et criminalisation de l'adversaire. Le cas des interventions militaires au Mali et en Centrafrique

Géraud de La Pradelle
Professeur émérite de l'université Paris Ouest-Nanterre-La Défense

Depuis quelques années, des atrocités commises à une échelle exceptionnelle se multiplient dans le monde, en particulier dans des régions d'Afrique et du Moyen-Orient. Mais les grandes puissances mettent rarement en avant leurs propres intérêts quand elles décident d'y intervenir militairement. Lorsqu'il s'est agi de justifier les interventions au Mali, le 11 janvier 2013, puis en Centrafrique, le 5 décembre 2013, les arguments avancés par les officiels français n'étaient ni d'ordre économique, ni de nature géostratégique : le devoir de protéger des populations victimes de crimes commandait d'agir, expliquaient-ils.

L'essence de leur discours est très classique. Jadis, en effet, une guerre était donnée pour « juste » au regard de normes morales. D'abord définies par d'illustres théologiens tels que Thomas d'Aquin ou Francisco de Vitoria, ces normes furent plus tard laïcisées – ce dont témoigne l'œuvre de Michael Walzer, ancien membre du corps expéditionnaire américain au Vietnam. Les explications actuelles sont de même nature – à ceci près que les gouvernants invoquent le droit international pour affirmer que leurs guerres sont justes. C'est ainsi que l'antienne de la légitimation de l'emploi des armes par les crimes de l'adversaire est devenue familière. Même les régimes les moins présentables utilisent aujourd'hui ce type d'argument : au printemps 2011, les autorités syriennes expliquaient l'ouverture du feu sur des manifestants pacifiques par leur caractère « terroriste »… Les mouvements insurgés y recourent également en évoquant les crimes du pouvoir – et, le cas échéant, ceux d'organisations concurrentes. On le retrouve, enfin, parmi d'autres thèmes, dans nombre de résolutions du Conseil de sécurité de l'ONU.

Le succès médiatique de cet argumentaire incite à vérifier la pertinence des dimensions juridiques plaquées sur un discours visant à convaincre l'opinion de l'opportunité d'opérations militaires. Dans cet article, nous étudierons les trois niveaux, distincts mais complémentaires, où la référence au droit international est convoquée.

Décision d'employer la force

Si le langage courant persiste à évoquer la « guerre », ce terme et, surtout, les notions sous-jacentes sont aujourd'hui désuets dans le discours juridique. Jadis, tout affrontement armé d'une certaine ampleur entre États – mais seulement entre États – était qualifié de « guerre » : tel était le cas, notamment, dans la convention IV de La Haye du 18 octobre 1907. Mais, sauf en matière de « crimes de guerre », ce mot disparaît pratiquement des instruments juridiques à partir de la seconde moitié du xxᵉ siècle. À sa place, la Charte de l'ONU, de juin 1945, mentionne l'« emploi de la force », « de la force armée » ou, encore, la « rupture de la paix ». Enfin, les dispositions humanitaires ou répressives usent du terme de « conflit armé ».

Ce changement de vocabulaire correspond à un élargissement des notions sous-jacentes. Aujourd'hui, face aux États, d'autres entités accèdent à la qualité de « parties à des conflits armés » : des peuples exerçant leur droit à l'autodétermination et même, plus largement, des groupes armés organisés. La promotion de ces nouveaux acteurs implique une autre évolution : des « conflits armés non internationaux » – qu'il faut évidemment distinguer de simples troubles internes – relèvent désormais de certaines dispositions du droit international.

Bien que l'usage de la force armée soit en principe interdit par la Charte des Nations unies, le droit international consacre un certain nombre d'exceptions au principe – donnant lieu à autant de « guerres justes ». D'abord, la Charte permet aux États de recourir à la force pour se défendre contre une « agression » (art. 1). Il en va de même, à la demande ou sur l'autorisation du Conseil de sécurité fondée sur les dispositions du chapitre VII, « en cas de menace contre la paix, de rupture de la paix et d'acte d'agression ». Enfin, le recours à la force est également admis lorsqu'il est sollicité par un gouvernement étranger.

C'est ainsi que le Conseil de sécurité a autorisé l'« intervention » de l'armée française au Mali [1], puis « toutes mesures nécessaires » en Centrafrique [2] – après avoir relevé l'appel à la France des gouvernements concernés. Par conséquent, ces interventions ont, chacune, la double justification d'une demande formulée par les autorités maliennes et centrafricaines, ainsi que de l'autorisation du Conseil de sécurité. Il est toutefois permis d'exprimer une réserve à cette justification. En effet, dans l'exercice de son droit à l'autodétermination consacré par la Charte [3], tout « peuple » est fondé à combattre [4]. Or, au Nord-Mali, certains insurgés revendiquent ce que le Conseil de sécurité qualifie de « prétendue "indépendance" » à laquelle il oppose un « rejet catégorique [5] ». N'est-ce pas faire bon marché du droit des peuples ? D'ailleurs, les résolutions successives distinguent expressément les « groupes rebelles » des « groupes terroristes » qui opèrent également dans la région [6]. Cependant, pour qu'une « guerre » soit tout à fait conforme au droit – donc parfaitement « juste » –, il ne suffit pas que le recours à la force ait été légal dans son principe ; il faut aussi que les opérations subséquentes soient conduites correctement. Alors que le gouvernement français n'en dit mot, le Conseil de sécurité, lui, s'en inquiète.

---

1   Rés. 2100(2013) du 25 avril 2013, § 18 et Préambule, al. 5.
2   Rés. 2127(3013) du 5 décembre 2013, § 50 ; la rés. 2149(2014) du 10 avril 2014 instaure une force internationale de 10 000 hommes pour le 15 septembre 2014.
3   Art. 1, § 2 ; ad. protocole I de 1977, art. 1, § 4.
4   Assemblée générale des Nations unies, rés. 2625(XXV) du 24 octobre 1970.
5   Rés. 2056(2012) du 5 juillet 2012, Préambule, al. 9.
6   Voir notamment rés. 2056(2012), § 20 ; 2100(2013), § 4.

Conduite des opérations

Nombre de dispositions qui encadrent l'emploi effectif de la force armée relèvent du droit coutumier. En d'autres termes, elles obligent les États qui n'auraient pas formellement adhéré aux conventions pertinentes.

Ainsi, les « lois et coutumes de la guerre sur terre » interdisent un certain nombre de mesures, notamment celles qui seraient disproportionnées ou viseraient indistinctement des objectifs civils. Par ailleurs, des instruments particuliers interdisent l'emploi de certains armements (par exemple les armes chimiques et bactériologiques). Enfin, les conventions de Genève protègent les individus tombés aux mains de l'ennemi [1]. Par conséquent, une « guerre » n'est parfaitement « juste » qu'à la condition de se conformer à deux sortes de dispositions : celles qui limitent le recours à la force armée et celles qui régissent la conduite des opérations.

Mais ces deux niveaux d'exigence sont indépendants : une « guerre juste » dans son principe peut comporter des opérations illégales, tandis qu'un recours illégal à la force peut se traduire par des opérations militaires conduites correctement.

Dans ces conditions, la référence au droit dans le discours officiel et médiatique concernant l'Afrique francophone n'est que partiellement pertinente. Elle est exacte en ce qui concerne, par exemple, le fondement des interventions au Mali et en Centrafrique sollicitées par les gouvernements étrangers et autorisées par le Conseil de sécurité – ceci sous réserve, au Mali, d'une atteinte possible au droit des peuples à disposer d'eux-mêmes. Quant à la conduite des hostilités dans ces deux pays, le discours est équivoque. Le degré de conformité des opérations aux « lois et coutumes de la guerre » n'est pas évoqué par le gouvernement – ni, d'ailleurs, par la presse. Cependant, le Conseil de sécurité « demande [...] à toutes les forces militaires présentes au Mali [...] de se conformer aux dispositions du droit international humanitaire, du droit international des droits de l'homme et du droit des réfugiés [2] » – ce qui donne à penser que ces dispositions pourraient n'être pas toujours scrupuleusement respectées.

Il reste que le Conseil, le gouvernement et la presse n'ont cessé de dénoncer les exactions commises par les divers mouvements que les interventions extérieures ont pour objet de combattre.

« Criminalisation de l'adversaire »

Le Conseil de sécurité avance divers arguments pour justifier ses décisions autorisant les interventions militaires. Les uns, purement

---

1   Voir les quatre conventions de Genève du 12 août 1949 concernant les blessés, les prisonniers et les populations civiles et leurs deux protocoles additionnels du 10 juin 1977.
2   Rés. 2100(2013), § 24 et, pour la Centrafrique, rés. 2127(2013) § 33 et 2149(2014), § 42.

politiques, évoquent la nécessité de préserver, fût-ce au mépris du droit des peuples, la « souveraineté », l'« unité » et l'« intégrité territoriale du Mali [1] » et la « souveraineté », l'« indépendance », l'« intégrité territoriale » et l'« unité de la République centrafricaine [2] ». On laissera cet aspect des choses de côté pour examiner seulement les arguments relevant du droit criminel. À cet égard, le Conseil de sécurité ne se contente pas de dénoncer le « terrorisme ». Il invoque expressément les dispositions répressives du droit international humanitaire en insistant sur la saisine de la Cour pénale internationale (CPI) à laquelle ont adhéré les deux États concernés.

Déjà, sa résolution 2056(2012) appelait « toutes les parties présentes dans le nord du Mali à mettre un terme à toutes violations des droits de l'homme et du droit international humanitaire » et condamnait, « en particulier, les attaques ciblées contre la population civile, les violences sexuelles, le recrutement et l'utilisation des enfants soldats et les déplacements forcés... » (§ 13). Plus précise encore, la résolution suivante imputait à « des rebelles armés, des groupes terroristes et d'autres groupes extrémistes, notamment les violences contre les civils, en particulier les femmes et les enfants, les assassinats, prises d'otages, pillages, vols, destructions de sites culturels et religieux et le recrutement d'enfants soldats, soulignant que leurs auteurs doivent en répondre », les « autorités de transition maliennes » ayant d'ailleurs saisi la Cour pénale internationale [3]. Les résolutions concernant la Centrafrique portent des dispositions équivalentes [4].

La portée politique de ces développements est indéniable. Les horreurs infligées à la population civile et la nécessité des sanctions pénales sont, à l'évidence, propres à convaincre l'opinion mondiale du bien-fondé de l'intervention militaire. De plus, le jugement des auteurs de crimes internationaux peut avoir des effets préventifs dans la mesure où le spectacle judiciaire a valeur d'avertissement. Encore faut-il que ce jugement ait lieu, qu'il ne tarde pas trop et que le « gibier » des tribunaux ne soit pas exclusivement subalterne. Il n'est pas certain que ces conditions puissent être facilement remplies.

Il reste que les non-initiés ont du mal à saisir l'exacte signification des considérations pénales figurant dans les résolutions. Surtout, une fois le jargon technique décrypté, la portée réelle de ces considérations est plus que décevante. Le Conseil de sécurité se garde bien, par exemple, de qualifier lui-même les atrocités commises au détriment de la population : il renvoie cette

---

1   Al. 2 du préambule des rés. 2056(2012), 2071(2012) du 12 octobre 2012, 2085(2012) du 20 décembre 2012 et 2100(2013).
2   Al. 2 du préambule des rés. 2121(2013) du 10 octobre 2013, 2127(2013), 2134(2014) du 28 janvier 2014 et 2149(2014).
3   Rés. 2071(2012) du 12 octobre 2012, préambule, al. 14.
4   Rés. 2121(2013) ; 2127(2013), 2134(2014) et 2149(2014).

tâche aux juges en affirmant que « tous les auteurs de tels actes doivent en répondre et que certains de ces actes pourraient constituer des crimes au regard du statut de Rome de la Cour pénale internationale [1] ».

Cependant, une équivoque fondamentale entache la référence ainsi faite à la fonction juridictionnelle. C'est que les exactions relevées par le Conseil de sécurité sont imputables à diverses « parties » aux conflits armés, qui sont des collectivités, « groupes » ou « mouvements » combattus par les forces d'intervention dont elles constituent à proprement parler l'« adversaire ». Or, dans la mesure où les comportements de ces groupes peuvent donner lieu à des poursuites, celles-ci ne les concernent pas en tant que tels. Seules, en effet, des personnes physiques sont passibles de répondre de crimes internationaux – même de ceux dont la définition comporte une dimension collective, tels que les « crimes contre l'humanité » définis dans le statut de la Cour pénale comme « des actes [...] commis dans le cadre d'une attaque généralisée ou systématique lancée contre une population civile » (art. 7). Dans ces conditions, en droit strict, ici, l'adversaire proprement dit ne saurait être « criminel ».

Surtout, et toujours en droit strict, les crimes commis ne suffisent pas à fonder le recours à la force – donc à justifier la guerre. Plus précisément, pour fonder en droit l'intervention armée d'un État sur le territoire d'un autre État, l'aval du Conseil de sécurité est nécessaire. En d'autres termes, il faut que le Conseil, agissant en vertu du chapitre VII de la Charte, ait, d'une part, constaté que ces crimes constituent « une menace contre la paix » et, d'autre part, autorisé le recours à la force afin de conjurer cette menace. Cette exigence résulte, notamment, des dispositions adoptées en matière de « responsabilité de protéger » les populations civiles « du génocide, des crimes de guerre, du nettoyage ethnique et des crimes contre l'humanité [2] » : ladite « responsabilité » incombe au premier chef à l'État dont la population est menacée ; elle ne saurait passer à la communauté internationale – donc à un autre État – que « par l'entremise du Conseil de sécurité [3] ». C'est ainsi que les résolutions pertinentes concernant le Mali et la Centrafrique – tout en se référant expressément à la « responsabilité de protéger » – ont été adoptées en vertu du chapitre VII.

Finalement, on voit comment les considérations politiques peuvent prévaloir, en toute légalité, sur les grands principes. Les obscurités du jargon juridique dissimulent opportunément cette particularité du droit international humanitaire. Il s'agit, de toute manière, de la « branche la moins respectée et, par conséquent, aussi la plus théorique, sinon la plus utopique

---

1   Rés. 2127 (2013), préambule, al. 8 ; v. *idem*, p. ex., rés. 2134 (2014), § 21.
2   Document final du Sommet mondial de 2005, § 138 et 139.
3   *Ibid.*

du droit international et même du droit tout court [1] ». Dans ces conditions, il est permis de penser que la « criminalisation » spectaculaire de l'« adversaire » est une piètre justification de la « guerre ».

Pour en savoir plus

Nils ANDERSSON et Daniel LAGOT (dir.), *Responsabilité de protéger et guerres « humanitaires »*, L'Harmattan, Paris, 2012.

Mario BETTATI, *Le Droit d'ingérence. Mutation de l'ordre international*, Odile Jacob, Paris, 1996.

Éric DAVID, *Éléments de droit pénal international et européen*, Bruylant, Bruxelles 2009 ; et *Principes de droit des conflits armés*, Bruylant, Bruxelles, 2012 (5ᵉ éd.).

Marc TREVIDIC, *Terroristes*, JC Lattès, Paris, 2013.

Michael WALZER, *Guerres justes et injustes*, Gallimard, coll. « Folio », Paris, 2006.

Quelle place pour les organisations humanitaires en situation de conflit ?

Fabrice Weissman
Directeur du Centre de réflexion sur l'action et les savoirs humanitaires abrité par la Fondation Médecins sans frontières

Depuis une trentaine d'années, les acteurs humanitaires déplorent une incapacité croissante à porter secours aux victimes des conflits armés, notamment du fait de l'insécurité. Ce discours s'est radicalisé au cours des années 2000, en particulier après les attentats meurtriers contre le siège des Nations unies et celui du Comité international de la Croix-Rouge à Bagdad en 2003, jugés emblématiques d'une augmentation sans précédent des attaques délibérées à l'encontre des travailleurs humanitaires.

---

1   Éric DAVID, *Principes de droit des conflits armés*, Bruylant, Bruxelles, 2012 (5ᵉ éd.), p. 695.

Avec la fin de la guerre froide, les conflits seraient devenus plus violents, explique la majorité des organismes d'aide, très influencés par le discours sur les « nouvelles guerres » popularisé par Mary Kaldor et Paul Collier dans les années 1990. Surtout, les acteurs de l'aide seraient désormais victimes de la « militarisation » et de la « politisation » de l'action humanitaire, en particulier depuis le 11 septembre 2001 et l'intervention des États-Unis et de leurs alliés en Afghanistan et en Irak. L'usage d'arguments humanitaires pour justifier des opérations militaires, l'engagement des forces internationales dans des programmes d'assistance aux civils, de même que l'assujettissement des activités humanitaires de l'ONU aux priorités des opérations de maintien de la paix auraient brouillé la ligne de partage entre action politique, militaire et humanitaire. Jetant un doute sur la neutralité et l'indépendance des organismes d'aide, cette confusion expliquerait que les travailleurs humanitaires soient délibérément ciblés par les groupes armés combattant les forces internationales. Le principal défi des organisations humanitaires serait d'éviter toute forme d'instrumentalisation politique afin d'être perçues comme réellement neutres et indépendantes par tous les belligérants.

Croissance des budgets et des effectifs

Ce discours pessimiste est partiellement démenti par l'accroissement considérable des moyens mis à disposition des organisations humanitaires et par l'augmentation globale du nombre de personnes secourues. Selon l'organisation Development Initiatives, 17,9 milliards de dollars ont été collectés dans le monde en 2012 au profit des opérations humanitaires des agences des Nations unies, des organisations non gouvernementales (ONG) et du mouvement de la Croix-Rouge. L'essentiel des fonds a été consacré au financement de distributions alimentaires, de secours matériels et de services de base (santé, abris, eau et assainissement, etc.) destinés aux victimes des conflits armés.

En valeur constante, l'aide d'urgence des gouvernements occidentaux (États-Unis et Union européenne en tête) a en effet quintuplé depuis la fin de la guerre froide [1]. Passée de moins de 3 % à plus de 10 % de l'aide publique au développement, elle dépasse désormais les 11 milliards de dollars par an. En 2012, 1,4 milliard de dollars ont également été mobilisés par les États du Golfe, la Turquie et les pays émergents, dont la contribution au financement

---

[1]   Les données sur les moyens financiers et humains des acteurs de l'aide proviennent du programme Global Humanitarian Assistance Report abrité par Development Initiatives (<www.globalhumanitarianassistance.org>), d'OCHA (<www.unocha.org/what-we-do/policy/overview>), du réseau ALNAP (<www.alnap.org>), ainsi que des rapports annuels des organisations humanitaires.

Zones de guerre

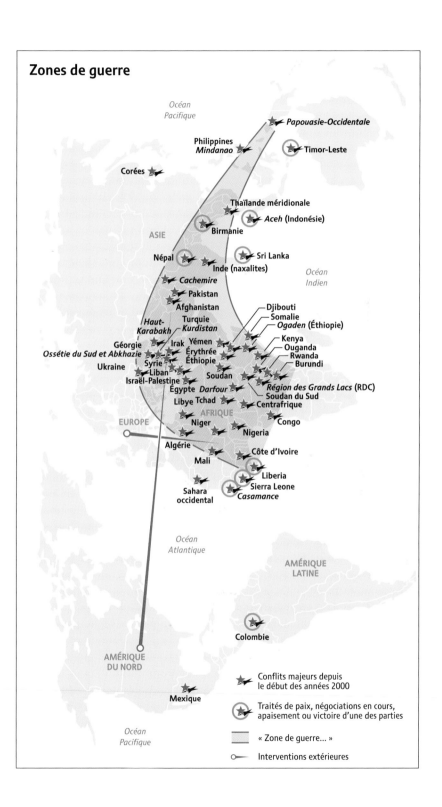

Océan Pacifique

★ Papouasie-Occidentale

Philippines
Mindanao

Ⓧ Timor-Leste

Corées ★

Thaïlande méridionale

Ⓧ *Aceh* (Indonésie)

ASIE

Birmanie

Népal

Ⓧ Sri Lanka

Inde (naxalites)

Océan Indien

Cachemire

Pakistan

Afghanistan

Turquie
Haut-   *Kurdistan*
Karabakh

Djibouti
Somalie
Ogaden (Éthiopie)

Géorgie   Irak   Yémen
Ossétie du Sud et Abkhazie   Érythrée
Syrie   Éthiopie
Ukraine
Liban
Israël-Palestine

Kenya
Ouganda
Rwanda
Burundi

Égypte   *Darfour*
Libye Tchad

Soudan

Région des Grands Lacs (RDC)
Soudan du Sud
Centrafrique

AFRIQUE

Niger
Congo

Nigeria

EUROPE

Algérie

Côte d'Ivoire

Mali

Liberia

Sierra Leone

Sahara occidental

Casamance

Océan Atlantique

AMÉRIQUE LATINE

Ⓧ Colombie

AMÉRIQUE DU NORD

★ Mexique

★ Conflits majeurs depuis le début des années 2000

Ⓧ Traités de paix, négociations en cours, apaisement ou victoire d'une des parties

« Zone de guerre... »

○— Interventions extérieures

Océan Pacifique

L'arc des réfugiés

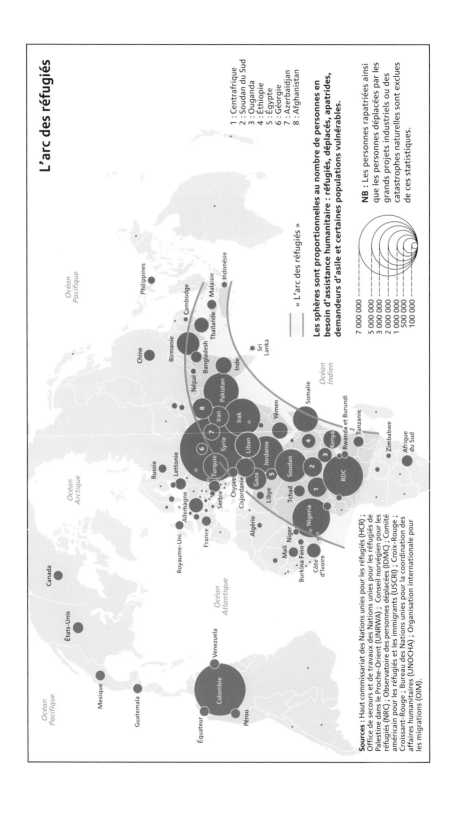

1 : Centrafrique
2 : Soudan du Sud
3 : Ouganda
4 : Éthiopie
5 : Égypte
6 : Géorgie
7 : Azerbaïdjan
8 : Afghanistan

« L'arc des réfugiés »

Les sphères sont proportionnelles au nombre de personnes en besoin d'assistance humanitaire : réfugiés, déplacés, apatrides, demandeurs d'asile et certaines populations vulnérables.

7 000 000
5 000 000
3 000 000
2 000 000
1 000 000
500 000
100 000

NB : Les personnes rapatriées ainsi que les personnes déplacées par les grands projets industriels ou des catastrophes naturelles sont exclues de ces statistiques.

Océan Pacifique

Océan Pacifique

Océan Arctique

Océan Atlantique

Océan Indien

Canada
États-Unis
Mexique
Guatemala
Venezuela
Colombie
Équateur
Pérou

Royaume-Uni
France
Allemagne
Serbie
Russie
Lettonie
Turquie
Chypre
Cisjordanie
Gaza
Syrie
Liban
Jordanie
Irak
Iran
Pakistan
Inde
Népal
Bangladesh
Sri Lanka
Birmanie
Chine
Cambodge
Thaïlande
Malaisie
Indonésie
Philippines
Algérie
Libye
Tchad
Niger
Mali
Burkina Faso
Côte d'Ivoire
Nigeria
Soudan
Yémen
Somalie
Kenya
RDC
Rwanda et Burundi
Tanzanie
Zimbabwe
Afrique du Sud

Sources : Haut commissariat des Nations unies pour les réfugiés (HCR) ; Office de secours et de travaux des Nations unies pour les réfugiés de Palestine dans le Proche-Orient (UNRWA) ; Conseil norvégien pour les réfugiés (NRC) ; Observatoire des personnes déplacées (IDMC) ; Comité américain pour les réfugiés et les immigrants (USCR) ; Croix-Rouge ; Croissant-Rouge ; Bureau des Nations unies pour la coordination des affaires humanitaires (UNOCHA) ; Organisation internationale pour les migrations (OIM).

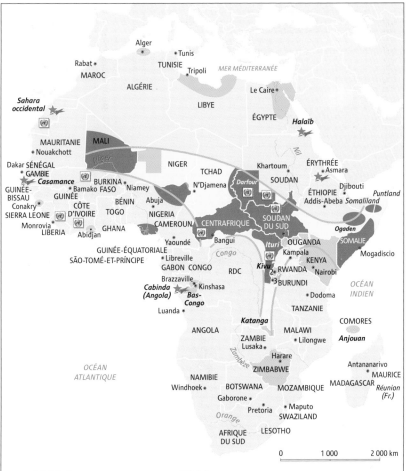

L'Afrique en guerre en 2014

- Conflits armés ouverts entre groupes rebelles ou entre forces gouvernementales et groupes rebelles

- Violences politiques ou électorales, affrontements sporadiques

- Conflits anciens gelés

- Territoires déstabilisés ou déliquescents, souvent hors de contrôle du pouvoir central, dans lesquels peuvent s'épanouir les trafics d'armes, de métaux précieux, de drogue et d'êtres humains

- Opérations de maintien de la paix des Nations unies au 30 juin 2014

1 : Juba - 2 : Kigali - 3 : Bujumbura

Sources : Humanitarian Information Unit, US Department of State ; Christian Bouquet,« Guerres et conflits en Afrique : la décomposition des pouvoirs et des territoires », actes du Festival international de géographie de Saint-Dié, octobre 2008 ; *The Military Balance 2014*, The International Institute for Strategic Studies (IISS) ; Human Right Watch (HRW), Londres ; SIPRI, Stockholm ; Archives du New York Times (New York); Reuters et Associated Press ; Nations unies ; International Crisis Group (ICG), Londres.

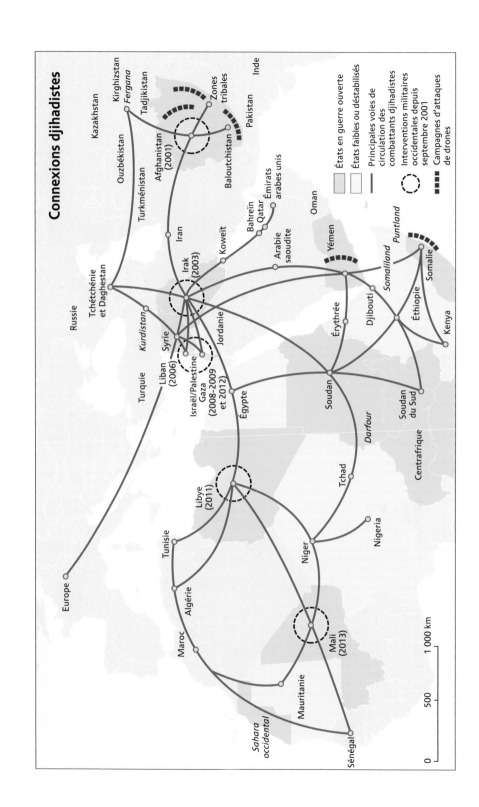

Connexions djihadistes

Europe · Maroc · Algérie · Tunisie · Sénégal · Mauritanie · Sahara occidental · Mali (2013) · Niger · Nigeria · Tchad · Libye (2011) · Centrafrique · Égypte · Soudan · Darfour · Soudan du Sud · Éthiopie · Kenya · Somalie · Somaliland · Puntland · Djibouti · Érythrée · Yémen · Oman · Arabie saoudite · Émirats arabes unis · Qatar · Bahreïn · Koweït · Jordanie · Israël/Palestine Gaza (2008-2009 et 2012) · Liban (2006) · Syrie · Kurdistan · Turquie · Irak (2003) · Iran · Tchétchénie et Daghestan · Russie · Turkménistan · Ouzbékistan · Afghanistan (2001) · Tadjikistan · Kirghizstan · Fergana · Kazakhstan · Zones tribales · Pakistan · Baloutchistan · Inde

États en guerre ouverte
États faibles ou déstabilisés
Principales voies de circulation des combattants djihadistes
Interventions militaires occidentales depuis septembre 2001
Campagnes d'attaques de drones

0 500 1 000 km

Proche-Orient : de la fin de l'Empire ottoman à la fin des nations ?

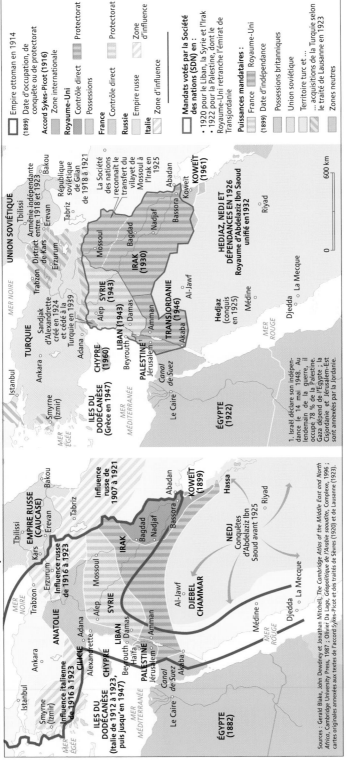

Empire ottoman en 1914

(1899) Date d'occupation, de conquête ou de protectorat

Accord Sykes-Picot (1916)
Zone internationale

Royaume-Uni
Contrôle direct   Protectorat
Possessions

France
Contrôle direct   Protectorat
Zone d'influence

Russie
Empire russe
Zone d'influence

Italie
Zone d'influence

Mandats votés par la Société des nations (SDN) en :
• 1920 pour le Liban, la Syrie et l'Irak
• 1922 pour la Palestine, dont le Royaume-Uni retranche l'émirat de Transjordanie

Puissances mandataires :
France   Royaume-Uni
(1899) Date d'indépendance
Possessions britanniques
Union soviétique
Territoire turc et …
… acquisitions de la Turquie selon le traité de Lausanne en 1923
Zones neutres

1. Israël déclare son indépendance le 14 mai 1948. Au lendemain de la guerre, il occupe 78 % de la Palestine. Gaza dépend de l'Égypte ; la Cisjordanie et Jérusalem-Est sont annexées par la Jordanie.

Sources : Gerald Blake, John Dewdney et Jonathan Mitchell, *The Cambridge Atlas of the Middle East and North Africa*, Cambridge University Press, 1987 ; Olivier Da Lage, *Géopolitique de l'Arabie saoudite*, Complexe, 1996 ; cartes originales annexées aux textes de l'accord Sykes-Picot et des traités de Sèvres (1920) et de Lausanne (1923).

Aux marges de l' ex-URRS, une myriade de conflits

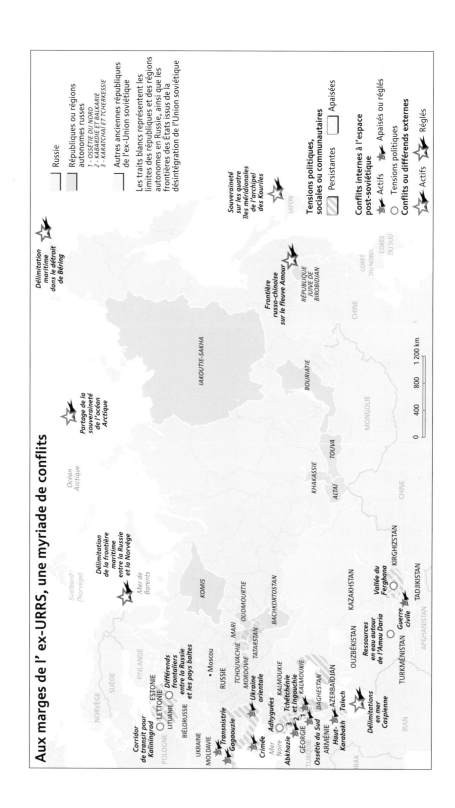

Légende :

Russie

Républiques ou régions autonomes russes
1 - OSSÉTIE DU NORD
2 - KABARDIE ET BALKARIE
3 - KARATCHAÏ ET TCHERKESSIE

Autres anciennes républiques de l'ex-Union soviétique

Les traits blancs représentent les limites des républiques et des régions autonomes en Russie, ainsi que les frontières des États issus de la désintégration de l'Union soviétique

Tensions politiques, sociales ou communautaires
- Persistantes
- Apaisées

Conflits internes à l'espace post-soviétique
- Actifs
- Apaisés ou réglés
- Tensions politiques

Conflits ou différends externes
- Actifs
- Réglés

Étiquettes sur la carte :

Délimitation maritime dans le détroit de Béring

Partage de la souveraineté de l'océan Arctique

Délimitation de la frontière maritime entre la Russie et la Norvège

Svalbard (Norvège)

Océan Arctique

Mer de Barents

NORVÈGE
SUÈDE
FINLANDE

Corridor de transit pour Kaliningrad
POLOGNE
LITUANIE
LETTONIE
ESTONIE
Différends frontaliers entre la Russie et les pays baltes

BIÉLORUSSIE

KOMIS

RUSSIE
• Moscou

OUDMOURTIE
MARI
TCHOUVACHIE
MORDOVIE
TATARSTAN
BACHKORTOSTAN

UKRAINE
MOLDAVIE
Transnistrie
Gagaouzie
Crimée
Ukraine orientale

Mer Noire

Adhyguées
KALMOUKIE
KALMOUKIE
Tchétchénie et Ingouchie
DAGHESTAN
Abkhazie
GÉORGIE
3 - 1
2
Ossétie du Sud
ARMÉNIE
AZERBAÏDJAN
Haut-Karabakh
Talech
TURQUIE
IRAK
IRAN

Délimitations en mer Caspienne

OUZBÉKISTAN
Ressources en eau autour de l'Amou Daria
TURKMÉNISTAN
Guerre civile
AFGHANISTAN
TADJIKISTAN
KIRGHIZSTAN
Vallée du Ferghana

KAZAKHSTAN

ALTAÏ
KHAKASSIE
TOUVA
BOURIATIE
MONGOLIE

IAKOUTIE-SAKHA

Souveraineté sur les quatre îles méridionales de l'archipel des Kouriles

JAPON

Frontière russo-chinoise sur le fleuve Amour
RÉPUBLIQUE JUIVE DE BIROBIDJAN
CHINE
CHINE
CORÉE DU NORD
CORÉE DU SUD

0   400   800   1 200 km

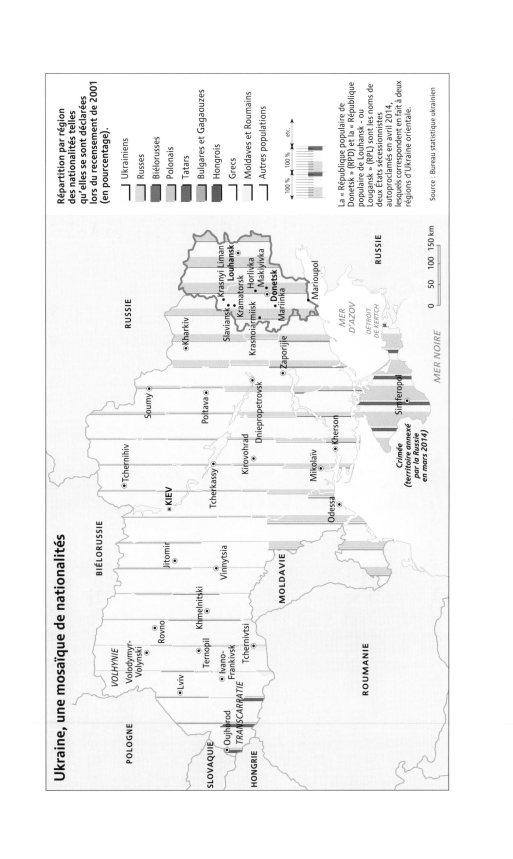

Ukraine, une mosaïque de nationalités

Répartition par région des nationalités telles qu'elles se sont déclarées lors du recensement de 2001 (en pourcentage).

- Ukrainiens
- Russes
- Biélorusses
- Polonais
- Tatars
- Bulgares et Gagaouzes
- Hongrois
- Grecs
- Moldaves et Roumains
- Autres populations

100 %   100 %   etc.

La « République populaire de Donetsk » (RPD) et la « République populaire de Louhansk - ou Lougansk » (RPL) sont les noms de deux États sécessionnistes autoproclamés en avril 2014, lesquels correspondent en fait à deux régions d'Ukraine orientale.

Source : Bureau statistique ukrainien

POLOGNE

SLOVAQUIE

HONGRIE

BIÉLORUSSIE

RUSSIE

RUSSIE

MOLDAVIE

ROUMANIE

VOLHYNIE

TRANSCARPATIE

Oujhorod

Lviv

Volodymyr-Volynski

Rovno

Ternopil

Ivano-Frankivsk

Tchernivtsi

Khmelnitski

Jitomir

Vinnytsia

Tchernihiv

KIEV

Tcherkassy

Kirovohrad

Vinnytsia

Soumy

Poltava

Dniepropetrovsk

Kharkiv

Slaviansk

Kramatorsk

Krasnyi Liman

Louhansk

Horlivka

Makiïvka

Donetsk

Mariinka

Krasnoïarmiisk

Zaporijie

Marioupol

Mikolaïv

Kherson

Odessa

Crimée
(territoire annexé par la Russie en mars 2014)

Simferopol

MER D'AZOV

DÉTROIT DE KERTCH

MER NOIRE

0   50   100   150 km

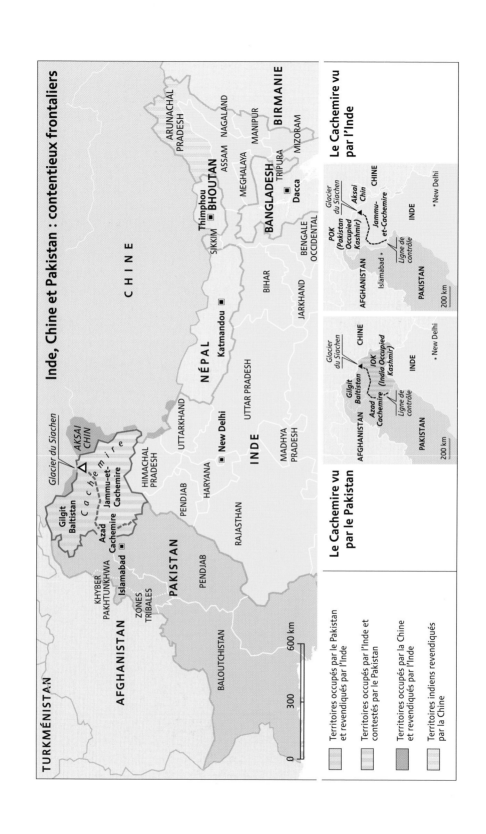

Inde, Chine et Pakistan : contentieux frontaliers

TURKMÉNISTAN

AFGHANISTAN

BALOUTCHISTAN

PAKISTAN

KHYBER
PAKHTUNKHWA

ZONES
TRIBALES

Islamabad ■

PENDJAB

Gilgit
Baltistan

Azad
Cachemire ■

Glacier du Siachen

AKSAI
CHIN

Cachemire

Jammu-et-
Cachemire

HIMACHAL
PRADESH

UTTARKHAND

PENDJAB

HARYANA

RAJASTHAN

New Delhi ■

INDE

MADHYA
PRADESH

UTTAR PRADESH

CHINE

NÉPAL

Katmandou ■

BIHAR

JARKHAND

SIKKIM

Thimphou
BHOUTAN ■

ASSAM

ARUNACHAL
PRADESH

NAGALAND

MANIPUR

MEGHALAYA

TRIPURA

MIZORAM

BIRMANIE

BANGLADESH

Dacca ■

BENGALE
OCCIDENTAL

600 km

0   300

Territoires occupés par le Pakistan
et revendiqués par l'Inde

Territoires occupés par l'Inde et
contestés par le Pakistan

Territoires occupés par la Chine
et revendiqués par l'Inde

Territoires indiens revendiqués
par la Chine

Le Cachemire vu
par le Pakistan

AFGHANISTAN

PAKISTAN

Gilgit
Baltistan

Azad
Cachemire

Glacier
du Siachen

CHINE

IOK
(India Occupied
Kashmir)

Ligne de
contrôle

INDE

• New Delhi

200 km

Le Cachemire vu
par l'Inde

AFGHANISTAN

Islamabad •

PAKISTAN

POK
(Pakistan
Occupied
Kashmir)

Glacier
du Siachen

Aksai
Chin

CHINE

Jammu-
et-Cachemire

Ligne de
contrôle

INDE

• New Delhi

200 km

de l'aide humanitaire internationale augmente depuis dix ans. Plus difficile-ment quantifiables, les dons récoltés auprès des particuliers, des entreprises ou des fondations ont également connu une croissance très importante depuis les années 1970-1980. Ils s'élevaient au minimum à 5 milliards de dollars en 2012. À ce jour, la crise économique consécutive au krach de 2008 n'a pas eu d'impact majeur sur la collecte de dons privés et publics, même si ces derniers marquent des signes d'essoufflement au niveau de l'Union euro-péenne.

L'accroissement des fonds humanitaires a d'abord bénéficié aux agences opérationnelles des Nations unies – telles que le Programme alimentaire mondial (PAM), le Haut Commissariat des Nations unies pour les réfugiés (HCR) ou le Fonds des Nations unies pour l'enfance (Unicef) – destinataires de plus de la moitié des financements publics internationaux selon Develop-ment Initiatives. En l'espace d'une vingtaine d'années, le budget « opéra-tions d'urgence » du PAM a été multiplié par six, passant de 500 millions de dollars à la fin des années 1980 à plus de 3 milliards de dollars au début des années 2010 en valeur constante. Ses effectifs ont presque décuplé, passant d'environ 1 500 employés permanents en 1995 à 13 000 en 2012. Au total, les agences des Nations unies employaient plus de 85 700 personnes sur les terrains de crise en 2010, soit deux fois plus qu'en 1997.

Les organisations non gouvernementales sont les autres grands bénéfi-ciaires de la manne humanitaire internationale. Une part croissante des financements alloués aux agences des Nations unies leur est redistribuée sous forme de contrats de sous-traitance. En 2008, le HCR affirmait par exemple avoir réalisé 25 % de ses dépenses opérationnelles par le biais de 636 ONG, dont 162 ONG internationales. De plus, les ONG sont devenues les destinataires directs du quart des fonds publics humanitaires et reçoivent plus de 80 % des dons récoltés auprès des particuliers.

Le nombre et la taille des ONG se sont accrus en conséquence. En 2012, le Bureau de coordination des affaires humanitaires de l'ONU (OCHA) recen-sait plus de 3 200 ONG humanitaires, locales et internationales, dont 144 ONG internationales disposant d'un budget annuel supérieur à 10 millions de dollars. Employant au moins 141 400 personnes sur le terrain en 2010, le secteur non gouvernemental est dominé par quelques grosses confédérations d'ONG telles que Médecins sans frontières, Catholic Relief International, Oxfam International, Save the Children Alliance et World Vision International.

En quinze ans, le nombre de personnes assistées par les agences de l'ONU et leurs ONG partenaires a presque doublé. Oscillant entre 30 et 40 millions de personnes dans les années 2000, il dépasse régulièrement les 60 millions de personnes à partir des années 2010 selon l'OCHA. Qui plus est, l'aide humanitaire se déploie aujourd'hui à l'intérieur des zones de conflit, et plus seulement à leur périphérie, dans les camps de réfugiés, où se concentrait l'essentiel des secours pendant la guerre froide. Sa répartition est néanmoins déterminée par les priorités politiques des bailleurs de fonds, qui tendent à privilégier les crises médiatiques et celles où leurs propres troupes ou celles des Nations unies sont engagées.

La valeur moyenne de l'assistance distribuée par personne déplacée ou réfugiée a quant à elle triplé, passant (en valeur constante) de moins de 100 dollars par personne et par an en 1990 à plus de 300 dollars en 2006. Très inégale selon les crises, la qualité technique des secours a néanmoins connu des améliorations significatives, en particulier dans le domaine de l'aide alimentaire (qualité nutritionnelle des denrées, capacités logistiques du PAM), du traitement de la malnutrition (développement et usage à large échelle d'aliments thérapeutiques prêts à l'emploi), de la lutte contre les épidémies et les maladies infectieuses, de la chirurgie et de la médecine d'urgence. En revanche, d'autres secteurs, tels que la fourniture d'abris ou l'approvisionnement en eau, reposent principalement sur des techniques datant des années 1980.

Selon l'université d'Uppsala, l'expansion des opérations humanitaires est l'une des raisons du déclin de la mortalité indirecte liée aux conflits (du fait de malnutrition ou de maladies). Les enquêtes de santé nationale menées à échéances régulières à travers le monde par l'administration américaine, l'Unicef et l'Organisation mondiale de la santé (OMS) montrent en effet une diminution des taux de mortalité chez les enfants de moins de cinq ans dans tous les pays ayant connu des guerres entre 1970 et 2008, sauf dans huit pays (Mozambique, République démocratique du Congo, Rwanda, Soudan, Ouganda, Zimbabwe, Vietnam, Russie).

▐ Les organisations humanitaires victimes de la brutalité croissante des conflits ?

De même, les études quantitatives sur les violences à l'encontre des acteurs de l'aide ne concluent pas à une aggravation généralisée de l'insécurité humanitaire [1]. Une première enquête quantitative réalisée en 2000 par la Johns Hopkins School of Hygiene and Public Health révèle une augmentation importante du nombre de morts violentes parmi les « casques bleus » et le personnel de trente-deux organismes d'aide entre 1985 et 1998. Elle enregistre un pic entre 1993 et 1996 associé au génocide au Rwanda et à la crise

---

1 Les chiffres sur l'insécurité humanitaire proviennent de la base de données Aid Worker Security Database gérée par Humanitarian Outocmes (<https://aidworkersecurity.org>), ceux sur la létalité des conflits, du projet Human Security Report piloté par l'université d'Uppsala (<www.hsrgroup.org>).

des Grands Lacs, le reste des morts se concentrant principalement en Somalie et en Afghanistan.

Des enquêtes ultérieures réalisées par Humanitarian Outcomes (HO) pour le compte de ministères de la Coopération européens et américain recensent trois fois plus d'attaques à l'encontre des travailleurs humanitaires en 2012 qu'en 1997. Quatre-vingt-seize morts par an ont été enregistrés en moyenne entre 2007 et 2011, contre trente-huit entre 1997 et 2001. Le nombre de personnes enlevées a oscillé autour d'une vingtaine par an jusqu'au début des années 2000 avant de quintupler pour atteindre une centaine par an au tournant des années 2010. Les morts, blessés et enlevés sont concentrés dans un nombre restreint de contextes. La Somalie, l'Afghanistan, le Pakistan et les deux Soudans réunissaient à eux seuls les trois quarts des incidents et victimes recensés en 2011 par HO.

Prenant en compte l'accroissement du nombre de travailleurs humanitaires exposés, les estimations de l'incidence des attaques laissent entrevoir une situation plus nuancée. Selon HO, le nombre de morts, blessés et kidnappés pour 100 000 travailleurs humanitaires et par an est resté relativement stable entre 1997 et 2012 (entre 50 et 60 victimes pour 100 000 et par an). Cette stabilité masque cependant une grande diversité de situations. Entre 2006 et 2011, les plus hauts taux d'homicides parmi les travailleurs humanitaires s'échelonnaient entre 3/100 000/an pour la RDC, 9/100 000/an pour les deux Soudans, l'Afghanistan et le Pakistan, 37/100 000/an pour le Sri Lanka et 58/100 000/an pour la Somalie. À titre de comparaison, ces chiffres sont dans l'ensemble inférieurs aux taux d'accidents du travail mortels enregistrés au sein des professions civiles les plus exposées aux États-Unis, à savoir les bûcherons (92/100 000/an), les pilotes d'aéronefs (92/100 000/an), les marins pêcheurs (86/100 000/an) et les ouvriers de la sidérurgie (47/100 000/an).

La relative stabilité du taux d'attaque contre les travailleurs humanitaires est à mettre en parallèle avec la diminution globale de la létalité des conflits qui, contrairement à la croyance commune, ne sont pas plus violents que par le passé. Selon la base de données développée par l'université d'Uppsala, les guerres ayant pour enjeu le contrôle d'un territoire ou des institutions étatiques ont fait cinq fois moins de morts violentes dans les années 2000 que dans les années 1980, et neuf fois moins que dans les années 1950 en moyenne annuelle. Les violences de masse à l'encontre de personnes désarmées seraient également en déclin, à l'exception de la période 1993-1997 marquées par une létalité exceptionnelle au Rwanda et dans les pays voisins.

Reste que si la létalité globale des conflits tend à diminuer, ces derniers connaissent des épisodes de violences extrêmes, sources d'une surmortalité aiguë par massacres et privations de biens essentiels à la survie. À l'heure où ces lignes sont écrites, tel est le cas en Syrie, dont les trois quarts du territoire sont touchés par la guerre et où le gouvernement utilise des moyens de destruction massifs incluant le bombardement aérien de zones densément peuplées et le blocus alimentaire de villes assiégées.

La politisation de l'humanitaire

On peut douter que les dangers rencontrés par les acteurs de l'aide en Syrie (et ailleurs) découlent de la « confusion militaro-humanitaire ». Certes, la multiplication des interventions militaires occidentales et des opérations de maintien de la paix dans les conflits a modifié le paysage de l'aide internationale. Subordonnées aux organes politiques de l'ONU, les agences de secours onusiennes ont dû intégrer les dispositifs internationaux de gestion de crise et se mettre au service « de la paix et de la démocratie ». La grande majorité des ONG les ont rejointes, attirées par l'abondance de financements, mais aussi par l'idée de contribuer à l'objectif « qui seul peut se définir comme réellement humanitaire : hâter la fin d'une guerre » et « remplacer au plus vite un régime mortifère par un gouvernement civilisé », selon les termes employés par un humanitaire français pour justifier l'engagement des acteurs de l'aide aux côtés des États-Unis et de l'ONU en Afghanistan en 2001. Seule une poignée d'organisations défendant une conception plus restrictive de l'action humanitaire, comme le CICR et MSF, ont choisi de se tenir à distance des contingents internationaux, les considérant comme une partie au conflit parmi d'autres.

En choisissant le camp de la « paix libérale », les agences de l'ONU et leurs ONG partenaires se sont mises dans une situation délicate pour négocier l'accès aux populations sous le contrôle de groupes armés opposés aux Nations unies et aux forces occidentales. Reste que les premières attaques délibérées à l'encontre de travailleurs humanitaires après la chute des talibans en Afghanistan ont ciblé le CICR (2003) et MSF (2004). Dénoncées à l'époque comme une conséquence de la « confusion militaro-humanitaire », ces attaques n'étaient pourtant pas le résultat d'un tragique malentendu sur les intentions de MSF et du CICR. Elles reflétaient la stratégie de déstabilisation alors poursuivie par les talibans en déroute. Dès lors que ces derniers ont commencé à reprendre des territoires, ils ont vu dans les travailleurs humanitaires non plus un moyen de publiciser leur pouvoir de nuisance, mais une ressource pour « gagner les cœurs et les esprits » des populations qu'ils entendent gouverner au nom de l'Émirat islamique d'Afghanistan. Ce changement de stratégie explique que le CICR et MSF soient aujourd'hui en mesure de déployer près de 3 000 travailleurs humanitaires (dont 210 expatriés) en Afghanistan, y compris dans les zones d'implantation des insurgés.

Contrairement à une idée très répandue, l'instrumentalisation politique de l'action humanitaire n'est pas en soi une menace. Elle est inhérente au déploiement des opérations de secours, qui repose sur la recherche d'un compromis acceptable entre les intérêts des belligérants et ceux des acteurs de l'aide, au croisement des objectifs et des contraintes des uns et des autres. Dans cette perspective, le principal défi des acteurs humanitaires n'est pas de se tenir à distance de la politique, mais de savoir quelle politique poursuivre et quelles limites s'imposer.

Pour en savoir plus

Michael BARNETT et Thomas G. WEISS (dir.), *Humanitarianism in Question. Politics, Power, Ethics*, Cornell University Press, Ithaca/Londres, 2008.

Arnaud DANDOY, « Humanitarian workers in peril ? Deconstructing the myth of the new and growing threat to humanitarian workers », *Global Crime*, 2013, vol. 14, n° 4, p. 341-358.

Mark R. DUFFIELD, *Global Governance and the New Wars. The Merging of Development and Security*, Zed Books, Londres, 2001.

Claire MAGONE, Michael NEUMAN et Fabrice WEISSMAN (dir.), *Agir à tout prix ? Négociations humanitaires, l'expérience de Médecins Sans Frontières*, La Découverte, Paris, 2011.

Sites Internet : <www.humanitarianhistory.org> (sur l'histoire de l'action humanitaire) et <www.msf-crash.org> (sur les controverses concernant l'action humanitaire).

Faiseurs de paix et pratique de médiation. Figures traditionnelles et nouveaux acteurs

Milena Dieckhoff
Doctorante au CERI, Sciences Po Paris

Faiseurs de paix en temps de guerre : une mission impossible ?

Alors que le conflit syrien dure depuis plus de trois ans et que l'ONU estime à plus de 150 000 le nombre de morts et à 9 millions le nombre de réfugiés [1], les perspectives d'un dialogue entre une opposition syrienne de plus en plus éclatée et le président Bachar al-Assad – « réélu » sans surprise avec 88,7 % des voix début juin 2014 – semblent s'éloigner. Lakhdar Brahimi, médiateur mandaté conjointement par la Ligue des États arabes et les Nations unies, avait lui-même considéré que la mission de médiation qui lui avait été confiée en août 2012 était « presque impossible [2] ». La démission, le 13 mai 2014, de ce diplomate chevronné sonne comme un symbole : comment négocier pour permettre – au minimum – de stopper la spirale de violence ?

L'exemple syrien alimente une réflexion sur ce que « faire la paix » signifie et peut impliquer sur le terrain. En premier lieu, il rappelle, malgré la suspension actuelle du processus dit de Genève, que les conflits sont souvent caractérisés par des dynamiques conjointes de violence et de négociations. Ainsi, un plan en six points avait été conclu en mars 2012 sous l'égide de Kofi Annan, prédécesseur de Lakhdar Brahimi, prévoyant notamment un cessez-le-feu et l'ouverture d'un dialogue politique. De même, un accord conclu en septembre 2013 entre Sergueï Lavrov, ministre russe des Affaires étrangères, et John Kerry, secrétaire d'État américain, avait permis de lancer l'opération de destruction de l'arsenal chimique syrien. On remarque également que les initiatives de paix ont pris plusieurs formes : négociations diplomatiques directes entre grandes puissances, pourparlers sous l'égide d'un médiateur international mandaté par différentes organisations, opérations d'observation ou de démantèlement d'armes sur le terrain, etc.

Si l'on regarde plus en détail l'action des médiateurs dans cette crise, d'autres éléments saillants apparaissent. Tout d'abord, il est parfois difficile d'évaluer l'impact des médiations. Le plan en six points d'Annan, qui n'a jamais été appliqué, a pu faire dire à l'opposition qu'il a simplement permis au régime d'al-Assad de se repositionner en tant qu'interlocuteur légitime. La question des stratégies utilisées par les médiateurs est ainsi posée : comment faire émerger un compromis entre des parties engagées dans des violences meurtrières sur le terrain ? Faut-il chercher rapidement à obtenir un accord en espérant créer ainsi une première relation de confiance entre les parties, et prendre ainsi le risque qu'il ne soit pas respecté [3] ?

L'action du médiateur doit aussi être considérée en lien avec le contexte régional et mondial. Lakhdar Brahimi a vu sa marge de manœuvre restreinte

---

1   *UN Daily News*, Issue DH/6663, 30 mai 2014 et Issue DH/6651, 13 mai 2014. Le chiffre avancé ici additionne les déplacés internes – estimés à 6,5 millions – et les 2,5 millions de réfugiés ayant quitté le territoire syrien.

2   François SOUDAN et Marwane BEN YAHMED, « Lakhdar Brahimi : Syrie, mission (presque) impossible », *Jeune Afrique*, 28 août 2013.

3   Pour une discussion de la stratégie de Kofi Annan, voir Richard GOWAN, « Kofi Annan, Syria and the uses of uncertainty in mediation », *Stability*, vol. 2, n° 1, article 8, 2013, p. 1-6.

aussi bien par le jeu international et le blocage au sein du Conseil de sécurité de l'ONU que par les puissances régionales qui ont parfois pris position ouvertement pour l'une des parties au conflit, comme par exemple le Qatar qui soutient l'opposition et s'était prononcé en faveur d'une intervention militaire contre le régime syrien.

Les nombreuses incertitudes et contraintes qui pèsent sur l'action des faiseurs de paix, et notamment des médiateurs, pourraient nous laisser penser que la résolution pacifique des conflits est une quête vaine. Comment expliquer alors que le secrétaire général de l'ONU Ban Ki-moon ait présenté la médiation comme « un des moyens les plus efficaces de prévenir, de gérer et de régler les conflits [1] » ? Pour y voir plus clair, plusieurs constats et clarifications méritent d'être présentés.

La médiation comme outil de pacification : quelques caractéristiques générales

Les méthodes de résolution pacifique des conflits sont de nature diverse, comme le rappelle la Charte de l'ONU qui stipule que les parties à un différend doivent rechercher une solution pacifique notamment « par voie de négociation, d'enquête, de médiation, de conciliation, d'arbitrage, de règlement judiciaire ».

La médiation se distingue des autres outils de pacification par plusieurs caractéristiques. Si une négociation peut avoir lieu directement entre les protagonistes du conflit, la médiation est caractérisée par l'intervention d'un tiers, le médiateur, qui cherche à s'interposer entre les parties. Contrairement à un arbitrage ou à un règlement judiciaire, la médiation a pour but de dépasser la situation conflictuelle initiale par le compromis sans que le médiateur n'impose une décision finale aux parties. Pratique fondée avant tout sur l'instauration de canaux de communication et des échanges de vues, il s'agit finalement d'une activité peu onéreuse et relativement simple en termes logistiques, en comparaison par exemple des opérations de maintien de la paix qui nécessitent le déploiement de troupes, une planification en amont et des budgets importants.

La médiation n'en est pas moins une pratique soulevant des enjeux politiquement sensibles. Ainsi, l'intervention d'un médiateur est parfois interprétée comme une menace à la souveraineté des États et comme témoignant d'une volonté d'ingérence. C'est pour cette raison que le président vénézuélien Nicolas Maduro a d'abord catégoriquement rejeté la proposition de John Kerry de recourir à un médiateur pour résoudre la crise politique qui agite le Venezuela depuis début février 2014. Le président Maduro s'est par la suite

---

1   Préface, *Directives des Nations unies pour une médiation efficace*, Groupe d'appui à la médiation, Département des affaires politiques, ONU, septembre 2012.

montré plus ouvert aux interventions d'acteurs extérieurs en acceptant l'aide de l'Union des États sud-américains (UNASUR) et du Vatican pour soutenir le dialogue national initié entre le gouvernement et l'opposition.

Des tractations diplomatiques ont également été nécessaires dans la crise ukrainienne pour convaincre le président Viktor Ianoukovitch d'accepter une médiation européenne. Celle-ci est finalement menée au nom de l'Union européenne (UE) par les ministres allemand, français et polonais des Affaires étrangères, et a abouti, le 21 février 2014, à un accord de sortie de crise entre le président alors en exercice et trois chefs de l'opposition.

Le consentement à la médiation, qui est une caractéristique de ce mode de pacification, est donc une étape primordiale délicate. Il n'est pourtant pas une garantie de résolution effective du conflit, comme le montrent les développements en Ukraine. La fuite du président Ianoukovitch a rendu caduc l'accord négocié et a précipité la mise en place d'un gouvernement provisoire en situation fragile, notamment pour faire face à l'intervention russe en Crimée en mars 2014.

Le temps des médiateurs [1] ?

Si la médiation n'est pas un phénomène nouveau, quelques tendances récentes peuvent expliquer l'attention accordée aujourd'hui à ce mode de résolution des conflits. Malgré des chiffres qui varient en fonction des définitions et des méthodes de quantification utilisées, le recours à la médiation a globalement augmenté depuis la fin de la Seconde Guerre mondiale. Jacob Bercovitch et Judith Fretter recensent 309 conflits internationaux entre 1945 et 1995, parmi lesquels 190 ont donné lieu à une médiation [2]. Toutefois, son utilisation s'est nettement accélérée depuis la fin de la guerre froide. Michael Greig et Paul Diehl montrent qu'il y a eu plus de tentatives de médiation pendant les années 1990 que pendant toute la période 1945-1989 et que, par ailleurs, la médiation dans le monde post-bipolaire a surtout concerné les guerres civiles [3].

Conjointement à cette augmentation quantitative, on note une diversification des acteurs-médiateurs potentiels. Le rapport du secrétaire général de l'ONU de juin 2012 consacré au renforcement de la médiation dans le règlement des différends constate justement que « le domaine de la médiation s'est diversifié et fait intervenir une pléthore d'acteurs ».

---

1   Ce titre reprend celui de l'ouvrage de Jean-François Six, *Le Temps des médiateurs*, Seuil, Paris, 1990.

2   Jacob Bercovitch et Judith Fretter, « Studying international mediation. Developing data sets on mediation, Looking for patterns and searching for answers », *International Negotiation*, vol. 12, n° 2, 2007.

3   J. Michael Greig et Paul F. Diehl, *International Mediation*, Polity Press, Cambridge, 2012.

On peut repérer quelques figures traditionnelles de médiateurs. Il peut s'agir aussi bien d'États, comme la Suisse ou la Norvège qui ont développé une réelle expertise dans le domaine, notamment au sein de leurs ministères des Affaires étrangères, que d'organisations internationales, au premier rang desquelles l'ONU, ou encore d'organisations non gouvernementales à la réputation reconnue, comme la communauté catholique romaine Sant'Egidio ou l'organisation finlandaise Crisis Management Initiative. Certains individus, de par leur expérience, s'imposent aussi comme des références en matière de médiation, cultivant ainsi la figure du sage à l'instar des sociétés traditionnelles. On peut penser par exemple au Burkinabé Blaise Compaoré qui a une longue tradition d'intervention comme médiateur sur le continent africain et cherche à se présenter comme un « apôtre de la paix ». Créée en 2007 par Nelson Mandela, l'organisation justement nommée The Elders (« les aînés ») regroupe nombre de médiateurs aguerris tels que Martti Ahtisaari [1], Kofi Annan, Lakhdar Brahimi ou Jimmy Carter. Ces médiateurs traditionnels ne sont pourtant pas exempts de critiques, leurs intérêts à agir ou leurs méthodes étant parfois questionnés, alimentant ainsi le débat récurrent sur l'impartialité des médiateurs.

La scène de la médiation internationale est pourtant en mouvement, à mesure qu'émergent de nouveaux prétendants au rôle de tiers. Le Brésil sous la présidence de Luiz Inácio Lula (2003-2011) s'est ainsi impliqué comme médiateur dans son voisinage immédiat (Venezuela, Bolivie, Colombie) mais aussi dans des conflits plus lointains, qu'illustre par exemple l'accord conclu en 2010 par le Brésil et la Turquie avec l'Iran sur la question du nucléaire. Le Premier ministre Recep Erdoğan a fait de la médiation un pilier de la politique étrangère turque et s'est impliqué pour renforcer les capacités de médiation des organisations internationales. Ainsi, la Turquie a œuvré conjointement avec la Finlande pour mettre la question de la médiation de paix à l'agenda onusien et copréside le groupe des Amis de la médiation de l'ONU. Outre les pays dits émergents, des « petits » États agissent aussi comme médiateurs. Depuis 2007, le Qatar a cherché à faire valoir son potentiel en tant qu'intermédiaire, et a pu se targuer de certains succès. C'est suite à la médiation qatarie qu'un accord sur la formation d'un gouvernement d'union nationale et un compromis sur la nomination du général Michel Sleiman à la présidence libanaise ont été trouvés le 21 mai 2008, après des mois d'impasse politique entre le Hezbollah et le gouvernement [2].

---

1   Sur le médiateur finlandais, voir Milena DIECKHOFF, *L'Individu dans les relations internationales. Le cas du médiateur Martti Ahtisaari*, L'Harmattan, Paris, 2012.
2   Kristian COATES ULRICHSEN, « Qatar's mediation initiatives », *NOREF Policy Brief*, Norwegian Peacebuilding Resource Center, février 2013.

Des organisations régionales, sous-régionales ou transnationales cherchent aussi de plus en plus à développer voire à institutionnaliser la médiation. L'Organisation de la conférence islamique (OCI) entend ainsi mettre en place une unité de paix, de sécurité et de médiation, alors que des envoyés spéciaux sont dépêchés comme médiateurs par l'organisation (par exemple l'ancien ministre sénégalais Cheikh Tidiane Gadio, envoyé en République centrafricaine en mars 2014). Sur le continent européen, sept États ont signé le 18 février 2014 une charte créant un Institut européen pour la paix. Cet organisme indépendant devrait travailler en collaboration avec le Service européen pour l'action extérieure (SEAE) pour fournir une expertise à l'Union européenne, voire entreprendre des médiations.

La variété des formes de médiation

Au-delà d'une variété d'acteurs, il faut rendre compte de la diversité des formes que prennent les médiations et souligner le fait que la présence de nouveaux faiseurs de paix n'entraîne pas nécessairement une façon radicalement différente de conduire une médiation.

On peut tout d'abord constater que certaines médiations se font « sous le feu des projecteurs ». C'est le cas des médiations entreprises en Syrie, mais aussi d'autres initiatives, comme celle du secrétaire d'État Kerry qui a mené entre fin juillet 2013 et avril 2014 des séries de négociations dans le but de parvenir à un accord-cadre entre Israéliens et Palestiniens. Une certaine attention a aussi été portée au conflit sud-soudanais et aux initiatives des États de l'Afrique de l'Est pour tenter de faire émerger un terrain d'entente entre le président Salva Kiir et l'ex-vice président Riek Machar, qui s'opposent dans un conflit violent depuis décembre 2013. Dans ce dossier, l'Éthiopien Seyoum Mesfin a été mandaté par l'organisation sous-régionale qu'est l'Autorité intergouvernementale pour le développement (IGAD) pour diriger l'équipe de médiation.

Mais d'autres médiations restent parfois bien discrètes, du fait d'une couverture médiatique moindre du conflit, d'une moins grande personnalisation de la médiation ou de la volonté délibérée des acteurs. Par exemple, la Malaisie a conduit la médiation entre le gouvernement des Philippines et le Front Moro islamique de libération depuis 2011. Elle a été appuyée dans cette tâche par une coalition hétéroclite d'acteurs comprenant quatre États – le Royaume-Uni, la Turquie, l'Arabie saoudite et le Japon – et quatre organisations non gouvernementales [1]. Cette médiation de long terme a permis de finaliser un accord global de paix entre les deux parties, signé officiellement le 27 mars 2014. Selon Michael Vatikiotis, directeur régional Asie au Centre

---

1   Voir Emma LESLIE, « Widening the table. Hybrid support groups in conflict mediation », *World Politics Review*, 17 décembre 2013, p. 9-13.

pour le dialogue humanitaire, le cas philippin est « l'antithèse de la Syrie : un conflit oublié, violent, qui a été résolu pacifiquement [1] ». De même, il faut noter que les médiations onusiennes ne sont pas uniquement conduites *via* les envoyés ou représentants spéciaux du secrétaire général. Les missions et bureaux politiques intégrés et régionaux (bureau des Nations unies pour l'Afrique de l'Ouest par exemple) sont très impliqués dans les tâches de médiation même si leur action est nettement moins visible.

Plus généralement, une des caractéristiques du paysage de la médiation actuelle est souvent l'imbrication de plusieurs types de médiations. Ainsi, des missions de médiation de long terme plus ancrées dans le terrain et mettant au cœur de leur méthode l'établissement de relations de confiance avec les parties mais aussi avec la société civile peuvent se conjuguer avec des médiations très politisées de plus haut niveau. Pour reprendre le cas soudanais, outre l'implication de l'IGAD, des missions de médiation sont aussi entreprises par les représentants politiques onusiens présents sur place ou des organisations indépendantes moins connues, telles que l'organisation américaine Conflict Dynamics International. Se pose alors la question de parvenir à faire émerger un consensus non seulement entre les parties en conflit mais aussi entre les différents faiseurs de paix sur ce que doit être, au-delà du terme générique de paix, la finalité plus substantielle de la médiation.

Pour en savoir plus

Kofi Annan, *Interventions. Une vie dans la guerre et dans la paix*, Odile Jacob, Paris, 2013.

Jacques Faget, « Les métamorphoses du travail de la paix. État des travaux sur la médiation dans les conflits politiques violents », *Revue française de science politique*, vol. 58, n° 2, avril 2008, p. 309-333.

ONU, *Renforcement du rôle de la médiation dans le règlement pacifique des différends et la prévention et le règlement des conflits*, Rapport du Secrétaire général, A/66/811, 26 juin 2012.

Oliver Ramsbotham, Tom Woodhouse et Hugh Miall, *Contemporary Conflict Resolution. The Prevention, Management and Transformation of Deadly Conflicts*, 3e éd., Polity, Cambridge/Malden, Mass., 2011.

Peter Wallensteen et Isak Svensson, « Talking peace. International mediation in armed conflicts », *Journal of Peace Research*, vol. 51, n° 3, 2014, p. 315-327.

---

1   Michael Vatikiotis, « Why peace in Muslim Mindanao and how it was reached matters », *Mindanews*, 28 janvier 2014. Notre traduction.

Primum non nocere : quelle appropriation locale dans la consolidation de la paix de l'ONU ?

Nicolas Lemay-Hébert
Senior lecturer au département de développement international
de l'université de Birmingham (Grande-Bretagne)

Les missions de consolidation de la paix des Nations unies ont connu une décennie d'évolutions normatives et pratiques vers des missions de paix dites plus « intégrées » ou « multidimensionnelles ». Les administrations internationales au Kosovo (Mission d'administration intérimaire des Nations unies au Kosovo – Minuk ; 1999-aujourd'hui) et au Timor-Leste (Administration transitoire des Nations unies au Timor oriental – Atnuto ; 1999-2002) représentent certainement le point culminant de cette évolution. Dans ce contexte, la division conceptuelle entre missions de maintien de la paix (*peacekeeping*), censées être neutres et impartiales, et missions de consolidation de la paix (*peacebuilding*), vouées à jouer un rôle plus actif dans l'imposition de la paix, semble de moins en moins pertinente au regard de l'évolution des conflits. En effet, les conflits interétatiques, tels que le conflit entre l'Égypte et Israël en 1956 qui a mené à l'« invention » des « casques bleus » à l'époque, ont laissé progressivement place à des conflits intraétatiques ou régionaux (où la Corne de l'Afrique ou les conflits entourant la République démocratique du Congo sont de bons exemples).

D'acteurs neutres censés s'interposer entre les belligérants, les « casques bleus » occupent maintenant un ensemble de rôles allant d'administrateurs civils, de formateurs, de policiers sur le terrain, d'acteurs humanitaires distribuant de l'aide humanitaire, jusqu'au traditionnel rôle de militaires contribuant aux opérations armées sur le terrain. De plus, toute présence internationale, que ce soit à travers une mission d'interposition ou de consolidation de la paix, affecte la société hôte dans un processus combinant facteurs positifs (contribuant à la résolution du conflit) et négatifs (contribuant à perpétuer les causes du conflit). Au regard de ces expériences, les praticiens comme les universitaires travaillant dans le champ de la consolidation de la paix porte de plus en plus attention à la littérature critique exposant les « conséquences inattendues » des interventions internationales pour intégrer dans leurs analyses l'ensemble des impacts possibles de ces interventions.

▬▬▬ Limiter les « externalités négatives »

Au début des années 1990, les débats s'articulaient autour des règles d'engagement des soldats de l'ONU et du principe de respect de la souveraineté, limitant de fait leur champ d'action (pensons aux débats entourant l'absence de réponse onusienne face au nettoyage ethnique de Srebrenica ou à la fameuse « ligne de Mogadiscio » censée séparer aide salutaire et ingérence partisane). Au début des années 2000, les discussions sont passées de ce principe de souveraineté à la notion d'autorité, comme l'illustrent les cas du Kosovo et du Timor-Leste où les pouvoirs exécutifs, législatifs et judiciaires furent réunis aux seules mains du Représentant spécial du secrétaire général des Nations unies, allant ainsi à l'encontre de tout principe de séparation des pouvoirs. Ce curieux dispositif institutionnel favorisant une approche extrêmement intrusive de l'ONU conduira certains officiels onusiens, et, dans une plus grande mesure les « partenaires locaux » de l'organisation internationale, à contester et prendre leur distance avec cette paix imposée de l'extérieur.

Ces frustrations, qui prirent la forme d'une résistance active à plusieurs moments de l'administration onusienne au Kosovo et au Timor-Leste, combinées à la désastreuse expérience américaine en Irak (administration civile de l'Irak entre 2003 et 2004), feront naître de nouveaux débats dans le champ de la consolidation de la paix, cette fois sur les moyens de l'intervention. Empruntant un discours propre au champ du développement international, les débats se portent maintenant sur l'application du principe d'appropriation locale aux missions de paix, principe défini comme un processus où les solutions apportées aux besoins d'une société particulière sont développées de concert avec la population qui devra vivre avec elles sur le long terme. En théorie, l'application de ce principe aux missions de paix permettrait de limiter le caractère intrusif des interventions internationales, limitant ainsi les « externalités négatives » de ces interventions. Ces conséquences négatives incluent autant les distorsions économiques dues à la présence internationale et à la création d'une bulle économique par l'arrivée de nouveaux capitaux (inflation des biens de consommation, modifications des paramètres du marché du travail, impact sur le marché de l'immobilier) que les scandales sexuels qui minent l'autorité des missions de paix depuis plusieurs années.

Cette discussion sur l'importance de l'appropriation locale dans la consolidation de la paix a trouvé écho dans plusieurs rapports onusiens au tournant des années 2000. Kofi Annan, après avoir été l'un des principaux architectes des administrations internationales du Kosovo et du Timor-Leste en 1999, a soudainement semblé redécouvrir les vertus d'un processus de consolidation de la paix endogène. En 2002, il fait de l'appropriation nationale « le principe le plus déterminant pour juger de l'efficacité des programmes de renforcement des capacités ». En 2004, le secrétaire général de l'ONU va plus loin dans son rapport *Rétablissement de l'État de droit et administration de la justice pendant la période de transition dans les sociétés en proie à un conflit ou sortant d'un conflit* [1], jugeant qu'en définitive « aucune réforme des institutions garantes de l'État de droit, aucune reconstruction de l'appareil judiciaire, ni aucune initiative en matière d'administration de la justice pendant une période de transition n'a de chances d'aboutir durablement si elle est imposée de l'extérieur. » En 2006, il répète cette conception dans la session d'ouverture de la nouvelle Commission de consolidation de la paix de l'ONU, jugeant que les « étrangers, aussi bien intentionnés soient-ils, ne peuvent se substituer au savoir et à la volonté du peuple » qu'ils souhaitent appuyer. Par la suite, cette approche sera également soutenue par Ban Ki-moon, reflétant toutefois davantage sa volonté de « faire plus avec moins ». Aussi, il semble aujourd'hui presque impossible de trouver une résolution du Conseil de sécurité des Nations unies autorisant le déploiement d'une mission de paix sans mention explicite du principe d'appropriation locale.

■■■■ « Empreinte légère »

Dans cette perspective, la Mission d'assistance des Nations unies en Afghanistan (Manua ; 2002-aujourd'hui) a joué un rôle particulièrement important dans l'émergence de ce débat, porté notamment par la philosophie du diplomate onusien Lakhdar Brahimi, alors Représentant du secrétaire général des Nations unies en Afghanistan (il occupait également ce poste entre 1997 et 1999). Brahimi a conceptualisé son approche particulière de la consolidation de la paix en Afghanistan au travers de ce qui sera plus tard connu sous le nom d'« approche à empreinte discrète ou légère » (*light footprint approach*). Selon le Rapport du secrétaire général en 2002, la Manua avait pour objectif de renforcer les capacités de l'Afghanistan (tant au niveau gouvernemental qu'à l'échelon non gouvernemental) en s'appuyant le moins possible sur les effectifs internationaux et au maximum sur les

---

1 CONSEIL DE SÉCURITÉ DES NATIONS UNIES, *Rétablissement de l'État de droit et administration de la justice pendant la période de transition dans les sociétés en proie à un conflit ou sortant d'un conflit*, 23 août 2004 (disponible sur <www.ipu.org>).

fonctionnaires afghans, tout en privilégiant les services communs d'appui, afin que l'« empreinte » laissée par la présence étrangère soit la plus discrète possible. Rejetant les appels, il est vrai plutôt discrets à l'époque, pour la mise en place d'une administration internationale pour l'Afghanistan, Brahimi opta plutôt pour une approche moins intrusive de l'intervention, dans laquelle l'apport international est modulé selon les besoins locaux, en tenant compte des réalités locales. Comme il l'indiquait dans une entrevue, « quand on se rend dans un pays pour l'aider à se reconstruire, il est inacceptable de prétendre savoir tout mieux faire que les ressortissants de ce pays. C'est *philosophiquement* inacceptable [1] ». Illustrant cette conviction, Brahimi refusa même le poste de Représentant du secrétaire général des Nations unies au Kosovo et au Timor-Leste à l'époque, prévoyant l'accueil glacial que les « locaux » réserveraient à des missions internationales qui ne leur ménagent aucune place. Comme il l'indiqua alors, « je ne connais rien du Kosovo ou du Timor, mais il y a une chose dont je suis absolument certain, c'est qu'il ne s'agit pas du même endroit [2] ». S'il est vrai que l'intervention internationale en Afghanistan peut difficilement être comprise comme un succès onusien, rejeter le blâme de son échec relatif sur la seule Manua semble néanmoins appartenir à un raisonnement réducteur et infécond, la Manua n'étant qu'un acteur marginal dans une intervention qui, plus qu'une « stricte » mission de consolidation de la paix, était bien plus « contre-insurrectionnelle » (l'OTAN chassant les talibans à la frontière pakistanaise) ou « contre-terroriste » (à travers le déploiement de troupes d'élite à la recherche d'éléments d'Al-Qaida). De plus, le concept d'empreinte légère ne fut certainement pas appliqué par les multiples agences de l'ONU déployées sur le terrain, poursuivant la routine habituelle d'une entreprise de consolidation de la paix bien huilée. Ce changement philosophique, s'il en est un, trouva difficilement prise dans un contexte afghan marqué par l'asymétrie de pouvoir et de moyens entre acteurs internationaux et locaux.

Scandales sexuels

Si la nécessité de placer le contexte local et les acteurs locaux au cœur des missions de paix semble aujourd'hui une évidence, les modalités pour y arriver demeurent toujours contestées. Les effets dits indésirables des missions de paix sont toujours bien présents et au centre des débats locaux concernant les présences internationales, malgré le changement de discours de la part des acteurs internationaux. Les scandales sexuels associés aux

---

1   « L'ONU entre nécessité et minimalisme. Entretien avec Lakhdar Brahimi », *Politique étrangère*, vol. 70, n° 2, p. 307.
2   Cité *in* Samantha POWER, *Chasing the Flame. Sergio Vieira de Mello and the Fight to Save the World*, Penguin Press, New York, p. 300.

troupes de maintien de la paix, qui ne constituent pas un problème tout à fait récent (un rapport de l'Unicef en 1996 note que l'arrivée de troupes de maintien de la paix est associée à une augmentation rapide de la prostitution juvénile dans six des douze cas étudiés), demeure un problème central pour les missions de paix. La plus importante mission de paix de l'ONU à l'heure actuelle, la Mission de l'ONU pour la stabilisation en République démocratique du Congo (Monusco ; 2010-aujourd'hui), avec un total de 25 723 personnes déployées sur le terrain (chiffres de février 2014), poursuit le sombre héritage de violences sexuelles commises par les troupes onusiennes sous l'égide de la précédente mission (Monuc ; 1999-2010), comme les travaux de Victoria Fontan le mettent en évidence. La Mission des Nations unies pour la stabilisation en Haïti (Minustah ; 2004-aujourd'hui), également l'une des plus importantes missions de paix de l'ONU à l'heure actuelle (10 773 contingents militaires et policiers, auxquels s'ajoutent 558 personnels civils), a aussi dû faire face à une série de scandales ayant rythmé les huit dernières années. En novembre 2007, plus de cent soldats originaires du Sri Lanka furent rapatriés après des accusations d'abus sexuels sur de jeunes adolescentes portées contre eux. Le 17 août 2010, le corps d'un jeune homme de seize ans fut retrouvé à l'intérieur de la base de la Minustah au Cap-Haïtien. Malgré les circonstances troubles de ce décès et la volonté du juge haïtien de faire la lumière sur ce cas, la Minustah utilisa la carte de l'immunité pour éviter toute enquête. En janvier 2011, des membres du contingent pakistanais furent accusés du viol d'un jeune homme aux Gonaïves et de relations sexuelles imposées à des mineurs de Port-au-Prince. Finalement, en juillet 2011, les troupes uruguayennes furent accusées d'agressions sexuelles à Port-Salut.

Cette situation semble se répéter dans plusieurs « théâtres d'opérations » des Nations unies, incluant les imposantes missions au Timor-Leste (Mission intégrée des Nations Unies au Timor-Leste ; 2006-2012), au Darfour (mission conjointe ONU-Union africaine au Darfour ; 2007-aujourd'hui), ainsi qu'au Kosovo, en Bosnie, au Cambodge, etc. Pour le Département des opérations du maintien de la paix des Nations unies, le raisonnement est simple : « Tout afflux de troupes de maintien de la paix, combinée à l'aide massive pour la reconstruction, crée une demande locale et une source de revenus disponible dans une économie autrement déficiente. Dans de telles circonstances, les troupes de maintien de la paix de l'ONU doivent *s'attendre* à voir émerger des cas de trafic et d'exploitation dans ses zones d'opérations, et ce dès l'arrivée du premier officiel [1] » (en italique dans le texte).

---

1   Département des opérations de maintien de la paix de l'ONU, « Human trafficking and United Nations peacekeeping », DPKO Policy Paper, mars 2004.

Si la réponse quelque peu déterministe de l'ONU peut choquer, réponse qui n'est pas sans rappeler celle du Représentant spécial du secrétaire général des Nations unies au Cambodge, Yasushi Akashi, qui a répondu à une question sur les scandales sexuels impliquant les troupes onusiennes par « il faut bien que jeunesse se passe » (*boys be boys*), cette discussion indique néanmoins une volonté de prendre en compte toutes les externalités négatives des missions de paix. Une présence internationale massive engendre un ensemble de conséquences à court et long terme pour la population. Dans le cas haïtien, avec un budget de 793 millions de dollars américains prévu pour 2011-2012, et des dépenses de plus de 5 milliards au cours de la période 2004-2009, la Minustah contribue au développement économique en Haïti par l'entremise des dépenses de fonctionnement journalier, incluant celles de consommation de nourriture, de logement et de loisirs. Toutefois, la vraie question est de savoir s'il s'agit bien d'une économie réelle destinée à survivre au départ de la mission onusienne. Les expériences cambodgienne, kosovare et timoraise semblent indiquer le contraire. Le Premier ministre cambodgien, Hun Sen, aurait ainsi mis en garde les dirigeants timorais Xanana Gusmão et Jose Ramos-Horta : « L'ONU arrivera avec ses véhicules et leurs imposants salaires, et ils vont courir dans tous les sens pendant deux ou trois ans. Puis leur mandat va prendre fin, ils vont partir, et il ne vous restera pratiquement rien. »

Prendre en compte l'ensemble des dynamiques sociales et économiques

Toutefois, un événement récent catalyse plus que tout autre ce débat sur les conséquences négatives des interventions internationales. L'épidémie de choléra en Haïti, qui a touché plus de 5 % de la population haïtienne (environ 670 000 cas à l'heure actuelle) et qui a coûté la vie à 8 000 Haïtiens, a été attribuée au contingent népalais en service dans l'Artibonite par un rapport d'experts, bien que la question soit toujours débattue dans certains cercles scientifiques. Selon l'ONU, la convergence de deux facteurs, soit l'absence de structures sanitaires adéquates et les contrecoups du tremblement de terre de janvier 2010, a créé un climat propice (*perfect storm*) à l'éclosion de l'épidémie de choléra en Haïti. Ce discours a notamment été instrumentalisé par le Bureau des affaires juridiques de l'ONU et par la Minustah pour se décharger de toute responsabilité dans un contexte de poursuite judiciaire au nom des victimes.

On peut également considérer que cette polémique a propulsé l'agenda de recherche sur les « effets indésirables » des interventions internationales au cœur des débats sur la consolidation de la paix, créant un « climat propice » pour s'interroger véritablement sur l'ensemble des dynamiques liées aux interventions internationales. Par exemple, ce processus de réflexion a été porté par Ban Ki-moon dans le rapport *Verdir les casques bleus*, qui s'intéresse justement à l'impact environnemental des missions de paix. Ainsi, l'enjeu ici n'est pas de prôner le retour d'un nouvel isolationnisme, dont les limites ont été amplement démontrées par l'échec collectif au Rwanda en 1994, mais bien de se questionner véritablement sur la meilleure façon d'appuyer un processus de consolidation de la paix prenant en compte l'ensemble des dynamiques sociales et économiques instiguées par les interventions internationales.

Pour en savoir plus

Mary ANDERSON, *Do No Harm. How Aid Can Support Peace – or War*, Lynne Rienner, Boulder, 1999.

Berit BLIESEMANN DE GUEVARA et Florian P. KÜHN, « The political economy of statebuilding. Rents, taxes and perpetual dependency », *in* David CHANDLER (dir.), *The Routledge Handbook of International Statebuilding*, Routledge, Londres, 2013.

Jean-Marc CHÂTAIGNER et Hervé MAGRO (dir.), *États et sociétés fragiles. Entre conflits, reconstruction et développement*, Karthala, Paris, 2007.

Nicolas LEMAY-HÉBERT, « Pour un agenda critique du *peacebuilding*. L'engagement international en Haïti à la lumière des leçons des missions onusiennes du Kosovo et du Timor Leste », *in* David MORIN, Michel LIÉGEOIS et Marie-Joëlle ZAHAR (dir.), *Guide du maintien de la paix 2013*, Athéna, Montréal, 2014.

Les violences contre les femmes dans les zones de conflits

Raphaëlle Branche
Historienne, université Paris 1 Panthéon-Sorbonne

Publiée dans la presse début 2014, une enquête menée dans les camps de réfugiés syriens a révélé l'ampleur des viols commis par les forces fidèles au régime de Bachar al-Assad sur des femmes militantes ou simplement soupçonnées de liens avec les insurgés [1]. Les récits

---

[1] Annick COJEAN, « Le viol, arme de destruction massive en Syrie », *Le Monde*, 4 mars 2014.

recueillis disent la peur qui continue, et la honte. Ils disent aussi l'intention destructrice à l'œuvre dans ces violences sexuées. Les femmes sont d'autant plus exposées que, faisant partie de la population civile, elles disposent rarement d'armes. Mais elles sont aussi visées en tant que femmes : les violences qu'elles subissent renvoient à leur appartenance sexuelle. Comme en Syrie, la très grande majorité des victimes de violences sexuelles dans les zones de conflits sont des femmes, violentées par des hommes.

Le terreau sur lequel se développent ces violences est en effet double, la guerre s'ajoutant aux structures préexistant dans les sociétés dont sont issus les victimes et leurs bourreaux. L'Unicef s'est ainsi penché sur les taux de violences sexuelles subies par les filles en Afrique subsaharienne : une sur trois en aurait subi dans sa vie, la guerre ne représentant qu'une des dynamiques à l'œuvre. Il faut prendre en compte le contexte social et culturel englobant les violences afin de mieux comprendre non seulement comment elles peuvent arriver mais aussi quels sens elles ont pour les personnes concernées. Ainsi de l'importance des rituels magiques de certaines milices du Sud-Kivu relevés par les anthropologues. La dimension mentale des violences doit être aussi prise en compte pour mesurer leurs conséquences : aux violences réelles s'ajoutent ainsi les menaces, qui acquièrent leur force propre grâce à la dimension imaginaire qui s'y rattache. Si cet imaginaire prend des formes différentes dans chaque société, il inscrit aussi les violences sexuelles dans un temps long, en les reliant parfois à des récits mythiques, à l'instar du récit de la fondation de Rome accompagnée du viol des Sabines.

Pratiques anciennes, visibilité nouvelle ?

Les violences faites aux femmes en zones de conflits ne sont pas une nouveauté. La question apparaît dans plusieurs codes pénaux, civils et militaires, de l'époque moderne et ces pratiques sont dénoncées dans de nombreux textes normatifs encadrant les guerres. Ainsi, en 1863, le *Lieber Code*, promulgué par le gouvernement des États-Unis en pleine guerre civile, interdit les actes de « violence gratuite » (dont le viol) et les punit de la peine de mort. On peut aussi citer la quatrième convention de Genève de 1949, qui stipule que « les femmes seront spécialement protégées contre toute atteinte à leur honneur, et notamment contre le viol ». Contrairement à d'autres violences, les violences sexuelles ne trouvent de justification dans aucune de ces codifications de la guerre.

Cette condamnation unanime reflète-t-elle pour autant des pratiques uniformes ? L'histoire montre au contraire que ces violences n'accompagnent pas toutes les guerres. Si elles ont indéniablement à voir avec la domination masculine et la structuration patriarcale des sociétés, elles ne sont ancrées dans aucune loi biologique. Leurs spécificités s'expliquent par des facteurs politiques et sociaux auxquels il est nécessaire d'être attentif tant pour les prévenir que pour agir *a posteriori*.

Cependant, si ces violences ne sont ni nouvelles ni universelles ou relevant d'un invariant ahistorique, il faut bien reconnaître une sensibilité nouvelle du monde contemporain à leur égard depuis vingt ans.

On peut dater très précisément cette visibilité, contemporaine des conflits, des violences sexuelles faites aux femmes pendant la guerre en ex-Yougoslavie, à partir de 1992. Rapidement, des informations parviennent hors du pays qui évoquent des campagnes systématiques de viols, perpétrées en particulier en Bosnie-Herzégovine. Fin 1992, un rapport est remis à l'Assemblée générale des Nations unies et une résolution est votée à l'unanimité par le Conseil de sécurité (résolution 798), qui se déclare « horrifié » et dénonce le caractère « massif, organisé et systématique » des détentions et viols de femmes. Un an plus tard, l'Assemblée générale adopte une déclaration sur l'« élimination de la violence faite aux femmes » qui sort ce sujet du domaine domestique et privé en en soulignant la dimension politique : l'ONU affirme son rôle dans la protection et la promotion des droits des femmes, y compris dans les zones de conflits armés.

Le droit international porte aussi la marque de cette prise de conscience. La jurisprudence des Tribunaux pénaux internationaux pour l'ex-Yougoslavie (TPIY) et pour le Rwanda (TPIR) considère le viol en temps de guerre comme élément constitutif, respectivement, du crime contre l'humanité et du génocide. L'article 7 du statut de Rome de la Cour pénale internationale de 1998 considère quant à lui le viol systématique, la prostitution forcée, les grossesses forcées, la stérilisation forcée et « toute autre forme de violence sexuelle de gravité comparable » comme des crimes de guerre et des crimes contre l'humanité dès lors que ces crimes sont perpétrés dans le cadre d'une attaque généralisée ou systématique contre une population civile. Enfin, votée en 2000, la résolution 1325 du Conseil de sécurité des Nations unies se focalise sur la protection des femmes dans les conflits, estimant qu'elles sont les premières victimes des violences – notamment sexuelles – et qu'il est fondamental de les associer aux processus de sortie de guerre.

L'attention soutenue à ces violences s'accompagne d'une médiatisation nouvelle du sujet, que l'innovation technologique a largement permise, en particulier avec le développement des téléphones portables. C'est ainsi que des photographies puis des vidéos de scènes de mutilations, de tortures ou de viols ont pu être non seulement prises mais diffusées extrêmement rapidement. Le scandale de la prison d'Abu Ghraib en Irak a ainsi éclaté, en 2004, grâce à de tels clichés. En juin 2011, la vidéo, diffusée par CNN, d'un viol collectif filmé sur un téléphone portable a contribué à justifier auprès du public des opérations contre le régime de Kadhafi.

▆▆▆ Violer les femmes, détruire les sociétés

Si les téléphones portables peuvent contribuer à fournir des preuves et à faire connaître hors des zones de conflits des violences sexuelles le plus souvent tues par leurs victimes, ils peuvent aussi être de redoutables armes. Enregistrées, les violences peuvent ensuite être largement diffusées et montrées aux proches. La violence déborde sa scène première et la menace de sa reproduction à l'infini devient partie prenante de son pouvoir.

En effet, les violences sexuelles faites aux femmes sont aussi, et en même temps, des violences faites aux cercles auxquelles elles appartiennent et en premier lieu à leur famille. Que ce soit dans les conflits internationaux ou les conflits internes, la domination masculine marque bien évidemment ces violences : les femmes peuvent ainsi être violées dans le but d'atteindre leurs proches, et en particulier les hommes de leur entourage dont on rend ainsi évidente l'impuissance à protéger les femmes de leur groupe.

Ces violences participent de l'affirmation de la puissance de l'assaillant et, par contrecoup, de la faiblesse de celui ou celle qui subit l'assaut : au-delà des victimes directes, un message politique est adressé aux communautés. Pour cette raison, leur perpétuation peut être précédée de leur annonce : la menace de viol devient une arme de terreur. C'est cette peur qui a provoqué le départ de nombreuses Syriennes de leur pays depuis 2011.

La guerre rend visibles et exacerbe des logiques qui peuvent être déjà à l'œuvre en situation de paix mais elle y ajoute un élément essentiel : l'impunité. Si la fréquence des violences sexuelles en zones de conflits est variable, ces violences pouvant être, selon les cas, exceptionnelles ou généralisées, leurs auteurs jouissent, la plupart du temps, d'une immense impunité, du fait du silence non seulement des victimes et de leur entourage, mais aussi de la hiérarchie à laquelle ils appartiennent. La plupart des violences sexuelles sont en effet perpétrées par des hommes intégrés à des forces armées et à une chaîne de commandement. Dénonçant les violences sexuelles en République démocratique du Congo (RDC) en 2009, Human Rights Watch a explicitement mis en cause la tolérance des officiers, qui laissaient leurs soldats violer, quand ils ne les encourageaient pas [1].

Cette dynamique de perpétuation – et cette défaillance du commandement – reste une caractéristique récurrente des conflits contemporains. Pour cette raison, la structure hiérarchique est la clé de toute action de prévention puisqu'elle est la cause principale favorisant ou entravant les crimes. C'est en son sein que l'on peut identifier la nature intentionnelle des violences sexuelles. L'enquête publiée, début 2014, par la journaliste Annick Cojean sur la Syrie a ainsi attesté du fait que des médecins avaient distribué des

---

[1]   HUMAN RIGHTS WATCH, « Les soldats violent, les commandants ferment les yeux : violences sexuelles et réforme militaire en RD Congo », 16 juillet 2009.

pilules contraceptives aux femmes liées à l'insurrection et détenues par les forces armées : l'intention du groupe auquel appartenaient ces médecins est ici évidente et le viol une réalité assumée de la détention.

███████ Les lieux de détention, espaces privilégiés des violences sexuelles

Que ce soit en prison ou en camp, la détention est assurément un contexte extrêmement favorable au développement de violences sexuelles. Caractéristiques des guerres depuis plus d'un siècle, les camps où des civils sont enfermés pour des durées indéterminées et livrés à leurs geôliers sont des lieux de prédilection de ces violences.

La guerre en ex-Yougoslavie, au début des années 1990, a même vu la mise en place de camps destinés à faciliter les viols avec une visée de purification ethnique : les femmes bosniaques y étaient violées et gardées afin de mener leur grossesse à terme, l'idéologie raciste serbe imaginant que les enfants ainsi conçus seraient serbes et, dès lors, contribueraient à modifier durablement la répartition ethnique du pays. Pendant le génocide des Tutsis rwandais aussi, des femmes tutsies furent gardées intentionnellement par leurs violeurs et réduites au rang d'esclaves sexuelles avant leur mise à mort. Beaucoup subirent aussi des mutilations sexuelles : autant de témoignages des liens unissant volonté d'éradication et désir de purification sociale.

Mais le camp offre un contexte favorable au développement des violences sexuelles même au-delà des hostilités, et c'est sans doute une des découvertes les plus troublantes de ces dernières années. Dans les camps de réfugiés aussi, les femmes sont exposées à des viols collectifs, répétés et impunis. Ces espaces, qui ont vocation à protéger des populations vulnérables, peuvent aussi être des lieux de violences où les logiques de guerre restent à l'œuvre entre réfugiés. Le rôle des forces d'interposition peut aussi être questionné pour leur impuissance, voire leur complicité. Fin 2013, Amnesty International a ainsi dénoncé la gravité de la situation des femmes et filles dans l'immense camp jordanien de Zaatari où survivent près de 120 000 personnes. Des Syriennes y subissent harcèlement sexuel, viols et même mariages forcés avec des Jordaniens.

███████ Violence physique, mort sociale

Si le mariage peut être le lieu et l'expression de violences sexuelles légitimées, il peut aussi être la manière dont un groupe tente d'absorber l'atteinte à ses valeurs et à sa cohésion que constituent ces violences.

Cependant les violences sexuelles ont aussi le redoutable pouvoir de stigmatiser les victimes et de conduire à leur mort sociale. Les femmes peuvent ainsi se retrouver abandonnées par leurs proches et cette stigmatisation peut s'étendre à leurs enfants, comme en Bosnie dans les années 1990. En

Somalie, le Haut Commissariat pour les réfugiés (HCR) a rapporté que des familles avaient demandé à ce que leurs filles violées soient placées dans d'autres camps afin d'éloigner la honte entachant la famille. Considérées comme une offense faite à la famille, voire à la société en son entier, les violences sexuelles ont le pouvoir de briser les liens. C'est ce qu'une étude publiée en 2010 par Oxfam International a très nettement mis en évidence pour la RDC sous le titre « Aujourd'hui, je ne suis plus de ce monde [1] ».

Des cas sont aussi rapportés de femmes violées tuées par leur famille soucieuse de laver dans le sang la honte perçue : c'est ce qu'a dénoncé, pour la Libye, l'Observatory on Gender in Crisis (mais la Libye n'est pas un cas unique). En février 2014, un décret du gouvernement d'Ali Zeidan reconnaissant comme « victimes de guerre » les femmes victimes de viols par les hommes du régime du colonel Kadhafi aussi bien pendant les huit mois de la révolution libyenne de 2011 que pendant les quarante-deux ans de son régime témoigne d'une prise en compte de cette réalité sociale. Ces femmes reçoivent officiellement la protection et l'attention de l'État libyen ; les enfants nés de ces viols sont aussi protégés.

En effet, non seulement les violences sexuelles visant les femmes en temps de guerre ne sont qu'exceptionnellement punies, mais les victimes subissent très souvent une double peine : à la violence s'ajoutent souvent la stigmatisation sociale, la relégation, voire la maladie et en particulier le sida – ce qui peut signifier la mort à plus ou moins long terme. Cette dimension a tardé à être identifiée et prise en compte dans les programmes d'assistance aux victimes de violences sexuelles. Encore aujourd'hui, les victimes peuvent rarement recevoir le kit PEP (*post-exposure prophylaxis*) qui, administré très peu de temps après le rapport sexuel, offre une protection contre la grossesse et les maladies sexuellement transmissibles.

▓▓▓ Prévention et réparation

La prise de conscience internationale de l'ampleur des violences sexuelles dans certaines zones de conflits est cependant indéniable depuis quelques années. Adoptée pendant la guerre civile au Liberia, la résolution 1820 (19 juin 2008) des Nations unies constate ainsi l'utilisation de la violence sexuelle « pour humilier, dominer, intimider, disperser ou réinstaller de force les membres civils d'une communauté ou d'un groupe ethnique ». Elle charge explicitement les missions de maintien de la paix de protéger les femmes et les enfants des violences sexuelles, exigeant de toutes les parties à des conflits armés « qu'elles mettent immédiatement et totalement fin à tous actes de violence sexuelle contre des civils ». L'année

---

1 Disponible en anglais : « "Now, the world is without me". An investigation of sexual violence in Eastern Democratic Republic of Congo », <www.oxfam.org>, avril 2010.

suivante, la résolution 1888 provoque la mise en place d'une représentante spéciale de l'ONU chargée des violences sexuelles dans les conflits armés. Plus récemment, en avril 2013, les pays du G8, estimant que ces violences peuvent « exacerber un conflit armé », voire semer les germes de conflits futurs, signent une déclaration pour la prévention des violences sexuelles en temps de conflit. Les effets pratiques de cette déclaration sont encore à attendre, mais un tel texte témoigne d'une prise de conscience par les institutions internationales de la double nécessité de prévention et de réparation.

Cette dernière passe par une lutte contre l'impunité tout autant que par des actions d'intégration sociale et de soins, pour les victimes et leurs enfants. C'est ce que préconise, par exemple, le rapport de la Fédération internationale des droits de l'homme (FIDH) sur la RDC en mars 2014 : « Les victimes de crimes sexuels obtiennent rarement justice et jamais réparation. » Distingué, fin 2013, par le prix Right Livelihood, le gynécologue Denis Mukwege agit, quant à lui, sur le terrain, depuis des années dans ce sens en apportant soutien psychologique, protection et soins physiques aux femmes et aux enfants de RDC victimes de violences sexuelles. On estime à plus de 40 000 le nombre de personnes traitées dans l'hôpital qu'il a mis en place.

Outre les soins, en effet, c'est la levée du silence qui peut faire sens socialement et offrir aux femmes victimes un autre avenir. Cet avenir différent passe par une prise en compte plus large, par les acteurs intervenant sur ces terrains, des questions de genre à l'œuvre dans les conflits. Dans ces sociétés blessées, il importe d'identifier les imaginaires et les rôles sociaux de sexe où les violences sexuelles prennent aussi leurs sources et sur lesquels il faudrait agir pour construire l'avenir.

Pour en savoir plus

Joanna BOURKE, *Rape. A History from 1860 to Present*, Virago, Londres, 2007.

Raphaëlle BRANCHE et Fabrice VIRGILI (dir.), *Viols en temps de guerre*, Payot, Paris, 2011.

Janie L. LEATHERMAN, *Sexual Violence and Armed Conflict*, Polity Press, Cambridge, 2011.

Alexandra STIGLMAYER (dir.), *Mass Rape. The War Against Women in Bosnia-Herzegovina*, Bison Books, Toronto, 1994.

Une guerre qui ne dit pas son nom : la gestion militaro-sécuritaire des migrations

Claire Rodier
Juriste, membre du Groupe d'information et de soutien des immigré.e.s (GISTI)
et du réseau Migreurop

« **L**'Europe est en guerre contre un ennemi qu'elle s'invente. »
Tel est le slogan de campagne choisi en 2013 par une coalition d'organisations de défense des droits des migrants pour demander la suppression de l'agence Frontex, chargée depuis 2004 de la surveillance des frontières extérieures de l'Union européenne (UE). Pour métaphorique qu'elle soit, la formule n'en attire pas moins l'attention sur les formes qu'ont prises, au cours des trois dernières décennies, les politiques mises en place par les États industrialisés pour lutter contre l'immigration irrégulière, notamment dans le domaine des contrôles frontaliers.

De la définition classique de la guerre, les politiques migratoires ne comportent certes pas toutes les caractéristiques. Il ne s'agit pas d'un conflit opposant des nations entre elles, ni des peuples ou des groupes humains. Dans leur versant hostile, elles s'apparentent plus à un conflit mené par des nations – ou du moins des entités politiques rassemblées par le souci de protéger leurs frontières – contre des groupes humains, pour autant qu'on puisse qualifier de « groupe » l'ensemble des personnes que poussent sur la route de la migration des situations individuelles et des contextes très divers.

Mais la polémologie invite à ne pas s'en tenir à une acception traditionnelle de la notion de guerre. Et le fait que la « guerre aux migrants » ne soit que rarement assumée comme telle par ceux qui sont accusés de la mener ne suffit pas à écarter la pertinence du rapprochement entre les deux termes. En dehors du champ de la migration, de nombreuses interventions militaires sont perçues comme des actes belliqueux par ceux qu'elles visent – volontiers appelés « rebelles », « guérilleros » ou « terroristes », y compris lorsqu'il s'agit de victimes civiles qui en subissent les effets collatéraux – alors qu'il ne s'agit pas officiellement de guerres. C'est le cas notamment des opérations de « maintien de la paix » comme en ont organisé les États-Unis en Afghanistan ou plus récemment la France au Mali, et plus généralement les « opérations autres que la guerre » – *Operations other than war* (OOTW), selon la terminologie de l'OTAN –, destinées à prévenir ou résoudre les conflits, ou assister les autorités civiles dans des situations de crise interne.

Ces formes modernes de « guerre » présentent plus d'une analogie avec la lutte contre l'immigration irrégulière. Les deux ont en commun une représentation binaire du monde par des sociétés se prétendant porteuses de valeurs universelles, qui se sentent menacées – dans un cas par les ennemis de la démocratie, dans l'autre par l'invasion d'étrangers accusés de porter atteinte à leur intégrité ou à leur identité.

Au-delà du slogan, une analyse des enjeux et des conséquences des politiques migratoires, ainsi que des discours mobilisés, des moyens mis en œuvre et des méthodes utilisées par ceux qui en décident, montre que la référence à la guerre est moins inappropriée qu'on pourrait le croire.

▨▨▨▨ La construction d'une menace migratoire

L'élaboration par l'Union européenne (UE) d'une politique commune en matière d'immigration et d'asile fournit, depuis la fin des années 1990, un bon exemple de la transformation d'un phénomène naturel – les migrations internationales – en péril dont il faudrait se prémunir. Composante indissociable de la mondialisation, les migrations ont activement participé – et participent encore – au développement des sociétés d'accueil comme à celui des pays de départ : en 2012, le montant des fonds envoyés, au niveau mondial, par les migrants vers leurs pays d'origine était estimé à environ 500 milliards de dollars (à titre comparatif, le total de l'aide publique au développement s'élevait, à la même époque, à 200 milliards de dollars). À travers les mouvements de réfugiés et de personnes déplacées, elles sont aussi l'expression de la prise en charge collective des conséquences des crises (famines, catastrophes environnementales) et des conflits telle qu'elle a été impulsée par les Nations unies depuis la fin de la Seconde Guerre mondiale. Inéluctables, les migrations sont même, selon certains analystes, indispensables à la bonne marche du monde [1].

En dépit de cette évolution, les États de l'UE, comme beaucoup de pays industrialisés, ont organisé leurs politiques migratoires en forme de filtre. Sans prendre en considération la multiplicité des facteurs de départ, ces politiques visent principalement à attirer les migrants supposés « utiles » pour les pays d'arrivée et à empêcher les autres de franchir les frontières ou à les expulser lorsqu'ils les ont franchies. Pour légitimer ces objectifs malthusiens et les dispositifs mis en œuvre pour les atteindre, les autorités des pays

---

1   Catherine WIHTOL DE WENDEN, *Faut-il ouvrir les frontières ?*, Presses de Sciences Po, Paris, 2014.

concernés se sont employées à donner de la migration l'image d'une menace dont il convient de se défendre, sans hésiter à pratiquer l'amalgame. En 1997, l'UE a consacré la sanctuarisation d'un « espace de liberté, de sécurité et de justice » destiné à apporter un « degré de protection élevé » aux citoyens européens contre « le crime organisé, le terrorisme et l'immigration irrégulière », placés sur le même plan comme s'il s'agissait de fléaux comparables.

Pour en faire des ennemis, on assimile les migrants à des délinquants : en Grèce, un porte-parole de la police dénonçait ainsi, en 2012, les « proportions épidémiques » prises par la criminalité des étrangers, ajoutant que 70 % des crimes violents commis dans le pays leur seraient imputables. Ou à de potentiels terroristes : quelques jours après les attentats de New York de 2001, la résolution 1373 du Conseil de sécurité de l'ONU prescrivait aux États d'empêcher les mouvements terroristes en instituant des contrôles efficaces aux frontières. Dans la foulée, la Commission européenne décidait, en décembre 2001, de réviser les normes européennes en matière d'asile et d'immigration sous prétexte de lutte contre le terrorisme international.

Dans la même logique, l'Organisation internationale des migrations (OIM) estime que « le terrorisme est un test extrême de la pertinence des politiques d'immigration ». Cette association entre immigration et terrorisme, présentée comme allant de soi, alimente un sentiment de peur et un désir de repli au sein des sociétés occidentales, et justifie les mesures censées y répondre. Longtemps appréhendée dans sa seule dimension économique, l'immigration relève clairement, depuis le début du XXIe siècle, des questions de sécurité.

Un peu partout, le fantasme de l'invasion fait florès, servi par le vocabulaire hostile qui prend progressivement place dans le discours institutionnel : on parle de migrants « clandestins », de « faux » demandeurs d'asile, voire d'« infiltrés », et de « risque migratoire ». En 2004, pour inciter l'UE à investir plus de moyens dans la protection de ses frontières méditerranéennes, un ministre italien de l'Intérieur affirmait, contre toute évidence, que « deux millions d'Africains » étaient « prêts à traverser la mer pour gagner les côtes européennes ». Sept ans plus tard, un préfet français lui faisait écho après l'arrivée de quelques milliers de boat people ayant quitté la Tunisie et la Libye au moment des « printemps arabes » : « L'Italie, c'est la digue qui ne doit surtout pas céder. »

En 2014, la rhétorique n'a pas changé, comme en témoigne l'alerte d'un ministre espagnol déclarant, pour justifier la violente répression policière d'une tentative de franchissement des frontières de la ville de Ceuta (enclave espagnole en terre marocaine) par quelques centaines d'Africains fuyant la misère, que 80 000 autres attendent pour entrer illégalement en Espagne. Un argumentaire que l'on retrouve également hors d'Europe. « Si nous ne nous protégeons pas, Israël sera inondé par des centaines de milliers de travailleurs étrangers et de clandestins », menaçait par exemple le Premier ministre Benyamin Netanyahu en 2010. Bien que peu crédibles et non étayées, ces annonces alarmistes véhiculent l'image d'une forteresse assiégée par un envahisseur prêt à tout pour en forcer les portes.

▬▬▬   Militarisation des contrôles migratoires

Les modes opératoires utilisés pour repousser cet envahisseur sont à la mesure du péril allégué. À l'intervention des gardes-frontières et de la police de l'immigration se substitue ou s'ajoute souvent celle des forces armées. En 1997, la marine italienne, mobilisée pour endiguer les débarquements dans des ports italiens sur l'Adriatique de plusieurs dizaines de milliers d'Albanais chassés par la grave crise sociale et économique qui frappe leur pays après l'effondrement du bloc communiste est-européen, torpillait une de leurs embarcations, provoquant la mort de cinquante-huit personnes. Comme une réplique de cet épisode dramatique, l'intervention en 2013 d'une frégate militaire dans le cadre d'une opération de sauvetage en mer de migrants en détresse s'est traduite par des tirs nourris, jusqu'à le faire couler, contre le bateau en fuite de présumés « passeurs » – seize personnes, dont plusieurs mineures, toutes arrêtées après leur interception. À la frontière espagnole, c'est l'armée marocaine qui – dans le cadre de l'« externalisation » par l'UE des contrôles migratoires – est affectée à la surveillance des enclaves de Ceuta et Melilla. De nombreux témoignages attestent la violence de ses interventions. En 2005, l'une d'entre elles s'est soldée par la mort d'une quinzaine de Subsahariens, par balle, chute ou étouffement, lors d'une tentative de passage de la seule séparation terrestre entre l'Afrique et l'Europe. Si leur issue n'est pas toujours aussi funeste, ces opérations s'accompagnent généralement de déportations massives des migrants interpellés hors du territoire marocain, souvent de l'autre côté de la frontière avec l'Algérie, parfois en plein désert, où ils sont livrés à un sort incertain.

La militarisation des contrôles migratoires n'est pas l'apanage des pays européens. Pour empêcher l'arrivée de demandeurs d'asile en Australie, le gouvernement a lancé en 2013 l'opération « Frontières souveraines », conduite par le commandement en chef des forces armées, qui consiste à dissuader les bateaux de migrants de s'approcher des côtes. Aux nombreuses accusations mettant en cause le comportement des militaires lors des interceptions maritimes (violences physiques, tirs en l'air, remorquage hors des eaux territoriales) et dénonçant l'opacité du déroulement des manœuvres, le Premier ministre Tony Abott s'est contenté d'opposer la gravité de la situation en usant de références explicitement belliqueuses. Pour refuser de communiquer des renseignements sur les méthodes d'intervention des patrouilles, il explique : « Si nous étions en guerre, nous ne diffuserions pas d'informations qui pourraient être utiles à nos ennemis. »

La participation de l'armée à la gestion des migrations va de pair avec le déploiement, pour la surveillance des frontières, d'équipements qu'elle a coutume d'utiliser. Vedettes rapides, hélicoptères, avions et véhicules terrestres, miradors, radars fixes et mobiles, caméras thermiques et sous-marines, capteurs, sondes et détecteurs divers, systèmes perfectionnés de transmission d'images et drones font désormais partie du paysage des principales zones frontalières considérées comme « à risque ». L'industrie d'armement en est le principal fournisseur, qui a trouvé dans le marché de la « sécurité migratoire » des débouchés fructueux pour l'application civile d'une technologie initialement conçue à des fins militaires. Depuis 2005, Washington se fournit en drones auprès du constructeur américain General Atomics pour la surveillance aérienne télécommandée du célèbre mur qui a été édifié entre les États-Unis et le Mexique. C'est le même modèle de drone, le Predator B, qu'ont utilisé – dans sa version armée – les États-Unis jusqu'à 2010 pour exécuter des talibans au Pakistan et qui sert au repérage des combattants islamistes au Mali depuis 2013.

En Europe, la plupart des entreprises d'armement et d'aviation des États membres de l'UE sont engagées dans la course à l'industrie frontalière dans le cadre des nombreux programmes financés par l'Union pour la protection de ses frontières extérieures. Lancé en 2013 et doté d'un budget de 224 millions d'euros pour la période 2014-2020, le système Eurosur devrait dynamiser le secteur en faisant appel à la technologie sophistiquée que proposent ces entreprises. Réseau de communication protégé entre pays européens, ce système vise à renforcer la surveillance de leurs frontières méridionales par le partage des images et des données en temps réel, recueillies *via* divers outils (satellites, hélicoptères, drones, systèmes de comptes rendus des navires…). Eurosur est coordonné par l'agence Frontex qui, en dix ans, est devenue le symbole de la gestion militaro-sécuritaire des migrations par l'UE.

Comme la plupart des guerres modernes, la lutte menée par les pays industrialisés contre l'immigration irrégulière fait de plus en plus appel à des mercenaires pour suppléer les militaires sur les terrains opérationnels. Dans les pays anglo-saxons notamment, c'est à des sociétés de sécurité privées que sont confiées des missions telles que le convoyage des expulsés ou la gestion des centres de détention dans lesquels migrants en instance d'éloignement forcé ou demandeurs d'asile sont enfermés. Ces compagnies ont connu, au cours des quinze dernières années, un essor proportionnel au durcissement des politiques migratoires. Aux États-Unis, où la gestion de l'immigration est presque entièrement sous-traitée au secteur privé, le budget fédéral consacré à l'identification, la surveillance, le transport, la détention et l'expulsion des migrants a augmenté de 50 % entre 2006 et 2010.

En parallèle à l'augmentation des moyens qui lui sont alloués, l'approche sécuritaire des mouvements migratoires a entraîné un nombre croissant de violations des droits humains, régulièrement dénoncées par les ONG, mais aussi par les instances onusiennes comme le Haut Commissariat pour les réfugiés (HCR) ou le Rapporteur spécial sur les droits de l'homme des migrants. En Europe, le nombre de personnes étrangères enfermées – sans avoir commis d'autre délit que d'être sans papiers au regard des lois sur l'immigration –, qui s'élevait, en 2000, à 300 000, avait plus que doublé en 2012. Régulièrement, la presse se fait l'écho d'incidents graves survenus dans ces centres de détention – suicides, automutilations, révoltes parfois violemment réprimées.

Il ne s'agit là que d'un aspect des conséquences des politiques de « gestion des flux migratoires ». En octobre 2013, l'opinion européenne s'est émue après le naufrage d'une embarcation de *boat people* au cours duquel 365 personnes, réfugiés originaires de la Corne de l'Afrique qui cherchaient protection en Europe, se sont noyées à toute proximité de l'île italienne de Lampedusa. L'événement, impressionnant par son ampleur, n'est pourtant qu'un épisode d'une longue série. Selon les estimations des ONG – à défaut de tout recensement officiel –, 16 000 personnes ont trouvé la mort aux frontières de l'Europe entre janvier 1993 et mars 2012, avec une accélération marquée de la mortalité migratoire depuis le début des années 2000, c'est-à-dire l'époque où les États membres de l'UE ont défini une politique commune en matière de protection des frontières. Quoi qu'on pense de la métaphore guerrière, les victimes de cette politique sont, elles, bien réelles.

Pour en savoir plus

Emmanuel BLANCHARD et Anne-Sophie WENDER, *Guerre aux migrants, le livre noir de Ceuta et Melilla*, Syllepse, Paris, 2007.

Olivier CLOCHARD (dir.), *Atlas des migrants en Europe. Géographie critique des politiques migratoires*, Armand Colin, Paris, 2012.

François CREPEAU, *La Gestion des frontières extérieures de l'Union européenne et ses incidences sur les droits de l'homme des migrants*, rapport du Rapporteur spécial des Nations unies sur les droits de l'homme des migrants, 2013.

Claire RODIER, *Xénophobie business*, La Découverte, Paris, 2012.

Campagne Frontexit : <www.frontexit.org>.

Réseau Migreurop : <www.migreurop.org>.

Statewatch : <www.statewatch.org>.

III. Théâtres. Conflits régionaux

Ukraine : de la crise politique au séparatisme

Mathilde Goanec
Journaliste

Maïdan – la « place » en ukrainien – est un mot qui a fait le tour du monde, et ce bien avant le douloureux hiver 2014. En 2004, cette esplanade du centre-ville de Kiev est une première fois le théâtre de manifestations monstres. Les Ukrainiens ne veulent alors ni de Léonid Koutchma, le président sortant, ni de son dauphin Viktor Ianoukovitch, propulsé au pouvoir par une élection largement frauduleuse. Cette « révolution orange » de 2004, initiée par des mouvements de jeunesse (en partie financés par des organisations non gouvernementales et des fondations américaines), se déroule sans heurts majeurs et s'achève par l'adoubement de deux leaders charismatiques, Viktor Iouchtchenko et Ioulia Timochenko. Mais ces deux derniers, parés à l'époque de mille vertus, vont s'autodétruire dans leur quête personnelle du pouvoir, provoquant le retour de Viktor Ianoukovitch à la tête du pays en 2010, au grand soulagement des puissances étrangères – Russie, Europe et États-Unis – exaspérées par la guerre fratricide qui se joue à Kiev. Mais, là encore, rien ne fonctionne comme prévu : quatre ans plus tard, Maïdan s'embrase à nouveau et chasse un président devenu paria. Ces deux hivers tumultueux font-ils partie d'un seul et même mouvement ?

Pour comprendre, il faut revenir sur la manière dont le pays s'inscrit sur le plan géopolitique. En Ukraine, les élections se sont toutes jouées au cours de cette dernière décennie sur un double registre : une adhésion générale des dirigeants à l'« idée européenne » (alimentée notamment par les millions d'euros versés par la Commission européenne *via* son programme d'aide à l'Ukraine), et une attitude plus ou moins loyale à la Russie, grand voisin historique et culturel, argentier, fournisseur de gaz, etc. D'où la colère d'une grande partie des Ukrainiens lorsque Viktor Ianoukovitch annonce en novembre 2013 qu'il ne signera pas l'accord d'association avec l'Union européenne (UE), après plus de six ans de négociations menées dans le cadre du Partenariat oriental de celle-ci (qui s'adresse aussi à l'Arménie, l'Azerbaïdjan, la Biélorussie, la Géorgie et la Moldavie).

La plupart des étudiants et intellectuels qui envahissent à nouveau Maïdan à la fin de l'année 2013 ne connaissent pas réellement le contenu de cet accord qui, outre un assouplissement du régime des visas ainsi que de vraies mesures de renforcement des institutions, est surtout un instrument libre-échangiste pour ouvrir le marché ukrainien aux Européens (et inversement). Selon Federico Santopinto, analyste spécialisé dans les politiques de l'UE pour la prévention et la gestion des conflits, cet accord était d'ailleurs l'un des plus avancés en termes d'intégration économique, mais exigeait une forme d'exclusivité. Ce faisant, l'Ukraine choisissait clairement son camp, tout du moins aux yeux de la Russie.

C'est d'ailleurs en réaction à la création du Partenariat oriental que Vladimir Poutine lançait, en 2010, son projet d'Union douanière avec plusieurs pays membres de la Communauté des États indépendants (CEI), ainsi qu'un début de guerre commerciale avec Kiev au cours de l'année 2013. Les dirigeants ukrainiens ont bien continué de « marchander » leur place dans les échanges, penchant tantôt vers Bruxelles, tantôt vers Moscou. Mais, au cours de son mandat, Viktor Ianoukovitch s'emballe, demande toujours plus à l'Europe, obtient dans le même temps une réduction du prix du gaz et un prêt de 11 milliards d'euros de Vladimir Poutine... et finit donc par claquer la porte au nez des Européens au sommet de Vilnius. Au même moment, fragilisée par la crise de 2008, rendue exsangue par l'avidité du clan au pouvoir, qui rackette à tout-va et puise sans réserve dans le budget de l'État, l'économie ukrainienne est à genoux.

Le mouvement de contestation de novembre 2013 va donc prendre très rapidement, spontanément et, cette fois-ci, en dehors des partis d'opposition traditionnels, ce qui est une des différences majeures avec la révolution orange. Seul parti à occuper l'espace contestataire dès les premiers jours : la formation d'extrême droite Svoboda (« Liberté »). Affaiblie par sa gestion plus que critiquable de plusieurs villes dans l'ouest du pays, le parti va tenter de se refaire sur Maïdan une virginité politique.

Radicalisation du mouvement

Le mouvement, plutôt bon enfant au départ, va se radicaliser après la répression violente des « *berkouts* » (la police antiémeute ukrainienne), fin novembre. Les différents leaders de l'opposition s'agrègent peu à peu aux manifestations, sans pour autant en prendre le contrôle. L'Europe sert désormais de décor, la principale revendication est le départ de Ianoukovitch et la fin de la corruption. Occupation de bâtiments officiels, barricades montées dans le centre-ville de Kiev, création de milices d'autodéfense : la tension monte graduellement, notamment après l'adoption, début janvier 2014, de loi jugées antidémocratiques, jusqu'à la fusillade du 20 février, où près d'une centaine de personnes vont perdre la vie sous les balles de snipers. L'identité des tireurs reste jusqu'ici assez floue : *berkouts*, forces spéciales russes mobilisées pour l'occasion, provocateurs payés par l'opposition pour envenimer la situation ?

L'affaire se solde en tout cas par le départ tant attendu de Viktor Ianoukovitch vers la Russie et la nomination d'un gouvernement intérimaire hétéroclite, à l'image de cette mobilisation. Il est composé de certains membres de partis traditionnels – dont Batkivshchyna (« Patrie », la formation de Ioulia Timochenko) ou Svoboda –, de personnalités issues de la société civile, mais aussi de nouvelles fractions politiques d'extrême droite ayant émergé de Maïdan, comme le Pravyi Sektor (« Secteur droit »). Une manière de rétribuer symboliquement les plus ardents sur Maïdan, enrôlés dans ces fameuses « *sotnias* », sorte de centuries paramilitaires mises sur pied par accointances régionales ou idéologiques, et qui ont souvent perdu des camarades dans le combat. L'arme est à double tranchant. D'abord, elle légitime publiquement un discours très nationaliste, foncièrement antirusse, voire raciste. Ensuite, elle donne du grain à moudre au Kremlin, très hostile depuis le début aux manifestants de Maïdan, et qui n'aura de cesse de seriner ensuite le refrain de la lutte contre la « junte fasciste » de Kiev.

La partition des Occidentaux est moins lisible : les Européens, prisonniers de leur dépendance gazière vis-à-vis de la Russie, sont partis dès le début en ordre dispersé, entre discours pro-démocratie mais sans substance, et implication directe dans le conflit, notamment des dirigeants est-européens. Ainsi, devant l'escalade de la violence, les ministres des Affaires étrangères allemands, français et polonais ont fait pression dès janvier en faveur d'un accord entre les autorités et l'opposition, quitte à conserver Viktor Ianoukovitch en place pendant encore plusieurs mois. Cet accord sera finalement rejeté par la rue, peu favorable aux compromis.

Les États-Unis ont pour leur part adopté une attitude plus volontariste, comme en témoigne ce coup de fil de Victoria Nuland à l'ambassadeur des États-Unis à Kiev – rendu public par la télévision russe –, où l'en entend la secrétaire d'État adjointe américaine pour l'Europe s'agacer de la mollesse de l'UE. Il y a eu aussi la visite remarquée à Kiev fin décembre du sénateur républicain John McCain, lequel, fidèle aux faucons de Washington, n'a pas manqué de rappeler l'antagonisme ancestral entre la Russie et les États-Unis.

Selon Mikhaïl Minakov, politologue ukrainien, « s'il n'y a pas eu de conspiration américaine pour faire tomber le pouvoir à Kiev, on sait que certains lobbys pro-gaz liquéfié très puissants à Washington [les États-Unis entendent contrer l'offensive russe en livrant du gaz à l'UE] se sont emparés de l'opportunité du conflit pour promouvoir d'autres chemins d'approvisionnement vers l'Europe que la seule voie russe ».

▬▬▬ Transformation en un conflit territorial

L'autre grande différence avec 2004 est bien sûr le passage d'une crise politique intérieure à un redécoupage territorial du pays, avec l'annexion de la Crimée par les Russes (lesquels parlent plutôt de « rattachement »). Nombre d'observateurs ont évoqué à ce propos la mise en œuvre d'un agenda de reconquête du Kremlin, mûrement réfléchi et entamé dès 2008 lors de la guerre russo-géorgienne. Certes, Moscou a toujours considéré la Crimée comme une terre donnée par erreur à l'Ukraine en 1954 (voir encadré) et donc sienne. La Russie s'est aussi lassée de passer pour un État de seconde zone aux yeux du monde depuis la fin de la guerre froide. Le discours prononcé par Vladimir Poutine le 18 mars à la Douma est de ce point de vue exemplaire : « On nous a menti à plusieurs reprises, on a pris des décisions dans notre dos, on nous a placés devant des faits accomplis. Cela s'est produit avec l'expansion de l'OTAN vers l'Est, avec le déploiement des systèmes de défense antimissile, avec le report incessant des négociations sur les visas, avec les promesses non tenues de concurrence honnête et d'accès libre aux marchés mondiaux. »

Pour l'expert militaire Igor Semivolos, le pouvoir russe a surtout fait preuve d'opportunisme, voire d'aventurisme, en profitant de la confusion intérieure ukrainienne pour agiter une population criméenne majoritairement russophone, dans un territoire où la Russie possède une base navale opérationnelle, conservée au prix fort depuis 1991. « Les Russes espéraient que Viktor Ianoukovitch allait lancer une opération militaire à Kiev autour du 23 février, pour rétablir le calme dans la capitale. Mais rien ne s'est passé comme prévu. Dès le départ du président ukrainien, des troupes russes ont donc été massées près de la frontière, à Tomar, alors que des militaires sans insignes investissaient la péninsule… » On connaît la suite : malgré l'opposition des Tatars (qui représentent 12 % de la population), le Parlement de la région autonome vote l'organisation d'un référendum le 16 mars 2014 sur le rattachement de la péninsule à la Russie. Le pouvoir central à Kiev s'offusque, mais ne réagit pas. Finalement, il n'y aura pas de véritable conflit ouvert, et trois morts seulement au cours de l'opération, même si les résultats du référendum (plus de 96 % pour le « oui ») ne sont reconnus ni par l'Ukraine, ni par la communauté internationale. La Crimée a donc rejoint par cette opération d'autres « trous noirs » du droit international. La Russie y

Crimée, le cadeau empoisonné

S'il est difficile de réclamer un quelconque droit ancestral sur la Crimée, c'est que la péninsule a moult fois changé de main. Khanat des Tatars turcophones en 1441, elle a passé plusieurs siècles sous influence ottomane. Mais, en 1783, la péninsule est finalement arrachée par l'Empire russe, qui fonde la base navale de Sébastopol et y voit une opportunité pour s'avancer plus loin vers le Bosphore et les Dardanelles. Cette expansion sera stoppée par la guerre de Crimée (1885-1856), qui opposera la Russie à l'Empire ottoman et à ses alliés français et britanniques. Sous l'URSS, la péninsule devient république socialiste et verra, après la Seconde Guerre mondiale, la déportation massive de sa population tatare, accusée d'avoir collaboré avec les nazis, vers le reste de l'empire – les Tatars, autorisés à rentrer chez eux en 1989 par Gorbatchev, garderont de cette époque une rage intacte contre l'impérialisme russe. En 1954, Nikita Khrouchtchev décide d'« offrir » la Crimée à la République ukrainienne, officiellement pour célébrer le 300ᵉ anniversaire de l'union entre la Russie et l'Ukraine. D'autres raisons sont avancées pour expliquer ce geste : volonté de renforcer la continuité géographique entre les deux pays, incitation à repeupler le territoire marqué par la déportation et, peut-être, fidélité à cet État ukrainien où l'homme fort du Kremlin passa une partie de sa vie. Les frontières de 1954 seront conservées en 1991, à la chute de l'Union soviétique : pour de nombreux Russes, il s'agit d'une trahison et d'une erreur historique. Idée sur laquelle s'est appuyé Vladimir Poutine pour justifier le rattachement en 2014.

impose désormais sa loi (poussant au passage les pro-ukrainiens, et notamment la population tatare, sur les chemins de l'exil) mais la région fait, officiellement, toujours partie de l'Ukraine.

En guerre à l'est du pays

Ce qui s'est joué dans le Donbass, à l'est du pays, est encore plus explosif. Là encore, le pouvoir central à Kiev doit composer avec le voisin russe qui dit publiquement respecter l'intégrité ukrainienne, et dans le même temps rappelle sans cesse son « devoir » de protéger les russophones « menacés » de tous les pays. En avril 2014, après un référendum encore une fois très contesté, naissent donc la « République populaire de Donetsk » et la « République populaire de Lougansk », deux entités fantoches désormais réunies sous l'appellation d'« États fédérés de Nouvelle Russie ». Pour mener ce combat, « différents cercles de pouvoir sont imbriqués, rivaux ou partenaires au gré des circonstances », selon un diplomate européen : des séparatistes ukrainiens ou russes (mais implantés localement), des mercenaires venus de l'espace postsoviétique et notamment du Caucase (en général des professionnels de l'action armée) et enfin des éléments issus du banditisme plus traditionnel, qui profitent du chaos pour faire main basse sur une partie des richesses locales. Le gouvernement intérimaire ukrainien a été d'une « faiblesse absolue » dans cette affaire, souligne un spécialiste de la région, et c'est aussi ce qui a contribué à l'épanouissement des velléités séparatistes. « Au lendemain de Maïdan, complète le même expert, le personnel politique à Kiev n'a pas su, ou pas voulu, s'adresser à cette partie de la population, ni la rassurer sur le fait qu'elle fait bel et bien partie d'un même État. »

La réponse militaire est, elle aussi, désordonnée. Face aux séparatistes, l'armée régulière, mal dotée, côtoie des bataillons issus des centuries de Maïdan ou nouvellement formés et financés par des oligarques proches du pouvoir. Ces hommes en armes, souvent inexpérimentés, doivent normalement répondre aux ordres du ministère de l'Intérieur, mais la chaîne de commandement est loin d'être claire : c'est donc une véritable guérilla qui se joue à l'est. C'est peut-être aussi la stratégie russe : le Kremlin a conservé le silence sur les référendums successifs de l'Est ukrainien et n'a pas répondu aux demandes de rattachement des séparatistes. Si son objectif est une déstabilisation à long terme de l'Ukraine, il peut jouer le pourrissement plutôt que l'annexion pure et simple d'une région en grande difficulté sur le plan économique.

Un antagonisme profond

Dans ce maelström, quelle transformation politique peut advenir ? À Kiev, il est aujourd'hui beaucoup question de « lustration [1] », pour mettre fin à la corruption qui gangrène tous les étages de la vie publique. Mais les discours se heurtent au réel. Ainsi, lors de la présidentielle anticipée qui s'est tenue le 25 mai 2014, 54,70 % des suffrages exprimés se sont portés sur Petro Porochenko (les régions de Lougansk et de Donetsk n'ont presque pas voté). Un résultat qui n'est pas le signe d'un changement profond de personnel politique : homme d'affaires ayant fait fortune dans les années 1990, Porochenko n'a cessé de naviguer au gré des changements de pouvoirs et au sein des différents clans. Si une partie de la population lui sait gré d'avoir activement participé à l'Euromaïdan, ainsi qu'à la révolution orange en 2004, elle n'ignore pas non plus ses accointances avec le milieu oligarchique, lui qui tolère que des hommes d'affaires à la morale douteuse aient été nommés gouverneurs un peu partout dans le pays. Surtout, ce scrutin en temps de crise en appelle un autre : des élections législatives

---

1   En Europe centrale, le terme de « lustration » renvoie à une forme d'« épuration » de l'État par l'exclusion des anciens membres du Parti communiste, après la chute du mur de Berlin.

anticipées dès 2014. « Nous sommes dans une zone grise en termes de légitimité, souligne Mikhaïl Minakov. Ce n'est pas la révolution qui a créé ça mais
Ianoukovitch, qui, en s'attaquant à notre Constitution, a accru de manière
inconsidérée le pouvoir du président. Les élections parlementaires seront
donc un pas important en termes de légitimité. Mais sur le plan de la politique pure et dure, elles pourraient apporter bien plus de groupes ultraradi-
caux, néonazis ou néosoviets au Parlement. »

Enfin, quelle que soit l'issue du conflit militaire, les antagonismes ont
profondément entaillé la cohésion nationale. Les Ukrainiens de l'Ouest et du
centre, nombreux à soutenir cette « révolution » de Maïdan, n'acceptent pas
la perte de la Crimée. *A contrario*, les habitants des deux régions séparatistes
de l'Est, sans faire confiance aux nouvelles élites locales autoproclamées et
violentes, ne sont pas prêts à pardonner à Kiev son intervention militaire
ainsi que la mort de civils.

Le clivage pourrait d'ailleurs s'accentuer : la Russie poursuit, au-delà de
l'Ukraine, ses contacts avec les forces antieuropéennes et les mouvements
d'extrême droite présents au sein de l'UE (le Front national français en tête),
et ne peut que se frotter les mains au vu du résultat des dernières élections
européennes qui les ont renforcés au Parlement de Strasbourg. Vladimir
Poutine avance surtout dans sa quête d'un projet eurasiatique capable de
contrebalancer l'UE et a finalement inauguré, le 29 mai 2014, son Union
douanière avec la Biélorussie et le Kazakhstan. L'Arménie (qui a également
rejeté finalement l'accord d'association avec l'UE) et le Kirghizstan pourraient à terme se joindre à ce groupe.

Les Occidentaux poursuivent eux aussi leur expansion, l'Europe et la
Moldavie devant signer en 2014 l'accord d'association, suivie normalement
par l'Ukraine. Sur le plan militaire, s'il est à peu près certain que l'OTAN ne
veut pas, pour le moment, de l'Ukraine dans ses rangs – une position
confortée par le conflit actuel –, Barack Obama a néanmoins annoncé lors de
sa visite à Varsovie, en juin 2014, un plan d'« un milliard de dollars » pour
renforcer la sécurité en Europe de l'Est. La Maison-Blanche s'est également
engagée à accroître la présence des forces navales américaines, sous mandat
de l'OTAN, en mer Noire et sur la Baltique.

Pour en savoir plus

Grégory Dufau, *Les Tatars de Crimée et la politique soviétique des nationalités*, Non Lieu, Paris, 2011.

Régis Genté, « Les ONG internationales et occidentales dans les "révolutions colorées" : des ambiguïtés de la démocratisation », *Revue Tiers Monde*, n° 193, 2008, p. 55-66.

Andreï Kourkov, *Journal de Maïdan*, Liana Levi, Paris, 2014.

Kevin LIMONIER, « La flotte russe en Ukraine. Anatomie d'une angoisse postsovié-tique », *Grande Europe*, n° 34, juillet 2011.

« La Russie au défi du XXIᵉ siècle », *Questions internationales*, n° 57, septembre-octobre 2012.

« L'Europe et ses limites », *Hérodote*, n° 118, 2005.

À l'Est, assurément (blog d'Anna Colin-Lebedev) : <http://blogs.mediapart.fr/blog/anna-colin-lebedev>.

Caucase : stratégies russes dans une région sous tension

Régis Genté
Journaliste

Souvent l'on entend dire qu'après tout la chute de l'Union soviétique, et donc la dissolution partielle de l'empire russe, n'a pas été si conflictuelle que cela. Le fait est que la fin d'autres empires, dans la période récente, a causé bien plus de guerres et de morts que l'effondre-ment de l'URSS en 1991. Il y a à cela des raisons nombreuses et complexes, mais l'une d'elles tient à la nature périphérique de cet empire. C'est dans la continuité de son territoire que la Russie a constitué son empire, puis formé l'URSS. Cet « impérialisme périphérique » affecte profondément la nature de la relation entre le centre et ses colonies, entre Russes et peuples souvent moins « frères » que « sujets », mais aussi aujourd'hui entre la Fédération de Russie et les quatorze républiques devenues indépendantes en 1991. Pour des raisons ne serait-ce que de proximité, Moscou conserve plus que d'autres anciens empires des leviers, des relais, des relations de toutes sortes pour contraindre ou attirer à elle ce qui est devenu son « étranger proche ». C'est dans ce contexte que l'on peut appréhender les tensions dont le Caucase est le théâtre depuis la chute de l'URSS.

L'isthme caucasien, cette « montagne des langues » comprise entre mer Noire et mer Caspienne où, depuis des siècles, se sont rencontrés, affrontés, réfugiés quantité de peuples venus des mondes turcique, persan, asiatique, russe et européen, est depuis vingt ans la région la plus conflictuelle de l'ex-URSS. Depuis 1991, elle a connu pas moins de cinq guerres et de nombreuses montées de tension (heurts interethniques, tentatives de séparatisme, guerres civiles...). Si chacun de ces conflits a des raisons endogènes, on ne peut pas les comprendre sans prêter attention au rôle de la Russie en tant que grande puissance régionale et post-impériale.

Dans leur état actuel, ces conflits peuvent chacun être appréhendés à travers les efforts de la Russie pour se constituer un espace dans lequel elle peut exercer son influence et défendre ce qu'elle considère comme ses intérêts géostratégiques à sa périphérie : certains y voient un impérialisme toujours vivant qui conduirait Moscou à tenter de recréer l'URSS, d'aucuns insistent sur l'ambition du Kremlin de restaurer la puissance du pays sur la scène internationale tandis que d'autres y voient surtout une défense pragmatique de ses intérêts stratégiques et sécuritaires. Chacune de ces explications, conjuguées à des logiques de politique interne notamment, a sa part de vérité et entre en interaction avec les autres.

Cette volonté de la Russie de reconstituer autour d'elle un espace sous sa domination s'est renforcée avec l'arrivée au pouvoir de Vladimir Poutine en 2000. Avec lui s'exprime une vision de la puissance fondamentalement ancrée dans le territoire. En 2000, alors que l'indépendantisme travaille une partie du Caucase du Nord, dit « russe » parce que faisant partie de la Fédération, contrairement au Caucase du Sud où trois États sont indépendants depuis 1991, l'homme confiait : « Ma mission historique [...] est de résoudre la situation dans le Caucase du Nord. [...] Quelle est la situation dans le Caucase du Nord et en Tchétchénie aujourd'hui ? C'est la continuation de l'effondrement de l'URSS. Il est clair qu'à un moment cela doit s'arrêter. »

En partant de cette déclaration et à lire la trajectoire politique de M. Poutine jusqu'à aujourd'hui, crise ukrainienne comprise, nous observons une tentative visant d'abord à arrêter la dissolution de l'État russe à l'intérieur (seconde guerre de Tchétchénie en 1999) puis, dans l'étranger proche, à s'assurer que les ex-républiques soviétiques ne passent pas d'alliance stratégique avec l'Ouest. D'où la guerre en Géorgie en 2008. Une guerre déclenchée au prétexte de protéger les entités séparatistes géorgiennes de l'Ossétie du Sud et de l'Abkhazie, sous un protectorat russe qui ne dit pas son nom depuis les conflits des années 1991-1993.

▬ Caucase du Nord

En relançant la guerre en Tchétchénie à l'automne 1999, Vladimir Poutine, tout juste devenu Premier ministre, entendait mettre un terme à l'« effondrement de l'URSS ». La décision n'était pas que celle du futur maître du Kremlin. Boris Eltsine (président de 1991 à 1999) et Sergueï Stepachine (Premier ministre de mai à août 1999) ont révélé qu'elle avait été prise dès mars 1999. L'immense Russie n'avait pas digéré sa défaite face aux indépendantistes tchétchènes lors de la guerre de 1994-1996. Les « accords de Khassaviourt » en 1996 avaient donné cinq ans aux parties pour décider du statut de la république caucasienne, mais Moscou n'entendait pas entamer la discussion.

En 1997, Aslan Maskhadov avait été élu président de la Tchétchénie avec 60 % des voix. Cette légitimité gênait Moscou. Elle allait de pair avec la légitimité de la demande d'indépendance des Tchétchènes, et d'autres peuples du Caucase qui n'ont jamais accepté la conquête russe de la région, à partir de la fin du XVIIIᵉ siècle. D'où la tactique choisie par Moscou : amalgamer le mouvement indépendantiste avec ses franges islamistes, apparues pendant la « première guerre » à mesure que le combat se faisait violent et dans un contexte d'émergence du djihad globalisé.

Certes, vu la modestie de la population tchétchène (1,1 million d'âmes dans les années 1990), Maskhadov ne pouvait se passer du moindre combattant. Mais en aucun cas le mouvement indépendantiste ne pouvait être réduit à sa dimension islamiste. Qu'importait pour le Kremlin : il s'agissait de justifier le maintien de la tutelle sur les peuples de la région au nom de la nécessité d'enrayer l'« effondrement de l'URSS » et de garantir la grandeur de la Russie. La relance de la seconde guerre sera provoquée en attribuant faussement à des Tchétchènes une série de cinq attentats qui, en septembre 1999, avait fait trois cents morts.

Au final, cette seconde guerre sera aussi meurtrière que la première, qui aurait causé jusqu'à 100 000 morts. Deux autres résultats sont à noter : l'extension à toute la moitié est du Caucase « russe » de la rébellion (notamment au Daghestan) et l'islamisation de son idéologie, laquelle est entérinée en 2007 avec l'autoproclamation de Dokou Oumarov comme « émir du Caucase du Nord ». Quant à la Tchétchénie, une paix précaire y règne aujourd'hui. La population et les combattants indépendantistes haïssant souvent la Russie, ladite paix ne tient que par la peur que fait régner Ramzan Kadyrov, chef de la Tchétchénie depuis 2007 et homme lige de Poutine, et par les centaines de millions d'euros que Moscou déverse dans la république pour acheter les loyautés. Aujourd'hui, la rébellion demeure meurtrière, même si elle semble s'affaiblir. En 2013, selon les statistiques du site Web Kavkaz Uzel, il y a eu dans la région 986 victimes (tuées ou blessées) du fait de l'insurrection. En 2010, il y en avait eu 1 710, contre 1 378 en 2011 et 1 225 en 2012. Sur les 529 morts de 2013, 56 % sont des rebelles, 24 % des membres des organes de force (police etc.) et 20 % des civils.

À l'automne 2013, Oumarov a été tué. Il a fallu attendre plusieurs mois pour que sa mort soit confirmée et qu'un successeur soit nommé, en la personne d'Aliaskhab Kebekov. Il s'agit d'un *qâdi* (juge du droit musulman) daghestanais, représentant d'une jeune génération plus islamisée que celle des combattants des guerres de Tchétchénie. Malgré tout, la rébellion du Caucase-Nord demeure organisée en « *velayat* » (régions) qui sont celles des républiques de la région. Voilà un indice que le combat n'est pas encore tout à fait celui du djihad globalisé et que l'appartenance ethnique et, partant, le nationalisme et l'anticolonialisme comptent encore.

▮▮▮ Conflits géorgiens

Les deux conflits séparatistes qui empoisonnent la vie de la Géorgie depuis son indépendance (1991) pourraient être comparés à ceux de la Tchétchénie pour la Russie. Deux minuscules régions, l'Abkhazie (500 000 habitants à la fin de l'URSS) et l'Ossétie du Sud (100 000), réclament leur indépendance. Mais une différence importante tient, dans le cas des conflits géorgiens, au rôle qu'a joué une grande puissance extérieure, la Russie. Moscou utilise ces conflits depuis le début des années 1990 pour garder le contrôle sur la Géorgie, s'en servant comme d'un levier pour peser sur la vie politique à Tbilissi.

Certes, ces conflits ne se résument pas à une manipulation extérieure. Comme les Tchétchènes, comme tous les peuples de l'ex-URSS, les Abkhazes ou les Ossètes ont une vision ethnique de l'État. C'est un héritage de la politique des « nationalités » (groupes ethniques) mise en place par les bolcheviks dès les débuts de l'URSS. Dans ce contexte, à la fin des années 1970, les relations s'enveniment : entre la République socialiste soviétique (RSS) de Géorgie et sa République autonome de l'Abkhazie, autour de questions linguistiques, d'une part, et sa Région autonome de l'Ossétie du Sud, autour de son statut, d'autre part.

Le nationalisme géorgien fait le jeu des indépendantistes abkhazes et ossètes. Le premier président de la Géorgie indépendante, Zviad Gamsakhourdia, dit des Ossètes du Sud que ce sont des « ordures qui doivent être balayées à travers le tunnel de Roki » (qui lie la région à la Russie). À l'époque, les Géorgiens pensent volontiers que les peuples minoritaires de la république sont ses « invités » et « la Géorgie aux Géorgiens » est un slogan en vogue. Sitôt la fin de l'URSS, les conflits éclatent sur fond de haine ethnique. D'abord en Ossétie du Sud entre janvier 1991 et juin 1992, faisant un millier de morts, puis en Abkhazie entre août 1992 et septembre 1993, causant une dizaines de milliers de victimes. Quelque 250 000 Géorgiens sont expulsés de ces provinces, en majorité d'Abkhazie.

Dans les deux cas, ce sont les indépendantistes qui l'emportent grâce au soutien en sous-main de Moscou, *via* des formations armées irrégulières comme les Cosaques ou la Confédération des peuples des montagnes du Nord-Caucase (CPMNC). Tout cela rappelle ce que l'on a observé début 2014 en Crimée et dans l'est de l'Ukraine. La manipulation de ces événements par Moscou a été déterminante. Ce que confirme le dernier patron du KGB (en tant que portant ce nom), Vadim Bakatine, qui a révélé que les services secrets étaient « derrière la création de "fronts interethniques" dans les républiques de l'Union, dans celles qui se montraient désobéissantes envers le centre ».

Entre les cessez-le-feu et 2008, Moscou s'est interposé comme force de paix. Mais plusieurs événements vont changer le cours des choses en 2008, et conduire au conflit d'août : la Géorgie lance une offensive éclair contre l'Ossétie du Sud, ce qui suscite une réaction armée russe au nom de la nécessité de protéger ses citoyens. Notons que plus de 80 % des Ossètes du Sud, comme des Abkhazes, avaient reçu des passeports russes à partir de 2002.

Pour ce qui est de l'attitude russe dans le conflit d'août 2008, il faut rappeler deux faits de première importance survenus plus tôt dans l'année : 1) la reconnaissance du Kosovo par une partie de la communauté internationale en février, conduisant Vladimir Poutine à promettre une « préparation maison » – c'est-à-dire des mesures de rétorsion – dans le Caucase ; 2) l'affirmation que la Géorgie deviendra un jour membre de l'Organisation du traité de l'Atlantique nord (OTAN), lors du sommet organisé par l'organisation à Bucarest, en avril. Ces deux événements ont poussé Moscou à dégeler les conflits géorgiens. Dmitri Medvedev, alors président de la Russie, a admis fin 2011 que prévenir l'avancée de l'OTAN dans le Caucase avait été une raison de la guerre : « Si nous avions échoué en 2008, l'arrangement géopolitique serait différent aujourd'hui et nombre de pays que l'on a tenté artificiellement de faire glisser dans l'Alliance de l'Atlantique nord en seraient déjà membres. » Au terme de la guerre d'août 2008, Moscou a reconnu l'indépendance de l'Abkhazie et de l'Ossétie du Sud et installé 5 000 soldats et gardes-frontières, lourdement équipés, dans chacune de ces républiques.

Haut-Karabakh

L'autre conflit du Caucase du Sud est celui du Haut-Karabakh, région autonome de la RSS d'Azerbaïdjan réclamée par l'Arménie à la fin de l'URSS. Ce conflit aujourd'hui gelé, après avoir été remporté par le côté arménien au terme d'une guerre qui a duré de février 1988 à mai 1994, causé environ 30 000 morts et fait des centaines de milliers de réfugiés, est différent des deux précédents en ce que la province est disputée par deux États indépendants.

Pour ce qui est de l'attitude de la Russie, nous retrouvons sa stratégie de contrôle territorial et de consolidation de son influence dans sa non-reconnaissance de l'indépendance du Haut-Karabakh. Pendant le conflit, elle a d'abord été du côté de l'Azerbaïdjan avant de soutenir l'Arménie. L'intention n'est jamais avouée, mais tout indique que Moscou ne cherche pas à résoudre le conflit (sauf peut-être pendant la présidence Medvedev) et préfère le conserver gelé. Moscou peut ainsi, là aussi, garder un certain contrôle sur le Caucase. Cette région est l'objet d'une vive concurrence géopolitique depuis 1991, comme le prouve la construction par des sociétés pétrolières occidentales, derrière BP, de deux oléoducs et d'un gazoduc pour écouler la production de la Caspienne vers l'Ouest sans passer par le territoire russe.

Mais Moscou exerce une influence moins forte sur le conflit du Haut-Karabakh que sur ceux de Géorgie. Cela tient au fait que la région n'a pas de frontières communes avec la Russie, contrairement à l'Abkhazie et l'Ossétie du Sud. Certes, la Russie dispose d'une base militaire abritant 3 000 hommes dans le nord de l'Arménie, à Gyumri. Mais cela n'est pas comme être « voisin ». En outre, le conflit entre Arméniens et Azerbaïdjanais a des racines profondes qui, avivées à l'extrême par le génocide des Arméniens à la fin de l'Empire ottoman, renvoient à la construction nationale de ces deux États et à la formation de leur territoire. Une fois que les bolcheviks se sont emparés du Caucase, ils ont hésité à confier le Haut-Karabakh à la RSS d'Arménie ou à celle d'Azerbaïdjan. C'est la seconde qui l'emporta finalement, en 1923, bien que le Karabakh soit peuplé à plus de 80 % d'Arméniens.

Même si Moscou voulait régler le conflit, il ne le pourrait certainement pas. Suite au cessez-le-feu de 1994, le processus de paix du Haut-Karabakh a été confié au Groupe de Minsk, coprésidée par la Russie, la France et les États-Unis. Mais ledit groupe n'a pas pu faire avancer un quelconque règlement du conflit. Depuis quelques années, les échanges de tirs se multiplient sur la ligne de contact, faisant de chaque côté une dizaine de morts par an.

De la complexité de la crise ukrainienne, nous pouvons au moins retirer l'enseignement que la Russie d'aujourd'hui veut à tout prix, dans ce que fut l'URSS, conserver un espace qui, *a minima*, ne lui soit pas hostile. Du jour où Kiev est tombé aux mains de forces politiques affichant la volonté de rompre avec la Russie et de se rapprocher de l'Europe, Moscou a instrumentalisé le séparatisme de la Crimée puis des régions russophones de l'Est ukrainien. Cette réaction était prévisible selon la plupart des observateurs du Caucase. En retour, cela signifie que les conflits du Caucase sont appelés à continuer à être utilisés par le Kremlin pour garder, et certainement accentuer, son contrôle sur cet isthme si stratégique.

Pour en savoir plus

Thomas De Waal, *Black Garden*, New York University Press, New York, 2003.

Thomas De Waal, *The Caucasus. An Introduction*, Oxford University Press, Oxford, 2010.

Régis Genté, *Poutine et le Caucase*, Buchet-Chastel, coll. « Document », Paris, 2014.

Régis Genté, *Voyage au pays des Abkhazes. Caucase, début du XXIᵉ siècle*, Cartouche, Paris, 2012.

Aude MERLIN et Silvia SERRANO (dir.), *Ordres et désordres au Caucase*, Éditions de l'Université de Bruxelles, Bruxelles, 2010.

Silvia SERRANO, *Géorgie. Sortie d'empire*, CNRS Éditions, Paris, 2007.

Cachemire : ni guerre ni paix

Jean-Luc Racine
Géopolitologue, directeur de recherche émérite au CNRS
et vice-président d'Asia Centre

Le règlement toujours repoussé de la question du Cachemire – territoire disputé situé entre l'Inde, le Pakistan et la Chine – relève à la fois de grandes problématiques générales (droit à l'autodétermination, séparatisme, insurrection, guerres conventionnelles, guerres asymétriques, djihad, terrorisme, dissuasion nucléaire) et d'une suite répétée d'occasions manquées qui laissent penser qu'en dépit de multiples tentatives de dialogue les logiques de blocage l'emportent sur les solutions novatrices. Faute de mieux, le jeu des pouvoirs, en Inde, au Pakistan et au Cachemire divisé, semble privilégier un inconfortable *statu quo* qui a fait sans doute quelque 60 000 morts depuis 1989, mais qui conforte les grands récits nationaux, au détriment du Cachemire lui-même et des dividendes que pourrait engendrer pour tous une normalisation effective des relations indo-pakistanaises.

Pourquoi la guerre ?

La dernière menace de guerre ouverte entre l'Inde et le Pakistan remonte aux lendemains de l'attentat commis en décembre 2001 contre le Parlement indien par des militants du Jaish-e-Muhammad, milice pakistanaise opérant jusque-là au Cachemire. Deux ans plus tôt, en 1999, la dernière guerre effective avait été conduite pendant quelques semaines sur les hauteurs de Kargil, là où des troupes pakistanaises s'étaient établies, du côté indien de la ligne de contrôle reprenant, au terme d'une guerre pour rien lancée par le Pakistan en 1965, le tracé de la ligne de cessez-le-feu définie le 1er janvier 1949 après la première guerre du Cachemire conduite en

1947-1948. La troisième guerre, en 1971, fut le contrecoup, côté ouest, de la guerre de sécession du Pakistan oriental, devenu Bangladesh avec l'appui de l'armée indienne. Quatre guerres ouvertes, donc, et beaucoup d'autres masquées, pour un territoire stratégique, entre Inde, Chine et Pakistan.

Depuis la partition de l'Empire britannique des Indes en 1947, la question du Cachemire reste la pomme de discorde majeure – mais non unique – entre l'Inde et le Pakistan. Elle porte sur l'ancien État princier du Cachemire (220 000 km², 18 millions d'habitants aujourd'hui) à large majorité musulmane, mais dont le maharajah hindou a signé alors l'acte d'accession par lequel il rattachait sa principauté à l'Inde, afin que celle-ci protège Srinagar de la poussée des milices tribales pakistanaises venues renforcer une insurrection locale. La guerre indo-pakistanaise qui s'ensuivit aboutit au partage *de facto* du Cachemire.

Au sud, l'État indien du Jammu et Cachemire a vite perdu la plupart des marges d'autonomie prévues par l'acte d'accession. Il est agité depuis la fin 1989 par une insurrection de Cachemiris, affaiblie aujourd'hui, mais susceptible de nouveaux éclats. À l'ouest de la Ligne, l'État supposé autonome du Cachemire libre (Azad Jammu et Cachemire) est en fait contrôlé par Islamabad, tandis qu'au nord le Gilgit Baltistan ne dispose d'une assemblée élue que depuis 2009. Ces deux territoires sont définis comme « Cachemire occupé par le Pakistan » par New Delhi, le Pakistan parlant pour sa part de « Cachemire occupé par l'Inde » pour définir les terres au sud de la Ligne.

L'Inde, au nom de l'acte d'accession, revendique tout l'ancien royaume, y compris ses marges transhimalayennes, vides mais stratégiques, occupées par la Chine. Le Pakistan, lui, parle de « territoire contesté », dont le sort doit être réglé par un référendum proposé par de multiples résolutions des Nations unies votées de 1948 à 1957. Islamabad invoque le droit imprescriptible des Cachemiris à l'autodétermination. New Delhi argue des décisions prises par les élus du Jammu et Cachemire acceptant, en 1953, l'intégration pleine et entière à l'Inde, sous réserve de modalités spécifiques définies par l'article 370 de la Constitution.

Au-delà des enjeux stratégiques territoriaux (route du Karakorum vers la Chine, usage des eaux de l'Indus), deux conceptions de la nation s'affrontent – multiculturelle pour l'Inde, islamique pour le Pakistan – au fil d'une histoire nourrie de récits antagonistes. Pris dans les rets de cet antagonisme, nombre de Cachemiris de la vallée de Srinagar se sentent aliénés par l'Inde de longue date et l'ont fait savoir, tandis qu'au Gilgit Baltistan des mouvements antipakistanais tentent d'exister, sans prendre les armes.

La guerre par tous les moyens

Dès 1947, l'histoire violente du Cachemire mêle insurrection locale et manipulation d'État : les milices tribales pakistanaises venant, au nom du djihad, appuyer les insurgés cachemiris contre les forces du maharajah sont encadrées par des officiers pakistanais, avant qu'une guerre conventionnelle entre armée indienne et armée pakistanaise ne succède à cette première phase. Les guerres de 1965 et de 1971, au Cachemire, sont conventionnelles – armée contre armée – et brèves.

Tout change en 1989, quand commence, peu après la victoire des moudjahidines afghans contre l'Armée rouge en Afghanistan, une insurrection anti-indienne dans la vallée de Srinagar. La dure répression indienne accroît l'aliénation des Cachemiris mais affaiblit le mouvement, divisé entre le Hizbul Mujahideen islamiste propakistanais et le Front de libération du Jammu et Cachemire (JKLF) indépendantiste. Très tôt, le Pakistan a soutenu les insurgés, fournissant sanctuaires et camps d'entraînement dans l'Azad Cachemire voisin. La répression indienne appelle une nouvelle riposte : à compter de 1994, ce sont des milices djihadistes pakistanaises, soutenues par les services de renseignement pakistanais, qui entrent en scène, telles l'Harkat ul-Ansar et les Lashkar-e-Taiba. Symétriquement, les services pakistanais soutiennent une nouvelle force pour contrôler l'Afghanistan : les talibans.

La question cachemirie devient dès lors double. Elle reste un conflit ancré dans sa réalité locale, tandis que l'Inde laisse évoluer sa stratégie anti-insurrectionnelle dans une « sale guerre » marquée par de multiples violations des droits de l'homme. Mais elle s'inscrit aussi dans la grande mythologie du djihad international, agissant au nom des peuples musulmans opprimés. Le Pakistan, tout en en appelant aux grands principes, joue son propre jeu : en instrumentalisant l'islam combattant, au Cachemire comme en Afghanistan, il dévoie le combat des Cachemiris, où même les séparatistes se trouvent pris entre le marteau indien et l'enclume djihadiste. L'Inde dénonce une « guerre par procuration » recourant au « terrorisme transfrontalier ».

Les essais nucléaires indiens puis pakistanais du printemps 1998 changent de nouveau la donne. Alors que les gouvernements des deux pays cherchent la voie du dialogue, le général Pervez Musharraf, chef de l'armée pakistanaise, tente une guerre limitée sous parapluie nucléaire, en installant des troupes sur les hauteurs de Kargil, côté indien de la ligne de contrôle. L'Inde réagit, mais avec retenue, dissuasion nucléaire oblige, tandis que la communauté internationale condamne l'initiative pakistanaise.

S'étant saisi du pouvoir à Islamabad en 1999, Musharraf doit revoir sa stratégie après les attentats du 11 Septembre. Rejoignant officiellement la « guerre contre le terrorisme » lancée par George W. Bush contre Al-Qaida, il va tracer son propre sillon. Sans démanteler les groupes anti-indiens fidèles à Islamabad, il les retient, tout en commençant en 2004 un dialogue avec l'Inde. Un cessez-le-feu est instauré le long de la ligne de contrôle. La tension baisse, sans disparaître. Le calme, vanté par New Delhi, est illusoire. La très lourde présence des forces indiennes, protégées par une loi d'exception, et leurs excès agitent une nouvelle génération. Celle-ci lance pendant quelques semaines de 2010 une « guerre de pierres », vite baptisée « *intifada* cachemirie » qui fait une centaine de jeunes victimes. Mais la rue s'essouffle, sans renforcer vraiment les séparatistes de la Conférence pour la liberté (Hurriyat Conference), divisée depuis 2003, incapables de définir une ligne d'action claire autre que de protestation, et d'appel légitime à ce que les Cachemiris soient partie prenante des tractations engagées entre Inde et Pakistan.

▬▬▬ Sortir de la guerre ? Les dialogues avortés

L'histoire des relations indo-pakistanaises est ponctuée de rencontres de haut niveau et de dialogues officiels ou secrets qui ont tous échoué à forger un compromis acceptable par toutes les parties. Les rencontres entre le pouvoir indien et les séparatistes cachemiris, officielles ou discrètes, n'ont pas plus permis d'avancer, et New Delhi n'a jamais accordé l'autonomie accrue demandée par les deux principaux partis de gouvernement cachemiris sous des formulations diverses : *self rule* pour le Parti démocratique du peuple (PDP), qui envisage un conseil régional transcachemiri, ou retour au statut d'avant 1953 au nom de « la plus grande autonomie » pour la Conférence nationale, pourtant alliée au parti du Congrès au pouvoir à New Delhi de 2004 à 2014. Les séparatistes de la Conférence Hurriyat, pour leur part, n'entendent pas clarifier le contenu du slogan « *azadi* » (liberté) lancé lors de toutes les manifestations. Ils récusent toute solution dans le cadre de la Constitution indienne, appellent au boycott des élections et ont refusé de rencontrer les « interlocuteurs » du gouvernement venus au Cachemire après les troubles de 2010 et dont le rapport publié en 2012 est resté lettre morte.

L'hypothèse la plus innovante aujourd'hui est celle promue par le général Musharraf et discutée avec le Premier ministre indien Manmohan Singh après 2004. Cette « formule en quatre points » aurait fait l'objet d'un accord presque finalisé en 2007, quand le pouvoir de Musharraf a commencé à s'éroder au Pakistan. Le gouvernement civil du Parti du peuple pakistanais (PPP), élu en 2008, n'y a pas donné suite, et celui de la Ligue musulmane de Nawaz Sharif élu en 2013 n'en parle pas davantage, bien que tous deux aient annoncé vouloir normaliser les relations avec l'Inde.

La formule mérite toutefois attention. Elle implique d'abord que la ligne de contrôle reste en place, mais s'ouvre pleinement aux Cachemiris, proposition qui va de pair avec le principe énoncé par Manmohan Singh selon lequel, si les frontières ne peuvent être changées, elles peuvent être vidées de leur sens, la ligne de contrôle devenant « une ligne sur la carte ». Elle requiert ensuite que Delhi comme Islamabad accordent davantage d'autonomie à la partie du Cachemire qu'ils contrôlent. Elle imagine un « mécanisme conjoint » par lequel Indiens, Pakistanais et Cachemiris puissent traiter certaines questions d'intérêt commun au Cachemire. Elle prône enfin un retrait progressif des troupes.

Cette formule a des partisans mais aussi de solides adversaires, chez les faucons indiens et pakistanais, et elle divise les séparatistes cachemiris. Elle s'appuie sur des avancées modestes faites en matière de liaisons entre les deux Cachemires depuis les années 2000, mais avec une ambition beaucoup plus large. Assurément, il faudrait beaucoup de courage politique – et concomitant – aux gouvernements indien et pakistanais ainsi qu'aux leaders cachemiris pour formaliser une telle hypothèse face à leur opposition respective et face à ceux pour qui tout compromis relève de la trahison. Du reste, il suffit de réactiver quelques accrochages le long de la ligne de contrôle, comme ce fut le cas en 2013, avant et après l'élection de Nawaz Sharif à la tête du Pakistan, pour lancer un message, qu'un attentat terroriste pourrait toujours aiguiser. Il est plus prudent alors de travailler sur d'autres questions, comme celle de la normalisation du commerce indo-pakistanais, tout en réaffirmant à Islamabad que le Cachemire reste une « question centrale ». À New Delhi, le gouvernement du Congrès, affaibli par un deuxième mandat peu convaincant, n'a eu aucune raison de rouvrir un dossier aussi sensible alors qu'approchaient les élections générales de mai 2014.

2014-2015 : les nouveaux paramètres

Le triomphe du Bharatiya Janata Party (BJP), bras politique du nationalisme hindou, à ces élections lui donne une majorité absolue sous la férule du très décidé nouveau Premier ministre Narendra Modi. Le programme électoral du parti est clair sur les principes : d'une part, « le Jammu et Cachemire a été, est et restera une partie intégrante de l'Union indienne », l'intégrité territoriale de l'Inde étant « inviolable ». D'autre part, le BJP réaffirme sa volonté d'abroger l'article 370, tout en se disant prêt à discuter ce point « avec toutes les parties concernées », et donc avec le nouveau gouvernement qui sera élu au Jammu et Cachemire indien fin 2014.

Compte aussi l'avenir incertain de l'Afghanistan après le retrait annoncé de la plupart des forces étrangères, en décembre 2014. Les stratèges indiens craignent que, si les talibans devaient reprendre le contrôle du pays, ou d'une part significative de ses provinces pachtounes, les militaires pakistanais, confortés sur le flanc afghan, pourraient relancer la machine djihadiste vers le Cachemire. Ce scénario répétitif doit toutefois être pondéré par un facteur inédit : depuis les années 2003, et surtout après la création du Mouvement des talibans du Pakistan (Tehrik-e-Taliban Pakistan, TTP) en 2007, insurrection et terrorisme se développent au sein même du Pakistan. L'instrumentalisation de l'islamisme combattant s'est retournée en partie contre ses initiateurs. La menace majeure est devenue interne, concède l'armée, qui considère toutefois toujours l'Inde comme une menace structurelle, et le Cachemire comme une question réservée.

In fine, le risque majeur est celui d'une nouvelle action terroriste visant, comme les attentats de Mumbai qui firent 166 morts en 2008, à interrompre le dialogue indo-pakistanais, *a fortiori* si le projet d'accord commercial bilatéral prenait corps. Une opération terroriste majeure initiée au Pakistan poserait un défi au gouvernement Modi, et la retenue observée en 2008 pourrait être jugée politiquement improductive par un parti qui a annoncé dans son programme électoral vouloir « traiter le terrorisme transfrontalier d'une main ferme » et, tout en poursuivant des relations amicales avec ses voisins, « ne pas hésiter à prendre des positions et des mesures fortes si nécessaire ».

La paix tiède qui prévaut pour l'heure pourrait alors faire place au face-à-face armé déjà observé en 2002 après l'attaque contre le Parlement indien, voire à un engagement militaire. Pour que cet engagement ne se traduise pas, comme ce fut le cas dans le passé, par une avancée indienne dans les plaines du Pendjab, au cœur du Pakistan, celui-ci menace de recourir à des armes nucléaires tactiques. Dissuasion oblige, il serait à tout prendre moins risqué de choisir, une fois encore, le front cachemiri pour mener des mesures de rétorsion. Moins risqué, mais bien dangereux. La guerre des nerfs, la guerre psychologique, la guerre de l'opinion pourraient dès lors prendre le dessus, pour éviter la guerre tout court, tout en en faisant, une fois encore, peser la menace.

Pour en savoir plus

Stephen Cohen, *Shooting for a Century. The India-Pakistan Conundrum*, Brookings, Washington D.C., 2013.

Sanjay Kak (dir.), *Until my Freedom Has Come. The New Intifada in Kashmir*, Penguin Books, New Delhi, 2011.

Abdul Gafoor Noorani, *The Kashmir Dispute, 1947-2012*, vol. 1 et 2, Tulika Books, New Delhi, 2013.

Jean-Luc Racine, *Cachemire, au péril de la guerre*, Éditions Autrement, Paris, 2002.

Christopher Snedden, *Kashmir. The Unwritten Story*, Oxford University Press, Karachi, 2013.

Irak : une décennie de violence (2003-2014)

Pierre-Jean Luizard
Directeur de recherche au CNRS, historien de l'islam contemporain
dans les pays arabes du Moyen-Orient

« **N**ous devons nous libérer de l'idée selon laquelle "nous" serions la cause de cette situation. Ce n'est pas le cas [...]. La cause fondamentale de la crise se trouve dans la région elle-même, pas à l'extérieur. » Ainsi s'exprimait l'ancien Premier ministre britannique, Tony Blair, alors que l'État islamique en Irak et au Levant (EIIL) effectuait une spectaculaire percée à l'intérieur de l'Irak au début de l'été 2014 [1]. Rejetant toute responsabilité dans le désastre irakien, celui qui avait organisé, avec le président américain George W. Bush, l'invasion de l'Irak en 2003 réclamait onze ans plus tard une nouvelle intervention occidentale dans le pays... La progression des djihadistes de l'EIIL, qui ont fait tomber plusieurs régions du nord et du centre de l'Irak en quelques heures seulement, début juin 2014, s'inscrit pourtant dans une perspective historique plus longue. Quoi qu'en dise Tony Blair, il faut bien remonter à l'intervention militaire entreprise en 2003 par les États-Unis pour comprendre ce qui se trame actuellement en Irak.

▬▬▬ De l'intervention américaine...

La politique de l'endiguement du régime de Saddam Hussein, dont l'embargo, en place depuis 1990, était la pièce maîtresse, a cédé la place à l'idée d'une guerre préventive. Les attentats du 11 septembre 2001 ont en effet ouvert la voie aux néoconservateurs américains et à leur idée d'une intervention militaire contre le régime de Bagdad, pourtant un ancien allié stratégique des États-Unis dans les années 1980. Menée en dehors de toute légitimité internationale, notamment en contradiction avec les rapports des inspecteurs de l'ONU, l'intervention militaire américano-britannique a débuté le 20 mars 2003 contre l'Irak, accusé de détenir des « armes de destruction massive ». L'opération était baptisée « Liberté pour l'Irak ».

---

[1] Tracy McVeigh et Mark Townsend, « Tony Blair rejects "bizarre" claims that invasion of Iraq caused the crisis », *The Observer*, 14 juin 2014.

Le 9 avril, les soldats américains pénètrent au cœur de la capitale irakienne. Saddam Hussein fait une ultime apparition publique avant de disparaître et de voir son régime s'effondrer. Le 1er mai, le président américain George W. Bush proclame la victoire de la coalition américaine et la « fin des combats », tout en affirmant continuer la « guerre contre le terrorisme ». La chute du régime s'accompagne d'un immense chaos et de pillages généralisés. Bien que l'intervention militaire soit menée en dehors de toute légitimité internationale, l'ONU vote, le 22 mai, la résolution 1483 qui confie aux États-Unis et à la Grande-Bretagne, pour une période transitoire de douze mois renouvelable, le contrôle de l'économie et de l'avenir politique de l'Irak. Le 23 mai, l'administrateur civil de l'Irak, Paul Bremer, décide de dissoudre par décret l'armée irakienne. Colonne vertébrale d'un État qui avait assuré la domination exclusive des sunnites sur les chiites et sur les Kurdes depuis près d'un siècle, l'armée voit ses cadres rejoindre leurs régions d'origine avec leurs armes et se mettre, pour certains, au service d'Al-Qaida en Irak, aux côtés des baathistes entrés en clandestinité. Fondé en 1920 par le Résident britannique à Bagdad sir Percy Cox, l'État irakien a alors virtuellement cessé d'exister.

À la différence de l'occupation britannique de l'Irak qui dura trois années et fut très meurtrière pour les troupes de Sa Majesté (en majorité indiennes) entre 1914 et 1918, la guerre de 2003 est une guerre éclair avec des pertes réduites pour les soldats de la coalition américaine (en contraste avec les nombreuses pertes irakiennes). Une raison en est la supériorité écrasante de l'armée américaine. Mais si la conquête de l'Irak fut aussi facile en 2003, cela tient également à l'attitude de la plus importante communauté du pays : les chiites. En 1914-1918, les dirigeants religieux chiites avaient appelé au djihad pour contrer l'invasion britannique. Ils réussirent à mobiliser parmi les tribus arabes le mouvement armé le plus massif que la région ait connu contre le colonialisme à cette époque. En 2003, les dirigeants religieux chiites ont au contraire choisi de ne pas s'opposer à l'invasion de l'Irak. Dès la fin de 2002, l'ayatollah Ali al-Sistani fit valoir dans ses fatwas qu'il ne fallait ni faire la guerre au régime irakien, ni aider les Américains, mais sans s'opposer à eux non plus ! La neutralité ambiguë affichée par les autorités religieuses chiites masquait mal un constat fait par tous les Irakiens : la seule puissance capable de renverser le régime était précisément celle qui l'avait maintenu en place, contre toute attente, en lui permettant de réprimer dans le sang l'*intifada* de février-mars 1991 [1].

---

[1]   À la suite de la déroute de l'armée irakienne au Koweït et en réponse aux appels américains, la population kurde et chiite d'Irak s'était massivement soulevée en février-mars 1991. Par crainte de l'influence iranienne, Washington envoya à Saddam Hussein un signal, selon lequel les États-Unis lui permettaient tacitement de réprimer l'*intifada*, grâce à la proclamation unilatérale d'un cessez-le-feu. Le régime de Bagdad utilisa l'arme chimique contre

L'opposition irakienne fait un retour remarqué lors d'une première réunion sous patronage américain à Nasiriyya le 15 avril 2003. Mais, quelques jours auparavant, l'hostilité des partisans de Muqtada al-Sadr, le fils d'un ayatollah exécuté par le régime de Saddam Hussein en 1999, a coûté la vie à Abd al-Majid Khû'i, un religieux pro-occidental revenu en Irak dans le sillage des chars américains. Le 10 mai, l'ayatollah Mohammad Baqir al-Hakim, en exil à Téhéran, est triomphalement accueilli à son retour en Irak. Et les 22 et 23 avril, pour la première fois depuis 1977, plus d'un million de chiites commémorent de façon ostentatoire le quarantième jour après le martyre de leur troisième imam, Hussein.

Le 2 octobre, les autorités militaires américaines doivent reconnaître qu'aucune arme de destruction massive n'a été découverte. Le 13 décembre, Saddam Hussein est capturé près de Tikrit, ville au nord de Bagdad dont il est originaire. Face à l'émergence d'une guérilla meurtrière, Paul Bremer autorise la formation d'un gouvernement provisoire (15 juillet 2003). Déjà, la logique communautaire l'emporte : l'ayatollah Sistani, résidant à Najaf, patronne la formation d'une « maison commune » chiite réunissant tous les partis et personnalités chiites ; de leur côté, les Kurdes accroissent leur autonomie, acquise depuis la défaite irakienne de 1991 (guerre du Koweït).

▬▬▬▬ ... au conflit confessionnel

La guerre-occupation de l'Irak fondait sa légitimité, selon Washington, sur trois objectifs : prouver au monde que l'Irak détenait des « armes de destruction massive », qu'il entretenait des liens « réels » avec Al-Qaida et qu'on pouvait mettre à la place du régime de Saddam Hussein une démocratie « contagieuse » pour les pays de la région. Or aucune de ces raisons ne devait se révéler justifiée. Très vite, l'Irak est secoué par une vague d'attentats au départ symboliques puis, rapidement, très meurtriers : contre l'ambassade de Jordanie, contre l'ONU (19 août 2003, 22 morts dont l'envoyé spécial Sergio Vieira de Mello), à Najaf, dans l'attaque qui coûte la vie à l'ayatollah Mohammad Bakir al-Hakim (29 août, 95 morts). Le 28 avril 2004, des images de prisonniers irakiens humiliés par des militaires américains à la prison d'Abu Ghraib (fermée en 2014 pour raisons de sécurité) sont diffusées. Le 28 juin, le pouvoir est officiellement transféré à un gouvernement irakien provisoire. Sur le terrain, les oppositions à l'occupation se conjuguent : insurrection de la ville de Fallouja (sunnite) et guerre déclarée de l'Armée du Mahdi, milice du courant sadriste.

Le 30 janvier 2005 se déroulent les premières élections multipartites depuis plus de cinquante ans. Les sunnites boycottent ce scrutin. Le 6 avril, le

---

les insurgés chiites dans le sud et contre les villes saintes, notamment à Karbala, et réprima le soulèvement, au prix d'une centaine de milliers de morts.

Kurde Jalal Talabani est élu président de la République par l'Assemblée nationale transitoire. Le 15 octobre, une nouvelle Constitution est adoptée par référendum. Elle institue le fédéralisme et consacre l'autonomie du Kurdistan irakien. Les élections législatives du 15 décembre aboutissent à la victoire de l'Alliance unifiée irakienne (une alliance de partis chiites). Le piège du communautarisme se referme sur l'Irak. Les Américains ont en effet feint de confondre majorité démocratique et majorité démographique (les chiites forment 55 % de l'ensemble de la population irakienne). Le système mis en place reposera moins sur des options politiques que sur l'appartenance à une des trois grandes communautés irakiennes : chiites et Kurdes, en attendant le ralliement de politiciens sunnites. Un système de quotas mortifère, à la libanaise, s'instaure : un président de la République kurde, un chef du gouvernement chiite, un président de l'Assemblée sunnite...

Le 22 février 2006, le dynamitage à Samarra (au centre du pays) du mausolée Al-Askari, vénéré par les chiites, marque le début d'une guerre confessionnelle qui fera des centaines de milliers de morts entre 2006 et 2008. Le 22 avril 2006, Talabani est réélu et le chiite Nouri al-Maliki, du parti islamiste chiite Da'wa, forme un gouvernement en mai. Condamné à mort, Saddam Hussein est exécuté par pendaison le 30 décembre.

Le conflit confessionnel entre chiites et sunnites a pris les allures d'une guerre territoriale inexpiable. Le 14 août 2007, plus de 400 morts étaient dénombrés du fait des attentats les plus meurtriers depuis 2003. Les victimes appartenaient à la secte yézidi, une minorité religieuse kurde dans la province de Ninive (Mossoul). Au prix de dizaines de milliers de morts, les chiites ont gagné la bataille de Bagdad : la capitale irakienne est devenue une ville à très grande majorité chiite, les sunnites étant chassés des quartiers mixtes qui, de ce fait, disparaissent. Chaque communauté se retranche derrière des palissades de bétons dont la ville est désormais hérissée.

▰▰▰ Désengagement occidental

Face à un tel désastre, les Américains semblent avoir compris qu'il leur fallait se désengager au plus vite. Comment partir sans apparaître vaincus ? L'artisan de ce tour de passe-passe est le général David Petraeus. Il s'agit d'acheter la loyauté des insurgés sunnites en les payant grassement, en les armant et en leur remettant le pouvoir local à condition qu'ils se retournent contre Al-Qaida. Des Conseils de réveil (*Sahwa*) voient le jour dans toutes les régions sunnites, suscitant un reflux notable des djihadistes et un retour à une très relative accalmie dans les violences. Une accalmie dont profitent les Américains pour amorcer leur retrait sans attendre. Le 1er janvier 2009, les autorités irakiennes prennent le contrôle de la « zone verte » à Bagdad, symbole de l'occupation américaine. Le 30 juin, les GI's se retirent des villes. Alors qu'il avait toujours assimilé un calendrier de retrait à la reconnaissance de la défaite, le président George W. Bush s'engage, en novembre 2008, à ce que les GI's quittent l'Irak à la fin de 2011. Un agenda que son successeur Barack Obama, qui entre en fonction en janvier 2009, s'empressera de respecter.

Le 7 mars 2010, de nouvelles élections législatives illustrent ce moment de répit : abandonnant leur stratégie de boycott, les sunnites y participent en masse, tandis que, chez les chiites, le courant sadriste se laisse tenter par une intégration progressive aux institutions en place. Toutefois, ce ralliement des exclus ne permet pas une stabilisation politique. Les deux listes arrivées en tête manifestent le désir ardent de la majorité des électeurs de sortir de l'engrenage du confessionnalisme. La liste Al-Iraqiyya se présente comme laïque et celle Pour l'État de droit, dirigée par Nouri al-Maliki, entend tourner le dos au communautarisme. Le confessionnalisme ne tarde cependant pas à reprendre le dessus : une majorité de sunnites ayant voté pour Al-Iraqiyya, cette liste devient « sunnite », tandis que Nouri al-Maliki, de plus en plus dépendant du vote du bloc sadriste à l'Assemblée, réintègre rapidement le bercail chiite. Résultat : aucune majorité réelle ne se dégage. Il faut attendre le 21 décembre 2010 pour qu'un gouvernement d'unité nationale, dirigé à nouveau par Nouri al-Maliki, soit formé.

Le 22 mai 2011, les Britanniques retirent leurs dernières troupes d'Irak. Et le 18 décembre, les derniers soldats américains quittent le pays. Le caractère impraticable du système politique que les États-Unis laissent derrière eux ne tarde pas à se manifester. Le 19 décembre 2011, un mandat d'arrêt pour « complot » est lancé contre le vice-président sunnite Tareq al-Hashimi. Le bloc Al-Iraqiyya, soutenu par les sunnites, entre en crise ouverte avec Nouri al-Maliki. Totalement paralysé, le gouvernement et l'Assemblée se montrent incapables de faire aboutir la moindre loi : le chômage, la corruption, le népotisme, l'insécurité restent le lot quotidien de l'immense majorité des Irakiens qui rendent la classe politique, dans son ensemble, responsable de la situation.

▬▬▬ Régionalisation du conflit

C'est dans ce contexte que l'influence des « printemps arabes » se fait sentir en Irak. Chaque région du pays (chiite, sunnite, kurde) est touchée par des mouvements de protestations pacifiques. Le 23 décembre 2012, d'importantes manifestations débutent dans plusieurs provinces, en particulier à Al-Anbar (ouest sunnite), pour réclamer le départ de Nouri al-Maliki, accusé d'accaparer le pouvoir et de marginaliser les sunnites.

Commencé sous des mots d'ordre de la société civile, ce mouvement se confessionnalise rapidement, notamment chez les sunnites qui s'estiment, à juste titre, exclus du pouvoir et victimes de campagnes systématiques visant leurs dirigeants. Le 23 avril 2013, un assaut des forces de l'ordre contre un campement de manifestants près de Huwayja (près de Tikrit) fait plus de

240 morts. Le 10 août, on dénombre plus de 70 morts dans une vague d'attaques cordonnées, revendiquées par l'EIIL. 2013 fut ainsi l'année la plus meurtrière depuis 2008. Une nouvelle guerre confessionnelle avait commencé.

Parallèlement au conflit entre sunnites et chiites, les relations entre Nouri al-Maliki et les dirigeants du Kurdistan irakien se détériorent au point d'en arriver à des accrochages entre peshmergas (les combattants kurdes) et soldats de l'armée irakienne. Sous la direction de son président Massoud Barzani, le Kurdistan vogue en effet vers une indépendance inavouée depuis que la Constitution de 2005 lui donne les moyens légaux d'une autonomie poussée à son extrême. Le Kurdistan mène une politique pétrolière indépendante du gouvernement irakien, allant jusqu'à signer des contrats avec des compagnies pétrolières sans en référer au ministère compétent à Bagdad. Et les dirigeants kurdes mènent une politique active pour annexer des territoires disputés (Kirkouk, régions est de Mossoul, province de Diyala) où se mêlent Kurdes, Arabes, Turkmènes, sunnites comme chiites. Or ces régions se trouvent aussi receler de riches ressources pétrolières.

Les 2 et 4 janvier 2014, des tribus antigouvernementales alliées aux djihadistes de l'EIIL prennent le contrôle de Fallouja et de quartiers de Ramadi (Al-Anbar), après le démantèlement brutal, fin décembre, d'un camp de protestataires antigouvernementaux. Le 25 avril, au moins 36 personnes sont tuées dans un double attentat contre un meeting électoral à Bagdad. Les violences ont déjà fait plus de 3 000 morts depuis le début de l'année 2014. Le 30 avril, les premières élections législatives depuis le départ des Américains se déroulent dans la violence. Les premiers résultats de ces élections ont donné une large avance à la liste de Nouri al-Maliki, les Kurdes et les listes issues du bloc Al-Iraqiyya (sunnites) arrivant loin derrière. Nouri al-Maliki n'a cependant pas la majorité nécessaire pour former seul le gouvernement et l'Irak semble revivre les tractations sans fin de 2010, avec cette différence que les listes susceptibles de former un gouvernement d'union nationale semblent encore moins enclines à s'entendre qu'à l'époque.

La guerre en Syrie, qui illustre depuis 2011 une régionalisation du conflit entre sunnites et chiites, a eu pour effet d'exacerber les tensions déjà très graves en Irak. L'EIIL en Irak, qui entretient des relations ambiguës avec Al-Qaida, s'est engagée dans une campagne de terrorisme aveugle à l'encontre des chiites. À nouveau, ceux qui, parmi les sunnites, s'étaient laissé tenter par les offres américaines retournent vers la lutte armée, constatant qu'ils sont exclus du système politique en place. La guerre est désormais à cheval sur les deux côtés de la frontière syro-irakienne.

C'est ce qu'illustre dramatiquement l'offensive lancée par l'EIIL à l'été 2014. Gravitant le long de la frontière poreuse irako-syrienne, l'EIIL trouve dans les tribus sunnites l'essentiel de sa base militaire, auxquelles il faut ajouter des ex-cadres et membres des services de sécurité du président déchu

Saddam Hussein. Profitant de la débandade des forces armées irakiennes, des insurgés sunnites alliés aux djihadistes ont réussi, en quelques heures, à prendre toute la province de Ninive, Tikrit et d'autres régions de la province de Salaheddine, ainsi que des secteurs des provinces de Diyala et de celle, riche en pétrole, de Kirkouk. L'EIIL tient aussi de larges secteurs frontaliers avec la Syrie et a même symboliquement aboli la « frontière Sykes-Picot [1] ». Face à la menace, le Parlement irakien s'est montré incapable de décréter l'état d'urgence, faute d'un quorum minimum. Une situation qui place la « communauté internationale », et singulièrement les Américains et leurs alliés britanniques, responsables de l'intervention militaires de 2003, dans une position particulièrement inconfortable.

Pour en savoir plus

Myriam BENRAAD, *L'Irak*, Le Cavalier Bleu, coll. « Idées reçues », Paris, 2010.
Pierre-Jean LUIZARD, *La Question irakienne*, Fayard, Paris, 2002.
Pierre-Jean LUIZARD, *Histoire politique du clergé chiite, XVIIIe-XXIe siècle*, Fayard, Paris, 2014.
Pierre RAZOUX, *La Guerre Iran-Irak*, Perrin, Paris, 2013.

Syrie : le politique au défi du militaire

Nicolas Dot-Pouillard
Chercheur à l'Institut français du Proche-Orient (Ifpo) à Beyrouth

L'insurrection populaire syrienne de mars 2011 s'inscrivait dans une dynamique régionale ouverte en Tunisie en décembre 2010, appelant tantôt à la « réforme », tantôt à la « chute » de

---

[1]   Référence aux accords secrets signés le 16 mai 1916 entre la Grande-Bretagne et la France et prévoyant le partage du Moyen-Orient, à la fin de la Première Guerre mondiale, en zones d'influence entre ces puissances, en contradiction avec les promesses faites aux Arabes d'un royaume unifié avec un califat arabe à la place du califat ottoman.

régimes pour la plupart issus des indépendances postcoloniales. Les quelques promesses de réforme démocratique de Bachar al-Assad, qui a succédé à son père Hafez en juin 2000, n'ayant pas été tenues, l'insurrection syrienne traduisait d'abord une crise de représentation politique. En dépit de la libération en novembre 2000 de plusieurs centaines de prisonniers, pour l'essentiel issus des Frères musulmans ou de la gauche communiste, de l'ouverture d'un très éphémère « printemps de Damas » et d'une réforme administrative renforçant les prérogatives gouvernementales au détriment du commandement régional du Baath [1] à partir de 2003, rien n'y a fait : le régime syrien est resté dominé jusqu'en 2011 par une formation baathiste chapeautant un Front national progressiste [2], composé de partis affidés au régime, les divers services de sécurité maintenant une chape de plomb répressive sur la société syrienne.

La direction baathiste pensait, à l'heure des insurrections arabes, tenir sa légitimité populaire d'un positionnement géostratégique « anti-impéria-liste », jouant sur les cordes sensibles d'un nationalisme arabe faisant encore écho aux anciens traumatismes coloniaux. Elle s'était traduite jusque-là par un soutien politique et logistique de la Syrie au Hezbollah libanais dans les années 2000, à différents mouvements palestiniens, mais aussi par son oppo-sition à l'invasion américaine de l'Irak en 2003. Si cette fibre nationaliste résonnait bien dans la société syrienne, elle ne pouvait suffire à pallier les manques démocratiques, mais aussi sociaux d'un régime ayant, à travers ses politiques de libéralisation de l'économie au cours des années 2000, parti-cipé à l'appauvrissement d'une partie des classes populaires.

Du soulèvement à la guerre civile

De 2011 à 2014, la crise syrienne a pris un tour en partie confes-sionnel – le régime, dont une fraction de la direction est alaouite, n'ayant pas hésité à se poser en défenseur des minorités religieuses face à un mouvement populaire qu'il décrivit dès le début comme exclusivement sunnite et communautaire, si ce n'est manipulé de l'extérieur. Une large partie de l'opposition armée, notamment sa composante salafiste radicale, a depuis favorisé cette communautarisation du politique, dénonçant un régime qui serait exclusivement alaouite, voire « chiite ».

---

1   La direction du parti Baath est officiellement composée d'un commandement national, à l'échelle de la « nation arabe », et de plusieurs commandements régionaux, selon les termes de sa fondation, en 1947. Cependant, la division entre les branches baathistes syrienne et irakienne du mouvement depuis les années 1960 a consacré la prépondérance de fait des Commandements régionaux.
2   Le Front national progressiste, sous la direction du parti Baath syrien, est né en 1972. Il regroupe différents partis communistes, ainsi que l'une des branches du Parti social natio-naliste syrien.

La variable identitaire du conflit s'accentuant, elle s'articule désormais avec une série de polarisations régionales et internationales. Craignant une mainmise des pays du Golfe sur la Syrie et soutenant de ce fait le régime de Damas, l'Iran et le Hezbollah libanais, chiites, tout comme nombre de miliciens irakiens de la même confession, sont désormais parties prenantes du conflit militaire syrien. Du Front de la victoire pour le peuple du Levant (Jabaha an-Nusra li-Ahl ash-Sham) à l'État islamique en Irak et au Levant (EIIL), la mouvance islamiste radicale, opposée au régime Al-Assad, compte pour sa part plusieurs milliers de combattants venus du monde arabe, et au-delà, se réclamant d'un sunnisme exclusif. Quant à la Coalition nationale syrienne (CNS), principal front de l'opposition politique (fondé en novembre 2012), elle a les pieds et les mains liés par ses différents parrains étrangers : Turquie, Qatar, Arabie saoudite se disputent, *via* le financement de milices, la prépondérance politique sur le terrain militaire.

Les différents protagonistes du conflit s'acharnent à éviter le nom de guerre civile. Pour les uns, l'insurrection armée n'est que le prolongement du soulèvement populaire originel, en dehors de tout facteur communautaire et géopolitique. Pour le régime, au contraire, la guerre se résume à une simple lutte contre le « terrorisme » importé de l'extérieur. En 2014, le pays connaît pourtant une situation de partition. La guerre représente une terrible saignée : plus de 150 000 morts, près de 7 millions de déplacés internes. Le Liban voisin accueille près d'un million de réfugiés syriens, tandis que des centaines de milliers d'autres se trouvent en Turquie, en Irak, en Jordanie et en Égypte.

L'échec des négociations internationales dites de Genève II, en février 2014, entre le régime et l'opposition ne tient pas seulement aux différences de vues entre grandes puissances – Russes et Américains s'étaient néanmoins mis d'accord, en septembre 2013, autour d'un programme de démantèlement des armes chimiques du régime. Il est aussi le fruit d'une situation où l'autonomisation des logiques de violence politique est devenue une réalité, où le facteur militaire constitue désormais un élément surdéterminant du conflit, où l'évolution des lignes de front – qui débordent le seul territoire syrien pour toucher également le Liban et l'Irak – détermine en partie l'état des présentes et futures négociations.

Un pays éclaté

L'hypothèse d'un régime tombant sous le coup d'une insurrection armée servie par les défections – très relatives – de l'armée gouvernementale n'est aujourd'hui plus de mise. Dès juin 2014, les autorités damascènes se sont senties assez en confiance pour organiser une élection présidentielle, dont l'issue – la « réélection » de Bachar al-Assad – ne faisait aucun doute.

Les forces gouvernementales pensent en effet avoir, pour l'essentiel, sécurisé le centre du pays. Elles contrôlent Suweyda, au sud, et ont repris Qousseir, à l'ouest, grâce à l'apport décisif du Hezbollah. Cette dernière ville, située entre Homs et Hermel, est vitale pour le parti chiite libanais, qui a par conséquent été un des principaux acteurs de la bataille en juin 2013 (son expertise logistique et militaire profite jusqu'aujourd'hui à Bachar al-Assad). En février 2014, c'est la ville de Yabroud, dans la région montagneuse du Qalamoun, elle aussi frontalière du Liban, que les rebelles de l'Armée syrienne libre (Al-Jaish al-Souri al-hurr, ASL) et du Front Al-Nosra (Jabaha an-Nusrah) ont dû abandonner au Hezbollah et aux forces gouvernementales. Au mois de mai, les derniers combattants insurgés de la ville de Homs s'en sont retirés. En plus du centre du pays, les forces gouvernementales peuvent contester à l'opposition la majorité des régions côtières de l'ouest, de Tartous à Lattaquié, espace marqué par une forte présence communautaire alaouite.

Le pouvoir ne peut cependant encore s'engager dans une stratégie de reconquête totale du pays. Au sud, à Deraa, l'Armée syrienne libre, entre autres, tient encore des positions grâce au soutien logistique jordanien et saoudien. Si Damas n'est jamais tombée dans les mains de l'opposition armée, le camp de réfugiés palestiniens de Yarmouk, porte d'entrée sud de la capitale, voit cessez-le-feu et reprises des combats se succéder. L'est de la capitale, jouxtant l'aéroport international, demeure un territoire contesté. Le nord et l'est du pays posent encore de sérieux problèmes au régime. Si l'armée gouvernementale tient la ville d'Idlib, non loin de la frontière turque, Alep reste divisée.

Les Kurdes ont par ailleurs leur mot à dire. En raison de leur positionnement complexe entre l'opposition et le régime, le Parti de l'union démocratique (PYD) et les Unités de protection du peuple (YPG), proches du Parti des travailleurs kurdes (PKK) d'Abdullah Öcalan en Turquie, d'inspiration marxiste, ont été accusés par les opposants à Bachar al-Assad de jouer un jeu trouble : en créant des zones autonomes kurdes de fait le long de la frontière nord du pays, de Qamishli à Afrin, mais aussi en combattant le plus souvent les troupes de l'opposition, notamment islamiste et salafiste, ils sont suspectés de laisser respirer le régime dans ces régions, en empêchant les insurgés syriens de contrôler les principaux postes frontières avec la Turquie. La tactique du PYD n'est cependant pas dénuée de sens : sa stratégie d'autonomie militaire et politique pourrait, à terme, lui permettre de négocier avec les futurs maîtres du territoire syrien, quels qu'ils soient.

L'est du pays, et notamment le gouvernorat de Deir ez-Zor, reste enfin un berceau de l'opposition armée qui se sert de l'Irak comme base arrière. Si l'EIIL y reste si fort, c'est aussi qu'il profite d'une insurrection sunnite radicale s'opposant, en Irak même, au pouvoir autoritaire du Premier ministre

Nouri al-Maliki, les groupes armés syriens et irakiens étant, tout le long de la frontière entre la Syrie et l'Irak, souvent confondus.

▬▬▬ L'opposition armée : des guerres dans la guerre

L'opposition armée syrienne est à l'image de l'opposition politique : divisée, minée par des lignes d'alliances régionales et des idéologies diverses qui en affaiblissent la cohérence et l'efficacité.

Apparue à l'été 2011, l'ASL, majoritairement composée de dissidents et de déserteurs de l'armée gouvernementale, est aujourd'hui particulièrement affaiblie. Si elle bénéficie d'un parrainage logistique international (pays du Golfe, États-Unis, Turquie, Jordanie), elle souffre d'un manque de leadership militaire et n'a pas su s'imposer comme un corps militaire unifié. Depuis novembre 2013, elle subit la concurrence du Front islamique (Al-Jabaha al-islamiyya), désormais l'une des principales coalitions militaires syriennes. Le Front des révolutionnaires syriens (Jabaha Thuwar Suria) de Jamal Maarouf, implanté au nord, a également affaibli la base de l'ASL. En mars 2014, naît la Légion du Levant (Faylaq ash-Sham) : elle ambitionne, à l'instar des autres « fronts », de regrouper plusieurs dizaines de brigades locales. Ces différentes coalitions militaires ne sont pas seulement révélatrices de l'éclatement de l'opposition armée. Elles résultent aussi de regroupements locaux, variables, entre brigades, fondés sur des jeux d'appartenances tribales et affinitaires, et des différents régimes d'alliances qu'elles peuvent établir à l'échelle régionale. Elles ont cependant un dénominateur commun : la référence islamique, devenue primordiale dans le champ sémantique de l'opposition armée. Mais ces mouvements se veulent « modérés », et opposés au radicalisme de la mouvance salafiste djihadiste.

Plus idéologisée que les groupes précédents, cette dernière pâtit cependant, elle aussi, de divisions prégnantes. Si son caractère internationalisé est avéré (elle regroupe plusieurs milliers de combattants venus du monde arabe, de Tchétchénie et d'Europe), elle recrute aussi parmi les Syriens. Certes, certaines brigades à caractère salafiste djihadiste se composent exclusivement de combattants étrangers : c'est le cas du Mouvement du Levant de l'islam (Haraka Sham al-islam, HSI), apparu en août 2013, formé de plusieurs centaines de partisans marocains. Le Front Al-Nosra et l'EEIL interviennent dans l'ensemble du pays, même s'ils semblent prédominer au nord et à l'est.

Bien que ces deux mouvements soient souvent confondus avec Al-Qaida, la réalité est plus complexe. Tous deux proviennent de la matrice de l'État islamique en Irak (EII), fondé en octobre 2006 par Abou Bakr al-Baghdadi. Lorsque la guerre civile syrienne prend forme, le Front Al-Nosra se veut le prolongement de l'EII, sous le commandement d'Abou Muhammed al-Jolani. Le Front Al-Nosra syrien prenant une indépendance presque complète vis-à-vis de son premier parrain, Al-Baghdadi répond en avril 2013 par la fondation d'un État islamique en Irak et au Levant (EIIL), censé regrouper djihadistes syriens, irakiens et internationaux. La direction d'Al-Qaida, par la voix d'Ayman al-Zawahiri, donne cependant sa bénédiction politique au Jabaha an-Nusrah, et non à l'EIIL.

Le terrain militaire syrien donne ainsi à voir une situation complexe, défiant toute logique ancienne : la véritable branche militaire d'Al-Qaida en Syrie, le Front Al-Nosra , se retrouve aujourd'hui aux côtés des islamistes modérés, parfois proches des Frères musulmans, ou des officiers nationalistes de l'ASL pour combattre l'EIIL, dénoncé jusque dans les rangs de l'opposition pour sa radicalité. Aux lignes de front entre gouvernement et opposition sont ainsi venues s'ajouter celles voyant s'affronter les insurgés entre eux – les populations civiles faisant les frais de la répression du régime comme des combats inter-oppositions.

Une stratégie militaire multiforme

Profitant logiquement des divisions au sein de l'opposition, le régime syrien a également su conjuguer plusieurs formes de mobilisation militaire. La première est typiquement étatique : il s'agit de la mobilisation de l'armée arabe syrienne (les forces gouvernementales) dont la puissance de feu, notamment aérienne, excède de loin celle des insurgés. Mais, face à des stratégies de guérillas – urbaines ou non –, il fallait bien y adjoindre, en plus d'un soutien logistique russe et iranien, d'autres éléments. Le premier est internationalisé, à l'image de la mobilisation de l'insurrection. L'engagement du Hezbollah libanais dans les combats à une échelle large – plusieurs milliers de combattants – est sans doute moins dû à des considérations communautaires – protéger le régime alaouite – que purement géostratégique. La frontière libano-syrienne constituant la principale ligne de ravitaillement de la Résistance islamique au Liban (RIL), son mouvement armé, le régime syrien en ayant été depuis les années 1990 le principal garant, la formation de Hassan Nasrallah considéra son engagement aux côtés de Bachar al-Assad comme logique, sinon nécessaire. Il s'agissait de sécuriser sa base arrière, syrienne.

La mobilisation internationalisée auprès du régime est aussi communautaire : c'est le cas des activistes chiites irakiens des brigades Abou al-Fadhl al-Abbas, particulièrement présents autour du sanctuaire chiite de Saida Zeinab, à Damas. Elle peut être aussi idéologique : de manière certes moins massive que les djihadistes étrangers engagés auprès des insurgés, de jeunes militants nationalistes arabes venus du Maghreb, du Liban et d'Irak ont formé, depuis mai 2013, une Garde nationaliste arabe (Al-Haras al-Qawmi al-'arabi) combattant aux côtés du régime, notamment dans la région de Damas. L'imaginaire tiers-mondiste et nationaliste recréé autour de Bachar al-Assad fait ainsi le pendant de celui, tout aussi régionalisé et internationalisé, des partisans djihadistes pensant l'*oumma* (communauté) de manière transnationale.

Le régime joue enfin sur la multiplication de groupes paramilitaires, syriens cette fois-ci, fondés sur des modes d'appartenances locaux : les Forces de défense nationale (Quwait al-Difa' al-watani) sont venus quelque peu unifier ses différents supplétifs armés (Comités populaires et *Shabiha*) autrefois dispersés. Localement, d'autres composantes participent à des affrontements contre l'opposition. C'est le cas de la Résistance syrienne (Al-Muqawama as-souriyya) d'Ali al-Kayali, dans la région de Lattaquié, groupe néomarxiste, à majorité alaouite, réclamant le rattachement de l'ancien sandjak d'Alexandrette, aujourd'hui turc, à la Syrie. Des brigades Al-Baath, composées de volontaires sunnites, ont vu le jour dans la région d'Alep. Les forces du Parti social national syrien (PSNS) se sont organisées dans certaines régions chrétiennes du pays. Des groupes tribaux demeurent fidèles au régime, comme le clan Berri, à Alep. Les Druzes ont également leur formation militaire, dans la région de Suweyda, fidèle au régime : l'Armée des unitariens (Jaish al-Muhahiddin). Les Palestiniens peuvent également être mobilisés : si les partisans du Hamas ont pris fait et cause pour la révolution syrienne, le régime a bénéficié, dans le camp de Yarmouk, de l'aide du Front populaire-Commandement général d'Ahmed Jibril ou, au nord, dans le camp de réfugiés de Nayrab, non loin d'Alep, des brigades Al-Quds.

S'appuyant, comme l'insurrection, sur des formes composites de mobilisations, à la fois transnationales, communautaires, locales et idéologiques, l'action militaire du régime fonctionne ainsi comme une combinaison de guerres : une guerre « classique », menée par l'armée gouvernementale, et une contre-guérilla, alimentée entre autres par l'expertise militaire du Hezbollah. La révolte populaire de mars 2011 semble loin, la carte militaire étant aujourd'hui un élément surdéterminant du politique.

Pour en savoir plus

Souhail BELHADJ, *La Syrie de Bashar al-Assad : anatomie d'un régime autoritaire*, Éditions Belin, Paris, 2013.

François BURGAT et Bruno PAOLI (dir.), *Pas de printemps pour la Syrie. Les clés pour comprendre les acteurs et défis de la crise (2011-2013)*, La Découverte, Paris, 2013.

INTERNATIONAL CRISIS GROUP, *Syria's Metastasising Conflicts*, Middle East Report N 143, Damas/Le Caire/Bruxelles, 27 juin 2013 (disponible sur <www.crisisgroup.org>).

Aron LUND (dir.), *Syria in Crisis*, Carnegie Endowment for International Peace, 2011-2014, <http://carnegieendowment.org/syriaincrisis/>.

Entrepreneurs de violences à référents religieux en Afrique : entre le local et le global

Alhadji Bouba Nouhou
Enseignant-chercheur, université Bordeaux-Montaigne, CMRP Bordeaux 4

En Afrique, après les guerres anticoloniales des années 1960 et marxistes-léninistes des années 1970, les années 1990 sont marquées par l'émergence de groupes utilisant des référents religieux : Al-Qaida au Maghreb islamique (AQMI), Harakat al-Shebab al Moudjahidin (al-Shebab, Somalie), Djama'a ahl al-sunna Lida'awati wal djihâd (Boko Haram, Nigeria) ou encore la Lord's Resistance Army (l'Armée de résistance du Seigneur, Ouganda). Les chefs de ces mouvements se considèrent, au nom de la religion, comme les seules oppositions au gouvernement central, jugé illégitime, et exploitent le mécontentement populaire ou profitent de la faillite des États. Pour les contrer, certains gouvernements, en mal de légitimité interne, exigent davantage de soutien occidental, notamment américain, pour lutter contre le « terrorisme ».

Du Maghreb à la Corne de l'Afrique : une influence djihadiste

À la fin des années 1980, l'Algérie s'ouvre à la démocratie. Mais lorsque le Front islamique du salut (FIS), qui a déjà investi le terrain social, remporte les élections législatives en décembre 1991, le pouvoir algérien invalide le scrutin et fait ainsi glisser le pays dans une sanglante guerre civile (1992-1998). Après les attentats, en 1998, contre les ambassades américaines de Nairobi (Kenya) et Dar-es-Salam (Tanzanie), l'Algérie fait valoir qu'elle mène le même combat que Washington contre le « terrorisme ». En 1999, l'Organisation de l'unité africaine (OUA) apporte son soutien à Alger, en adoptant la Convention sur la prévention et la lutte contre le terrorisme en accord avec la politique globale menée par les États-Unis.

Fort de cet appui, Alger mène un violent combat contre les islamistes, obligeant ces derniers à se refugier dans les régions saheliennes. En 2003, Nabil Sahraoui, émir du Groupe salafiste pour la prédication et le combat (GSPC), fait allégeance à Oussama Ben Laden. En janvier 2007, Abdelmalek

Droukdal annonce la création d'Al-Qaida au Maghreb islamique (AQMI) pour mener le djihad au Sahel. L'affiliation à Al-Qaida permet à ces mouvements d'attirer, *via* Internet, le soutien des groupuscules islamistes.

L'extension de ces mouvements au Sahel, où ils s'adonnent au trafic de stupéfiants et à l'enlèvement d'Occidentaux, coïncide aussi avec les revendications autonomistes locales. Le Mali, pourtant considéré comme un des rares modèles de démocratie et de stabilité institutionnelle en Afrique, est confronté aux rebelles touaregs du Mouvement national pour la libération de l'Azawad (MNLA). Cependant, après l'intervention militaire occidentale en Libye, en 2011, et le pillage des stocks d'armes du régime kadhafiste, d'autres groupuscules djihadistes apparaissent au nord du Mali.

En décembre 2011, le Mouvement pour l'unicité et le djihad en Afrique de l'Ouest (Mujao), dirigé par le Mauritanien Hamada Ould Mohamed, secondé par le Malien Omar Ould Hamaha, revendique l'enlèvement de trois Occidentaux. En 2012, le département d'État américain inscrit le Mujao sur sa liste des organisations terroristes.

La même année, Alghabass Ag Intalla annonce la création du MNLA. Bien qu'il affirme « se démarque[r] totalement de tout mouvement islamiste, de tout groupuscule radical dont l'idéologie est basée sur une quelconque vision religieuse », le MNLA se rapproche tactiquement des mouvements djihadistes présents dans la région. Le Touareg malien Iyad Ag Ghali crée également son mouvement djihadiste, Ansar Eddine. Cette alliance hétéroclite – au sein de laquelle les indépendantistes touaregs sont bientôt marginalisés par les courants djihadistes – met en déroute l'armée malienne et occupe le nord du pays.

En janvier 2013, à l'initiative de la France, l'ONU décide une intervention militaire internationale (toujours en cours) pour combattre les djihadistes au Mali. Certains se dispersent dans le Sahel, en gardant quelques groupuscules actifs, comme à Kidal où ils enlèvent et assassinent en novembre 2013 les journalistes de RFI Ghislaine Dupont et Claude Verlon. Le 17 mai 2014, le MNLA affronte, lors de la visite du Premier ministre malien, Moussa Mara à Kidal, les soldats maliens. Trente-six personnes sont tuées (dont huit militaires et plusieurs officiels maliens) et une trentaine de personnes sont prises en otages par le MNLA. « Les terroristes ont déclaré la guerre au Mali. Nous allons mobiliser les moyens pour faire cette guerre », déclare Moussa Mara.

D'autres groupes se replient sur la Libye, où la chute du régime de Mouammar Kadhafi marque *de facto* la fin de l'État. D'autres enfin s'installent au Darfour, à Nyala et dans le massif de Djebel Marra, près d'El Fasher. Leur présence au Darfour suscite des interrogations. Vont-ils devenir des alliés du gouvernement soudanais pour renforcer la sécurité à la frontière tchadienne ? Ou bien constituent-ils une nouvelle menace pour le président tchadien, Idriss Déby Itno, qui redoute une conjonction entre les forces rebelles tchadiennes et les djihadistes contre son régime ?

▨▨▨ La Corne de l'Afrique : sur des lignes claniques ou islamistes

L'effondrement de l'État somalien en 1991, après la chute du président Mohamed Siad Barre (1969-1991), a donné naissance à divers mouvements d'allégeances claniques ou islamiques. Parallèlement, certaines régions – Somaliland (1992) et Puntland (1998) – autoproclament leur autonomie.

En 1991, Al-Ittihad al-islam (AIAI), un mouvement islamiste fondé dans les années 1980 mais resté dans l'ombre, occupe la ville portuaire de Kismaayo. Mohamed Farah Aideed (clan Hawiye/Habr Gedir), chef de l'organisation paramilitaire United Somali Congress (Congrès de la Somalie unie, USC), envoie le colonel Hassan Dahir Aweys (même clan qu'Aideed) à Kismaayo négocier la reddition des islamistes d'AIAI. Mais Aweys, épousant la cause de ce dernier groupe, devient leur chef. Ce qui n'empêchera pas l'AIAI de se scinder en plusieurs factions alors que le pays est frappé par la famine.

En 1992, l'armée américaine débarque unilatéralement en Somalie pour « restaurer l'espoir » (opération *Restore Hope*). L'intervention se solde par un fiasco, forçant les Américains à se retirer du pays en mars 1994, laissant derrière eux une opinion revancharde et antiaméricaine.

En 1996, après le décès de Farah Aideed, Dahir Aweys s'autoproclame chef à Mogadiscio, se dote d'une milice (Hifka-Halane) et d'un tribunal islamique (alliant charia et lois coutumières) afin de garantir des îlots de sécurité dans la capitale. Pour le contrer, le seigneur de guerre Ali Mahdi Mohamed (clan Hawiye/Abgal) autorise le cheikh Ali Dheere, appartenant au même clan que lui, à créer également un tribunal islamique. En 2000, un Conseil conjoint des tribunaux islamiques, dirigé par Dahir Aweys, est créé (il sera rebaptisé Union des tribunaux islamiques – UTI – en 2006). Mais ses membres refusent d'intégrer le Gouvernement national de transition (GNT) dirigé par Abdiqasim Salad Hassa (clan Hawiye/Habr Gedir).

En 2005, Adan Hashi Ayro, un jeune proche de Dahir Aweys devient le chef d'Hifka-Halane. Aidé par sa branche armée, le mouvement de jeunes (Harakat al-Shebab, dit Al-Shebab) d'Ayro, l'UTI prend le pouvoir à Mogadiscio. Les États-Unis soutiennent alors une intervention militaire éthiopienne pour chasser les islamistes du pouvoir et restaurer le gouvernement de transition d'Abdullahi Yusuf Ahmed (président de la Somalie de 2004 à 2008). Dahir Aweys appelle au djihad contre toutes les forces étrangères en Somalie et se présente comme le défenseur de la nation et de l'islam.

En 2007, le Kenya, l'Éthiopie, l'Ouganda et le Burundi envoient leurs troupes en Somalie, dans le cadre de la Mission de l'Union africaine en

Somalie (Amisom). Les États-Unis, la Grande-Bretagne et l'Union européenne allouent 68 millions de dollars à l'Amisom. En 2008, Washington
inscrit les shebabs sur la liste des organisations terroristes. Adan Hashi Ayro
est tué lors d'un raid américain. Mais plusieurs factions rivales apparaissent
au sein des shebabs sur des lignes de fractures idéologiques ou claniques.

En 2008, l'Éthiopie, à son corps défendant, se retire de la Somalie. Les islamistes, divisés entre « nationalistes » et « djihadistes », occupent les axes
routiers et la zone de Kismaayo, au sud, à la frontière avec le Kenya. En
septembre 2009, les shebabs annoncent leur affiliation à Al-Qaida. Le
19 octobre 2011, Nairobi envoie ses troupes contrôler Kismaayo, en appui à
l'Amisom. L'opération est baptisée *Linda Nchi* (« Défends la nation », en
kiswahili). En juillet 2013, le Kenya apporte également son soutien à la milice
d'Ahmed Mohamed Islaan, contre les combattants des clans Darod/
Marehan du colonel Barre Adan Shire « Hirale ». L'enjeu étant le contrôle du
port de Kismaayo qui génère localement des millions de dollars grâce aux
trafics en tout genre (drogue, pétrole, piraterie). Dès lors, la guerre contre les
shebabs, dans une région hautement stratégique, devient aussi un enjeu de
sécurité globale.

Pourtant, des groupuscules affiliés aux shebabs continuent de commettre
des attentats en Ouganda (2010) et au Kenya (le 21 septembre 2013, l'attaque
du centre commercial de Westgate, à Nairobi, fait 67 morts). Le 13 février
2013, un convoi de l'ONU est attaqué à l'entrée du complexe ultrasécurisé
de l'aéroport de Mogadiscio qui abrite également le quartier général de
l'Amisom et des antennes diplomatiques occidentales. Le 21 février 2014, les
shebabs revendiquent l'attentat kamikaze contre le palais présidentiel.

Afrique centrale : entre politique et violence islamiste

Le nord du Nigeria, essentiellement musulman, a toujours connu
un développement séparé du Sud, à majorité chrétien. En 1995, Muhammad
Yusuf, se réclamant du salafisme djihadiste, fonde Djama'a ahl al-sunna
li-da'awati wal djihâd (Mouvement sunnite pour la prédication et le djihad),
plus connu sous le nom de Boko Haram, (« l'éducation occidentale est un
péché » en langue hausa [1]). Les adeptes de Yusuf sont en grande majorité des
jeunes sans emploi ou ayant quitté l'école pour se consacrer à l'islam avec
pour objectif de former des individus croyants pour changer la société.

En 2003, Ali Modu Sherrif, alors candidat au poste de gouverneur de l'État
de Borno, s'appuie sur les adeptes de Muhammad Yusuf pour faire campagne

---

1 · Boko signifie « futile », « sans intérêt ». Après l'introduction, par les Britanniques, de
   l'école occidentale au nord, le mot Boko devient synonyme de l'école occidentale considérée alors comme « futile » comparée à l'école coranique. Le mouvement veut donc
   remplacer les lois d'origines occidentales par la charia.

et finalement gagner les élections à Maiduguri, faisant de cette ville le fief de Boko Haram. Il confie à Alhaji Buji Foi, proche du chef de Boko Haram, le poste de conseiller en religion. Mais les altercations entre les membres du mouvement et la police fédérale se multiplient. Les 28 et 29 juillet 2009, l'armée encercle le camp de Muhammad Yusuf et ouvre le feu, faisant près de 800 morts. Yusuf est arrêté et exécuté après un interrogatoire sommaire tandis qu'Abubakar Shekau, le numéro 2 du groupe, réussit à s'enfuir. Le Nord dénonce le « deux poids, deux mesures », estimant que le gouvernement est plus sévère à l'égard des islamistes qu'il ne l'a été à l'égard des rebelles du Mouvement pour l'émancipation du delta du Niger (MEND) au Sud.

Cependant, Mamman Nur, alors numéro 3 du groupe, devient le chef de Boko Haram, ce qui provoque l'ire de Shekau, qui réapparaît en juin 2013 et récupère la direction. Les combats entre factions rivales s'enflamment. Sous la conduite de Shekau, les membres de Boko Haram pensent mener le djihad sur la scène intérieure contre les musulmans libéraux, les chefs traditionnels, les symboles de l'État fédéral, les écoles et les églises, tout en menaçant les populations de représailles en cas de collaboration avec l'armée. Laquelle est aussi accusée d'exactions à l'égard de la population.

Le 24 septembre 2012, les forces nigérianes (Nigeria's Joint Task Force) prennent d'assaut le repère d'Abubakar Shekau, à Damaturu, la capitale de l'État de Yobe, mais ce dernier parvient, une nouvelle fois, à s'échapper. D'où les interrogations sur les connivences dont jouit Boko Haram au sein de l'armée et dans la sphère politique.

Le 14 mai 2013, le gouvernement fédéral décrète l'état d'urgence dans les États de Borno, Yobe et Adamawa, sans résultat tangible. Boko Haram est devenu une franchise avec des ramifications au Tchad, au Cameroun et au Niger, souvent liées au grand banditisme local.

En février 2013, Ansaru, une fraction dissidente de Boko Haram, profite des réseaux de solidarité ethnique et de la porosité de 1 500 km de frontières, pour enlever la famille française Moulin-Fournier, à Dabanga au Cameroun et les rétrocéder à Abubakar Shekau afin de négocier les conditions de leur libération. Dans la nuit du 13 au 14 novembre 2013, le prêtre français Georges Vandenbeusch, curé de la paroisse de Nguetchewé à l'extrême nord du Cameroun, est également enlevé par des personnes se réclamant de Boko Haram.

Faisant fi des spéculations sur la destination réelle des fonds et sur les intermédiaires, le président camerounais Paul Biya affirme avoir payé la rançon par humanisme pour libérer les otages français. Mais cela n'empêcha pas l'enlèvement de deux prêtres italiens à Tchéré près de la frontière avec le Nigeria, confirmant ainsi les soupçons sur un business transfrontalier lié aux otages.

Le président nigérian Goodluck Jonathan veut que le Cameroun, *de facto* impliqué dans la guerre contre les djihadistes, s'engage plus fermement dans la lutte contre Boko Haram. Le 2 mars 2014, à Fotokol (Nord-Cameroun), un violent combat a opposé les soldats camerounais aux islamistes qui, malgré le soutien de l'armée nigériane, ont réussi à fuir du côté nigérian avec armes et bagages (plusieurs caches d'armes, en provenance du Tchad et du Soudan, ont été découvertes dans les villages camerounais frontaliers du Nigeria).

L'inscription par Washington, en 2013, de Boko Haram et Ansaru comme organisations terroristes n'a rien changé. Les attaques s'intensifient chaque jour. Aussi Goodluck Jonathan redoute-t-il que Boko Haram n'exploite cette inscription comme un faire-valoir pour s'allier avec AQMI. Le président nigérian peine également à convaincre son propre parti de sa stratégie politique à l'égard de Boko Haram. Fin 2013, presque tous les gouverneurs des États du Nord, un sénateur et un ancien vice-président ont quitté le parti présidentiel. Rejoints par 26 sénateurs et 58 députés, ils s'opposent à la reconduction de Goodluck Jonathan à la tête du pays en 2015. L'ex-président Olusegun Obasanjo (1999-2007) s'est lui aussi fendu d'une lettre très critique en décembre 2013, dans laquelle il accuse son successeur de tribalisme et d'incompétence.

Le 14 avril 2014, 223 lycéennes de Chibok (État de Borno) sont enlevées par Boko Haram. La menace d'Abubakar Shekau de les traiter comme des « esclaves » provoque une mobilisation internationale, *via* Internet, derrière le cri de ralliement « *Bring Back Our Girls* » (Rendez-nous nos filles). Goodluck Jonathan est critiqué pour sa gestion de la crise et sa lenteur à réagir, aussi bien sur le plan interne que par les États-Unis. C'est dans ce contexte que le président français François Hollande organise à Paris, le 17 mai 2014, « un sommet pour la sécurité au Nigeria », réunissant Goodluck Jonathan et ses voisins : Idriss Déby Itno (Tchad), Paul Biya (Cameroun), Mahamadou Issoufou (Niger) et Boni Yayi (Bénin) ainsi que des représentants des États-Unis, de la Grande-Bretagne et de l'Union européenne, « Nous sommes ici pour déclarer la guerre à Boko Haram », résume le président camerounais Paul Biya. Concrètement, les chefs d'État veulent coordonner leurs actions et partager les renseignements et les informations sur les trafics d'armes à destination de Boko Haram.

Ouganda : un État perçu comme un « mal absolu »

En 1962, après l'indépendance, l'Ouganda adopte une Constitution fédérale. Dans un équilibre politique « sudiste »/« nordiste », le roi Baganda Edward Mutesa II devient président à vie et Milton Obote (nordiste, Acholi), chef d'Uganda Peoples' Congress (UPC), devient Premier ministre. Mais, en 1966, Obote organise un coup d'État, se proclame président et nomme Idi Amin Dada au poste de chef d'état-major des armées. Ce dernier recrute les membres de sa tribu Kawka dans l'armée, procède à son tour à un coup d'État sanglant en 1971 et se proclame président à vie.

Milton Obote, exilé en Tanzanie, tente en vain de revenir au pouvoir. Idi Amin réagit et exécute certains officiers Acholi et Lango accusés de soutenir son rival. Mais, en avril 1979, il est contraint à l'exil par une rébellion soutenue par la Tanzanie. Le retour au pouvoir d'Obote est cependant contesté par certaines populations du Sud, ce qui déclenche une guerre civile (1980-1986). En 1986, Yoweri Museveni, chef de la National Resistance Army (NRA), prend le pouvoir. Face à la force brutale des armes, certains Acholi se regroupent derrière une jeune femme, Alice Auma, qui déclare avoir reçu l'ordre de Dieu de combattre le gouvernement de Museveni, considéré comme le « mal absolu ». Elle se dit guidée par « Lakwena », un esprit saint chrétien inconnu, dont elle prendra le nom pour fonder The Holy Spirit Movement associant la Bible et les croyances animistes locales. Son but : libérer l'Ouganda de la corruption, des péchés et instaurer un gouvernement théocratique fondé sur les dix commandements de la Bible.

Combattue par les forces gouvernementales, Alice Auma finit par se réfugier au Kenya en 1987 où elle meurt en janvier 2007. Mais un autre Acholi, Joseph Kony, ancien membre de la rébellion (Armée démocratique unie d'Ouganda), déclare lui aussi avoir reçu l'ordre de créer une armée biblique – la Lord's Resistance Army (LRA) – pour gouverner selon les dix commandements. Alliant mysticisme et rites traditionnels, la LRA sème la terreur dans le Nord ougandais : attaques contre les civils, enlèvements d'enfants, pillages, etc.

En 1991, le gouvernement ougandais lance l'opération *North* contre Kony, forçant la LRA à se replier dans les zones transfrontalières au Sud-Soudan. Cependant, après les attentats du 11 septembre 2001, Yoweri Museveni déclare mener, lui aussi, une guerre contre le terroriste et réclame le soutien américain. En 2002, appuyé par les États-Unis, l'Ouganda lance l'opération *Iron Fist*, contre la LRA, sans résultat. En 2006, la Cour pénale internationale (CPI) lance un mandat d'arrêt, pour crimes de guerre et crime contre l'humanité, contre Joseph Kony et plusieurs de ses lieutenants. Parallèlement, l'Union africaine (UA) appelle à une résolution pacifique du conflit. Des négociations entre la LRA et le gouvernement ougandais s'ouvrent à Juba (Sud-Soudan), mais la première veut des garanties pour une amnistie totale et un programme de réinsertion de ses membres. Faute d'accord, Joseph Kony rompt les pourparlers. Les membres du mouvement profitant de la porosité des frontières s'éparpillent au Sud-Soudan, au nord-est de la République démocratique du Congo (RDC) et au sud de la République centrafricaine (RCA).

Le président ougandais demande à nouveau le soutien américain pour lutter contre le terrorisme. En octobre 2011, le département d'État américain, reconnaissant à l'égard de l'Ouganda pour son intervention en Somalie, désigne Joseph Kony comme terroriste, offre 5 millions de dollars pour son arrestation et apporte son soutien militaire à l'offensive ougandaise contre la LRA. Washington débourse également 560 millions de dollars d'aide humanitaire aux populations des trois pays victimes de la LRA (Ouganda, RCA et RDC).

En novembre 2011, l'UA désigne formellement la LRA comme organisation terroriste et autorise une coopération régionale pour la combattre, sans toutefois préconiser une action militaire conjointe du fait des divergences politiques entre les États concernés – Ouganda, RCA, Soudan, RDC – qui s'accusent mutuellement de soutenir la rébellion luttant contre leur régime respectif. Le 14 février 2014, l'Ouganda et les États-Unis déclarent avoir affaibli la LRA en tuant son numéro 2, Okot Odhiambo, au cours d'un combat.

Pour en savoir plus

Rasheed AL-MADAWI et Marat SHTERIN, *Dying for Faith. Religion and Violence in the Contemporary World*, I.B. Tauris, Londres, 2009.

Steve CLARKE, Roussel POWELL et Julius SAVULESCU, *Religion, Intolerance and Conflict. A Scientific and Conceptual Investigation*, Oxford University Press, Oxford, 2013.

Markus Virgil HOEME, « Counter-terrorism in Somalia », *Crisis in the Horn of Africa*, SSRC, 17 décembre 2009 (disponible sur <http://webarchive.ssrc.org>).

Mark JUERGENSMEYER, Margo KITTS et Michael JERRYSON (dir.), *The Oxford Handbook of Religion and Violence*, Oxford University Press, Oxford, 2013.

Omeje KENNETH et Tricia REDEKER HEPNER, *Conflict and Peacebuilding in the African Great Lakes Region*, Indiana University Press, Bloomington, 2013.

L'intervention militaire française en Centrafrique : la mauvaise conscience de Paris

Jean-Pierre Tuquoi
Journaliste

Ce sont des noms hérités de l'époque coloniale. Ils renvoient à un pays – la Centrafrique –, à sa capitale – Bangui –, à un fleuve – l'Oubangui – oubliés depuis les frasques barbares d'un empereur d'opérette qui se prenait pour Napoléon. Or voilà que ces noms ont resurgi des mémoires et sont redevenus d'actualité en charriant leur lot de drames et de violences.

À l'origine de cette redécouverte, une cascade d'événements sanglants qui, fin 2013, à partir d'une insurrection militaire, a conduit Paris à intervenir une fois de plus, mais avec le feu vert de l'ONU – la nuance est d'importance –, dans l'ancienne colonie de l'Oubangui-Chari. Deux mille militaires français environ sont déployés dans le pays (c'est l'opération Sangaris) au côté de 6 000 soldats africains appelés à se transformer fin 2014 en autant de « casques bleus » des Nations unies. Officiellement, il s'agit de le sécuriser et d'éviter à la Centrafrique un génocide « à la rwandaise » sur fond de massacres interreligieux – chrétiens contre musulmans – ou d'épargner au pays de sombrer dans le chaos type Somalie.

Six mois après le départ forcé des musulmans, assimilés aux voisins tchadiens, l'opération perdure en province dont une bonne partie échappe à tout contrôle sinon à celui des seigneurs de guerre. Peu d'informations en émanent.

Et politiquement rien n'est réglé. Un chef d'État, François Bozizé, a été chassé du pouvoir. Son successeur, Michel Djotodia, a été contraint à la démission. Un autre – une femme issue de la société civile, Catherine Samba-Panza – a été choisie début 2014 et s'est très vite révélée décevante. Les diplomates évoquent une possible élection présidentielle début 2015 mais avec une prudence extrême tant le pays est exsangue. À l'agonie depuis des années, l'État a sombré avec son administration, les caisses sont vides et la société à genoux, traversée par des lignes de fracture profondes et durables.

Pour la France, qui n'a réussi à obtenir de ses alliés européens qu'une aide symbolique en avril 2014, l'enlisement menace.

Les calamiteuses années Bozizé

La République de Centrafrique (RCA) n'est pas la Suisse. Elle appartient à cette frange des pays oubliés du continent noir dont on parle en cas de catastrophe naturelle, de coup d'État, de guerre… En temps normal, on les ignore d'autant plus volontiers qu'ils sont pauvres, enclavés et dépourvus d'intérêt stratégique. C'était le cas de la Centrafrique. Coincé au cœur du continent africain entre des voisins réputés peu commodes (le Tchad, les deux Soudans, la République démocratique du Congo, le Congo-Brazza, le Cameroun), sans accès à la mer, un peu plus vaste que la France mais dix ou douze fois moins peuplé, le pays vivotait.

À sa tête jusqu'il y a quelques mois, un général-président, François Bozizé, arrivé au pouvoir dix ans auparavant par la force des armes, mais suffisamment habile par la suite pour s'être fait élire et réélire dans des conditions guère plus contestables que la plupart de ses voisins. La démocratie était bafouée dans les urnes mais les apparences sauves aux yeux des chancelleries occidentales.

Paris laissait faire. D'autant que le général était francophile. Il avait fait ses classes en France et n'aimait rien tant qu'évoquer en privé ses souvenirs d'ancien élève officier à l'école militaire de Saint-Maixent, dans les Deux-Sèvres. Cette proximité était humaine – pendant des années un officier français occupera le bureau mitoyen de celui du chef de l'État, à Bangui. Mais pas uniquement. Car, même réduite à peu de choses, l'économie de la RCA était entre les mains d'intérêts tricolores, de l'exploitation forestière (Rougier puis IFB) aux mines d'uranium (Areva est propriétaire d'une mine jamais exploitée), des brasseries (groupe Castel) au transport fluvial (Bolloré)… Seule l'exploitation de l'or et des diamants échappait aux Français.

Si l'Élysée, du temps de Jacques Chirac, a laissé le général Bozizé s'emparer du pouvoir en 2003 et en chasser un civil, le président André Kolingba, aussi médiocre que kleptomane, c'était avec l'espoir que son successeur aurait davantage le sens de l'État. Il ne manquait pas d'atouts : une bonne image de marque à la mesure de la détestation qu'inspirait son prédécesseur ; une connaissance précise du personnel politique local nourrie au fil du temps chez François Bozizé par des alliances en zigzags et un parcours invraisemblable – un temps patron de l'armée, un temps exilé, un temps ministre, un temps torturé et condamné à mort, un temps pasteur d'une église évangélique… – et, enfin, de solides alliés à N'Djamena, la capitale du Tchad, le parrain historique de la Centrafrique.

Les débuts furent à la hauteur des espérances avec un gouvernement d'union nationale, des fonctionnaires enfin payés et des droits de l'homme mieux respectés. Mais l'état de grâce allait rapidement s'estomper. Le militaire Bozizé avait du mal à se glisser dans les habits civils et à faire du développement de son pays la priorité. Il fallait faire repartir l'économie et relancer la production de coton, de café et des cultures vivrières, mieux exploiter la forêt, lutter contre la corruption et les passe-droits qui gangrènent le pays depuis l'indépendance au tout début des années 1960, mettre au pas les militaires pour faire des FACA une armée républicaine, et ne pas laisser à l'abandon les régions limitrophes du Soudan et du Tchad, à majorité musulmane.

La tâche était immense et sans doute hors de portée du chef de l'État. Comme ses prédécesseurs, Bozizé allait laisser filer les choses, uniquement préoccupé de se maintenir à tout prix au pouvoir. À sa famille – au sens large – il abandonnait les postes de responsabilités au cœur de l'État, du gouvernement, de la présidence et les sources d'enrichissement qui allaient avec dans la plus pure tradition de l'« esprit de cueillette » ; aux militaires tchadiens honnis par la population mais sans lesquels il n'aurait pu s'emparer du pouvoir, il confiait sa sécurité personnelle ; et aux Français, les anciens colonisateurs, le soin de plaider la cause de la Centrafrique auprès des bailleurs de fonds pour assurer les fins de mois d'un pays pauvre parmi les plus pauvres du monde selon le classement des organismes internationaux.

En réalité, c'est un « État fantôme » que présidait Bozizé, incapable de garantir la sécurité des citoyens comme l'intégrité du territoire. Le nord et l'est du pays étaient abandonnés à divers mouvements rebelles en lien avec le Tchad et le Soudan. Le sud-est de la Centrafrique n'était pas davantage sécurisé, qui servait de refuge à la Lord's Resistance Army (LRA), le mouvement d'un illuminé ougandais sanguinaire, le pasteur Joseph Kony, pourchassé jusqu'en RCA par les troupes de Kampala conseillées par des militaires américains. Au total, « avant la chute du président Bozizé, on peut estimer que près de 60 % du territoire national échappait totalement au contrôle de l'État centrafricain », estime un diplomate français spécialiste de la RCA, Didier Niewiadowski. Symbole de cet abandon : dans les provinces orientales de la Centrafrique, l'arabe et l'anglais ont pris la place du sango, la langue nationale, tandis que la livre soudanaise est davantage utilisée que le franc CFA, la monnaie officielle.

Quelques données donnent la mesure de la faillite de l'État et du « mal-développement » sous François Bozizé. Ainsi la répartition des fonctionnaires centrafricains : 40 % d'entre eux relevaient des seuls ministères de la Défense et de l'Intérieur, mais moins de 5 % étaient affectés au développement rural. Et tous ou presque étaient basés à Bangui, la capitale !

Et que dire du système judiciaire, en état de décomposition avancé et remplacé par une justice d'inspiration religieuse ou traditionnelle ; de l'enseignement abandonné aux missions catholiques et protestantes ; des tâches régaliennes de l'État confiées à des personnes privées dans des conditions financièrement douteuses (les douanes, par exemple).

Le bilan des années Bozizé se résume à deux chiffres : l'espérance de vie a reculé de 50 ans dans les années 1990 à 47 ans en 2007. Elle est aujourd'hui évaluée à 40 ans. Et 7 habitants sur 10 vivent dans une pauvreté extrême.

■■■■ La Séléka et l'effondrement du pays

C'est dans ce contexte que le général-président a été chassé du pouvoir selon un scénario classique. Au départ, une rébellion issue des régions irrédentistes du nord-est de la Centrafrique, la Séléka (la Coalition, en langue sango). Constituée de musulmans puisque l'islam domine dans ces régions, la Séléka est née fin 2012 du rapprochement fait de bric et de broc d'une pléiade de petits mouvements aux noms pompeux mais au programme très clair : chasser Bozizé du pouvoir. C'est un peu court du point de vue politique, mais redoutable dès lors que l'on dispose d'armes, de véhicules et d'argent et que le camp adverse vacille.

D'autant que la Séléka avait d'autres atouts. Dans ses rangs figuraient des centaines des guerriers janjawid, des combattants redoutables venus du Darfour soudanais, et des miliciens zaghawa, guère plus recommandables, originaires du Tchad. Et elle bénéficiait du soutien actif du président tchadien, Idriss Déby, décidé à se débarrasser d'un Bozizé devenu incontrôlable. N'était-il pas coupable d'avoir renvoyé sa garde présidentielle tchadienne ? Et n'avait-il pas promis d'octroyer des permis de recherche pétrolière dans une région frontalière du Tchad, au risque de tarir les gisements déjà exploités par N'Djamena ? Erreurs funestes !

Assurée de tels appuis (sans compter celui, probable mais jamais prouvé, du Qatar), la Séléka lance une première offensive en décembre 2012, s'empare sans coup férir de plusieurs villes et s'approche de la capitale. Bangui est à prendre. L'Élysée, où le socialiste François Hollande a succédé à Nicolas Sarkozy, refuse cette fois d'intervenir dans son ancienne colonie. Les États-Unis également. Pour Bozizé, le salut viendra de ses pairs d'Afrique centrale qui, forts de la présence en RCA d'une (modeste) force militaire multinationale, imposent un cessez-le-feu et un partage du pouvoir à Bangui (11 janvier 2013, accords de Libreville). Bozizé doit composer, annoncer qu'il ne briguera pas de troisième mandat, accepter comme chef du gouvernement une personnalité qui n'appartient pas à sa mouvance, accueillir des ministres issus de la Séléka… mais il a sauvé son poste.

Provisoirement, car l'accord de paix ne résiste pas aux manœuvres de Bozizé qui, assuré du soutien d'un contingent de soldats sud-africains venus à son secours, ne tarde pas à revenir peu à peu sur ses promesses.

Mal lui en prend. Après avoir lancé un ultimatum, les troupes de la Séléka – composées à 80 % d'hommes originaires du Tchad et du Soudan – fondent sur Bangui qui est prise en quelques jours sans grand combat. Le 24 mars 2013, Bozizé s'enfuit au Cameroun.

Son successeur autoproclamé (et confirmé le 3 avril), un civil, est le chef de la Séléka, Michel Djotodia Am-Nondroko. Avec lui, c'est la première fois depuis l'indépendance du pays, au début des années 1960, qu'un homme de confession musulmane (minoritaire, elle n'est revendiquée que par 15 % à 20 % de la population) et originaire du Nord, arrive à la tête de la Centrafrique.

Sexagénaire, Michel Djotodia a vécu plus d'une vingtaine d'années à l'étranger (Union soviétique, Soudan, Bénin, Tchad, Gabon) comme étudiant, diplomate ou exilé politique. Rien de tel pour devenir polyglotte. Rien de tel non plus pour se couper de son pays et de ses habitants.

Un chef de l'État ignorant, velléitaire mais adepte du népotisme (il a confié plusieurs postes stratégiques à des membres de sa famille), une Séléka livrée à elle-même sans le moindre garde-fou, une armée régulière volatilisée, une communauté internationale indécise : tout est prêt pour que la Centrafrique sombre corps et biens.

C'est ce qui va se passer. De toutes les villes « libérées » par le mouvement rebelle – y compris la capitale – parviennent, relayés par des organisations non gouvernementales et la presse étrangère, des récits hallucinants de violence gratuite, de vols, de pillages, d'exactions. Les morts se comptent par centaines. Ce sont des chrétiens. En France surtout, mais pas uniquement, l'opinion publique et les politiques commencent à se réveiller. Il faut « d'urgence » se préoccuper du sort de la Centrafrique, clame de son côté le secrétaire général de l'ONU, Ban Ki-moon, tandis que le directeur des opérations humanitaires des Nations Unies, John Ging, affirme que tous les « éléments [d'un] génocide » sont réunis.

■■■■■ « Sangaris » : intervention française dans un pays en miettes

Le fait est qu'au siège des Nations unies la France, après bien des tergiversations, est à la manœuvre pour intervenir à nouveau militairement dans son ancienne colonie. Déjà, à l'aéroport de Bangui, le contingent militaire français a été renforcé. Il n'attend plus que le feu vert de Paris pour se déployer dans la capitale.

Le 5 décembre c'est chose faite. Une résolution de l'ONU donne mandat aux Français d'intervenir en RCA. L'opération Sangaris commence. Il s'agit de la dixième opération de maintien de la paix en Centrafrique. « Cette intervention sera rapide. Elle n'a pas vocation à durer », assure François Hollande qui a déjà le dossier malien à gérer. « De quatre à six mois », croit bon de préciser le jour de son déclenchement le ministre de la Défense, Jean-Yves Le Drian. « De six mois à un an », nuance-t-il quinze jours plus tard.

Fixer une échéance était bien imprudent, car les événements vont prendre une tournure inattendue. Si les groupes de la Séléka (officiellement dissoute par Djotodia), un rassemblement baroque de musulmans centrafricains, de guerriers étrangers et de bandits de grand chemin, se débandent devant les Français et quittent précipitamment Bangui avec armes et bagages, ils laissent derrière eux une haine inextinguible dont la communauté musulmane va faire les frais.

À la violence de la Séléka succède alors celle des anti-balaka (une appellation à la traduction problématique : « anti-machettes » à moins que le terme renvoie aux gris-gris portés par les jeunes opposants à la Séléka et censés arrêter les balles). À partir de la fin décembre, un torrent de haine – que les forces françaises (qui ont perdu trois hommes) et africaines (plus lourdement frappées) tardent à stopper – se déverse dans la capitale et les villes de province abandonnées par la Séléka. Des centaines de morts supplémentaires viennent s'ajouter à une liste déjà longue sans que les appels au calme lancés conjointement par les autorités religieuses du pays aboutissent.

Il ne s'agit pas d'un « génocide », pensé et programmé. Encore moins d'une guerre née d'un antagonisme religieux entre chrétiens et musulmans, mais plus banalement d'une violence politique qui a instrumentalisé la religion. Reste que le bilan est lourd. Outre les morts à déplorer, il y a l'exode des populations : 20 000 musulmans ont fui leur pays, la Centrafrique, pour se réfugier au Cameroun voisin. Le Tchad accueille de son côté 83 000 personnes évacuées dans des conditions le plus souvent dramatiques. À Bangui, dans des camps de fortune, survivent 150 000 personnes et le double dans les régions.

Politiquement, la situation n'est guère meilleure. S'il est probable que l'ancien président Bozizé, de retour dans la région, et ses proches ont soutenu les anti-balaka dans l'espoir de reconquérir le pouvoir, ils ont échoué dans leur entreprise. Les tombeurs de Bozizé ne sont pas en meilleure position. Plusieurs sont en fuite et menacés de poursuites par la Cour pénale internationale. D'autres ont préféré quitter le pouvoir et s'exiler (au Bénin), lestés d'une valise d'argent, comme Michel Djotodia, contraint à la démission en janvier 2014 par Paris et son nouvel allié tchadien.

Pour lui succéder, le Quai d'Orsay, qui gère le dossier centrafricain côté français, a appuyé la candidature de Catherine Samba-Panza, une femme issue de la société civile (ou de ce qu'il en reste) et sans étiquette politique affirmée (même si elle a été maire de Bangui). Face à vingt-trois autres candidatures, c'est effectivement la sienne qui l'a emporté le 20 janvier devant le Conseil national de la transition.

Sauf que le bilan de la présidente, dont les relations avec son Premier ministre sont exécrables, est maigre. Mi-2014, la réconciliation nationale reste un mot creux dans le pays durablement traumatisé par l'épuration confessionnelle. La violence perdure. La société est en miettes et la xénophobie une valeur en hausse. Tenues par des chiens de guerre, des régions entières échappent au contrôle de Bangui. L'économie est à l'arrêt et les caisses de l'État désespérément vides. Comment, dans un tel chaos, organiser début 2015 un scrutin présidentiel crédible et éviter la partition du pays ?

La question taraude Paris en quête de soutiens occidentaux pour partager le fardeau centrafricain tant du point de vue militaire que financier. Les Européens, qui ont les yeux braqués sur Kiev et Bagdad davantage que sur Bangui, ont fini par se laisser tordre le bras et accepter, début avril, de déployer des forces de l'UE en Centrafrique. Mais les effectifs de l'opération EUFOR-RCA seront maigres (800 hommes), sa zone d'action limitée à la capitale, et l'engagement n'excédera pas six mois, le relais étant pris, si tout se passe comme le souhaite la France, par les « casques bleus ».

C'est dire que le dossier centrafricain continuera à être géré depuis Paris. Comme il l'était lorsque le pays s'appelait l'Oubangui-Chari et que c'était une colonie française.

Pour en savoir plus

Pierre Kalck, *Histoire centrafricaine, des origines à 1966*, L'Harmattan, coll. « Racines du présent », Paris, 1992.

Bruno Martinelli, « Les chemins de la haine en Centrafrique 2013 », *Cultural Anthropology*, à paraître.

Didier Niewiadowski, « La République centrafricaine : le naufrage d'un État, l'agonie d'une nation », *Afrilex, Revue d'étude et de recherche sur le droit et l'administration dans les pays d'Afrique*, 20 janvier 2014 (disponible sur http://afrilex.u-bordeaux4.fr).

Voir aussi les rapports publiés sur la Centrafrique sur les sites Internet de l'International Crisis Group (<www.crisisgroup.org>), d'Amnesty International (<www.amnesty.org>), de la Fédération international des droits de l'homme (<www.fidh.org>), de Médecins sans frontières (<www.msf.fr>).

Les groupes armés en République démocratique du Congo

Colette Braeckman
Journaliste au quotidien *Le Soir* (Belgique)

Forêts, volcans, rives bleues du lac, moutonnement des pâturages... Les images paradisiaques du Nord- et du Sud-Kivu ressemblent à un miroir éclaté depuis que plusieurs dizaines de groupes armés, sans cesse désintégrés, recomposés, alliés de circonstance ou adversaires momentanés, ne partagent que deux points communs : la violence exercée sur les populations civiles et une « autosuffisance » fondée sur l'exploitation des ressources locales ou le recours aux barrages routiers et aux taxes illégales.

Dans l'est du Congo, les rébellions appartiennent à l'histoire et ont marqué la mémoire collective : c'est dans le Sud-Kivu, voisin de la Tanzanie, que Laurent-Désiré Kabila, vers la fin des années 1960, avait créé une « zone rouge », un maquis où il accueillit Ernesto « Che » Guevara et défia durant de longues années le pouvoir du président Joseph Mobutu, qu'il allait finalement chasser de Kinshasa en 1997. En 1964, la rébellion des Simba (lions en swahili), qui culmina par la prise de Stanleyville (Kisangani), avait commencé dans les forêts du Maniéma et du Sud-Kivu.

Au début des années 1990, alors que le pouvoir central s'affaiblissait, la nationalité congolaise des Tutsis rwandophones installés au Nord-Kivu fut mise en cause par d'autres groupes ethniques et des milices tribales s'affrontèrent.

À l'heure actuelle, sous l'impulsion du représentant spécial des Nations unies Martin Kobler, les forces de la Mission des Nations unies (Monusco), renforcées par une brigade d'intervention africaine de 3 000 hommes, soutiennent l'armée gouvernementale. Elles entendent mettre au pas, les uns après les autres et de manière systématique, les groupes armés qui écument l'est du Congo depuis deux décennies, afin de créer des « îlots de stabilité » et, *in fine*, de restaurer l'autorité de l'État congolais sur l'ensemble du territoire. Une entreprise qui s'apparente au nettoyage des écuries d'Augias !

En effet, c'est au lendemain du génocide qui emporta 800 000 Tutsis au Rwanda que l'est du Congo fut déstabilisé à son tour par l'afflux d'un million et demi de réfugiés hutus, parmi lesquels les militaires, les miliciens génocidaires Interhahamwe et les cadres politiques du régime Habyarimana. Ces hommes en armes et ces politiciens allaient bientôt reconstituer une force militaire désireuse, sinon de renverser le nouveau régime de Kigali institué par le Front patriotique rwandais (un objectif de plus en plus irréaliste), du moins de tenter, par la force, de s'imposer à la table de négociations.

Toute forme de dialogue avec les « génocidaires » ayant toujours été écartée, Kigali mena deux guerres ouvertes au Congo, la première (1996-1997) aboutissant au démantèlement des camps de réfugiés hutus et au renversement du président Mobutu remplacé par Laurent-Désiré Kabila, la seconde (1998-2002) se terminant, sous la pression internationale, par un retrait de ses forces présentes au Congo en échange d'un partage momentané du pouvoir à Kinshasa. Un gouvernement de transition, dans lequel étaient inclus les mouvements rebelles, fut alors mis sur pied et il dura jusqu'aux élections générales de 2006, lesquelles consacrèrent la présence de Joseph Kabila à la tête de l'État.

Les groupes armés d'origine rwandaise ayant continué à opérer dans l'est du pays, le Congo ne s'est jamais remis de ces conflits répétés, d'autant plus qu'ils ont été financés par l'exploitation et la commercialisation de minerais fort opportunément découverts (la cassitérite, le colombo tantalite, le niobium, l'or...). Ces agressions étrangères ont suscité l'apparition d'une multitude de groupes d'autodéfense congolais, opérant parfois aux côtés des forces gouvernementales ou concluant des alliances éphémères avec les forces d'origine rwandaise.

L'offensive conjointe et victorieuse des forces gouvernementales et de la Monusco, menée au Nord-Kivu contre le M23, a focalisé l'attention sur les groupes armés soutenus par le Rwanda [1]. Mais il est important de rappeler que, depuis vingt ans, ce sont les Forces démocratiques pour la libération du Rwanda (FDLR) qui représentent la principale cause d'instabilité de la région.

---

1   Le M23 tire son nom des accords signés le 23 mai 2009 entre le Rwanda et la RDC prévoyant, outre des opérations conjointes contre les rebelles hutus, l'intégration de militaires issus d'une rébellion précédente, celle de Laurent Nkunda, rappelé et relégué au Rwanda, au sein de l'armée congolaise. Vivement critiqué au Congo, cet accord permit la nomination, à des postes clés, entre autres au Nord- et au Sud-Kivu, d'officiers tutsis proches du Rwanda accusés de nombreux massacres. La décision prise par Kinshasa d'éloigner ces officiers et ces unités homogènes des provinces de l'Est pour les disperser dans d'autres provinces fut considérée comme une violation des accords du 23 mars et donna naissance à une rébellion du même nom, que des rapports de l'ONU accusèrent d'avoir été soutenue par Kigali.

███████ **Au cœur de l'instabilité, les combattants hutus venus du Rwanda**

Bâties sur les restes de l'armée du régime Habyarimana et des milices Interahamwe ayant perpétré le génocide, les FDLR ont vu le jour en 2000, avec pour objectif de protéger (ou d'utiliser comme boucliers humains et vivier de nouvelles recrues) les réfugiés hutus rwandais disséminés dans l'est du Congo et de lutter contre le gouvernement en place à Kigali. Le sigle FDLR fait référence à la branche politique du mouvement, implantée en Occident, tandis que la branche armée s'est donné le nom de Forces combattantes Abacunguzi (FOCA). Au fil des années, le mouvement a connu plusieurs dissidences, sur base de leurs priorités respectives : les FDLR/RUD (Rassemblement uni pour la démocratie) se sont surtout livrées à l'exploitation de carrés miniers, les FDLR/SOKI ont affronté militairement le mouvement M23 allié de Kigali tandis qu'en 2002, sporadiquement, le FDLR/Mandevu a prêté main-forte aux rebelles tutsis !

Si leur nom est encore synonyme de terreur, de violences sexuelles, d'enrôlements forcés, de mise en esclavage de civils congolais forcés de travailler dans les carrés miniers, si leur organisation politique et militaire demeure bien réelle, les FDLR ont cependant vu leur nombre diminuer au fil des années. Entre juin 2002 et juin 2013, plus de 12 000 combattants rwandais se sont rendus aux « casques bleus » et ont été rapatriés au Rwanda. D'autres ont fui en direction de la Zambie ou même de l'Afrique du Sud ou de l'Europe. Cependant, si le nombre total de « Rwandais d'origine » ne dépasse sans doute plus les 1 500/2 000 hommes, les FDLR bénéficient désormais de l'appoint de nombreux combattants de nationalité congolaise, Hutus le plus souvent. En outre, un rapport des experts de l'ONU (12 octobre 2012) a relevé le fait que l'armée rwandaise avait redéployé au Kivu de petites unités de FDLR rapatriés au Rwanda. Ces hommes avaient été démobilisés puis renvoyés au Congo afin de renforcer le M23 ou d'effectuer des missions de collecte d'informations... Kigali a toujours démenti ces assertions onusiennes pourtant confirmées, sur place, par de nombreux témoignages.

Depuis deux décennies, le désarmement des combattants hutus est présenté par le Rwanda comme une priorité absolue et la menace qu'ils incarnent a justifié les deux guerres régionales, les nombreuses incursions des forces armées rwandaises au Kivu et les soutiens apportés par Kigali aux divers mouvements armés composés de Tutsis congolais, que l'on pourrait qualifier de « *proxys* ». Afin d'ôter tout prétexte à de nouvelles interventions rwandaises et d'assurer enfin la sécurité des populations, la Monusco et les forces gouvernementales ont entrepris d'éradiquer définitivement les FDLR, recourant à des drones et à des moyens de communication sophistiqués.

L'opération se révèle compliquée : éparpillés dans les forêts congolaises, les combattants hutus connaissent parfaitement le milieu. Ils disposent de

relais au sein de la population et de complices parmi les force...
laises aux côtés desquelles ils ont souvent combattu ou avec l...
partagent des intérêts commerciaux (la seule exploitation du cha...
bois dans les parcs naturels rapporte 35 millions de dollars par an). En ou...
ils se sont déjà livrés à des représailles terribles contre les civils qu'ils accusen...
de trahison...

▬▬▬ Les « *proxys* » du Rwanda

La défaite du M23, en novembre 2013, a représenté une victoire importante pour les forces gouvernementales congolaises, en voie de réorganisation, et pour la Monusco dont le mandat avait été renforcé. Chassés du Nord-Kivu, 1 400 combattants se sont réfugiés en Ouganda, 500 au Rwanda. Alors qu'une centaine d'officiers et de responsables politiques devraient, en principe, être exclus de l'impunité et comparaître un jour devant les tribunaux (une perspective qui laisse sceptique...), les hommes de troupe attendent de bénéficier de la loi d'amnistie votée à Kinshasa et qui devrait permettre à ceux qui le souhaitent d'être soit rendus à la vie civile, soit déplacés dans des camps militaires situés dans d'autres provinces de l'immense Congo.

Cependant, au Nord- et au Sud-Kivu, en dépit des pressions diplomatiques exercées sur Kigali, et en dépit de l'accord signé à Addis-Abeba en février 2012 par onze chefs d'État de la région s'interdisant toute tentative de déstabilisation dans les pays voisins, rares sont ceux qui croient que le M23 puisse représenter l'ultime avatar des « *proxys* », ces groupes rebelles armés et contrôlés par Kigali déployés dans l'est du Congo depuis le retrait officiel des troupes régulières rwandaises en 2002.

Chacun se souvient en effet du Rassemblement congolais pour la démocratie (RCD-Goma) qui contrôla l'est du Congo jusqu'en 2002 avant se transformer en parti politique et de partager le pouvoir à Kinshasa, du Congrès national pour la défense du peuple (CNDP) dirigé par le charismatique général Laurent Nkunda qui ne fut retiré du terrain en 2009 et mis au secret à Kigali qu'en échange d'un accord qui vit ses hommes être intégrés au plus haut niveau au sein de l'armée gouvernementale congolaise. C'est la décision de Kinshasa, au printemps 2012, de muter ces unités « mixées », c'est-à-dire infiltrées, dans des provinces très éloignées du Kivu, qui suscita la nouvelle rébellion du M23, dirigée par Sultani Makenga, un lieutenant de Laurent Nkunda, et par le général Bosco Ntaganda, un officier d'origine rwandaise qui contrôlait pratiquement l'est du pays et dont l'arrestation était réclamée par la communauté internationale. À la suite d'une sanglante dispute entre les deux hommes, Bosco Ntaganda, vaincu, fut finalement livré à la Cour pénale internationale par l'ambassade américaine à Kigali, où il s'était réfugié...

En plus des groupes armés d'origine rwandaise, l'est du Congo a aussi abrité des rebelles burundais membres des Forces nationales de libération (FNL, des Hutus qui se livrent surtout au trafic de l'or depuis le Sud-Kivu) et des rebelles ougandais ADF-Nalu qui opèrent dans le « grand nord » du Nord-Kivu, au-dessus de la ville de Beni.

Les ADF et leurs alliés somaliens

C'est en 1995 que les Forces démocratiques alliées (Allied Democratic Forces) et l'Armée nationale de libération de l'Ouganda (Nalu) se sont alliées pour affaiblir le régime du président Museveni. Ayant échoué à s'implanter en territoire ougandais, ces deux groupes ont concentré leurs activités au Congo, se livrant, en particulier, au recrutement de nombreux enfants soldats. Les combattants ADF sont de confession musulmane et auraient forgé une alliance durable avec le groupe Al-Shebab (la jeunesse, en arabe) issu des tribunaux islamiques de Somalie et à l'origine d'attentats sanglants, à Kampala et Nairobi. Assez peu connu, le groupe ADF est soupçonné d'avoir envoyé des combattants en Somalie et d'avoir invité en RDC des membres d'Al-Shebab. Ces accointances ont justifié la très discrète présence de forces américaines dans la région, au nom de la lutte contre le terrorisme. Elles expliquent aussi la priorité donnée à l'offensive menée contre le mouvement par les forces conjointes Monusco/armée congolaise début 2014.

Les groupes d'autodéfense congolais

Comment la population congolaise aurait-elle pu demeurer passive face à l'irruption de groupes armés étrangers, rwandais, ougandais et même burundais sur son territoire, face à l'accaparement des ressources et des terres, au recrutement des enfants soldats, au viol des femmes, à la menace de partition du pays ?

Dès la deuxième guerre du Congo, en 1998, lorsque l'armée rwandaise soutint ouvertement la rébellion du RCD Goma, le président Kabila, dépourvu d'armée digne de ce nom mais ancien maquisard, s'employa à réactiver les groupes de Mai-Mai (eau en swahili) avec lesquels il collaborait depuis son maquis de Fizi Baraka sur les rives du lac Tanganyika. Ces villageois, qui incarnaient une forme de résistance populaire, harcelèrent les envahisseurs, utilisant des moyens de fortune ou des armes venues de Kinshasa. Ne répondant pas à un commandement unique, les Mai-Mai conclurent quelquefois des alliances de circonstance avec les Hutus des FDLR et, comme eux, ils exigèrent que la population assure leur approvisionnement.

Après l'« accord global et inclusif » qui scella la fin de la guerre en 2002, de nombreux combattants Mai-Mai furent intégrés au sein de l'armée gouvernementale tandis que les enfants soldats étaient démobilisés. Les Hutus des

FDLR, laissés seuls sur le terrain, entreprirent de se venger de ce « lâchage » et ils se rendirent coupables de nombreux massacres au Sud-Kivu, entre autres dans la région de Shabunda, proche de la grande forêt équatoriale.

Dès 2005, de nouvelles forces d'autodéfense villageoise apparurent, les Raia Mutomboki (littéralement « citoyens en colère »), qui mobilisèrent la jeunesse locale et en particulier les Rega de Shabunda. Au fil des années, les Raia se répandirent au Nord- et au Sud-Kivu, ainsi que dans le Maniéma, et menèrent la vie dure aux FDLR, se livrant eux aussi à de nombreux massacres afin de forcer au départ les Hutus rwandais. D'autres groupes ethniques suivirent l'exemple : les Tembo créèrent les Mai-Mai Kifuafua, les Forces de défense congolaises (FDC) virent le jour parmi les Hunde et les Nyangas du Nord-Kivu, les Hutus congolais constituèrent les Nyatura dont les membres appartenaient auparavant au Pareco (patriotes résistants congolais), un groupe rwandophone qui fut intégré en 2009 dans les forces gouvernementales avant de déserter…

Ces différents groupes entretenaient entre eux des alliances fluctuantes, mais ils firent aussi l'objet de tentatives de séduction émanant soit des Hutus des FDLR, soit des Tutsis du CNDP ou du M23. C'est ainsi que l'un des principaux groupes, opérant au Nord-Kivu dans la région du Masisi et recrutant parmi les Hunde, l'Alliance pour un Congo libre et souverain (ACPLS), apparut d'abord comme un allié des FDLR – mais il lui arriva également de prendre parti pour le général tutsi Bosco Ntaganda !

En réalité, l'objectif premier – défendre son groupe ethnique et lutter contre la balkanisation du Congo et la présence de groupes étrangers – fut rapidement mis en concurrence avec des préoccupations plus immédiates : garder la mainmise sur les carrés miniers, contrôler des filières d'exploitation et de commercialisation des minerais. En outre, l'un des principaux objectifs des chefs de guerre fut toujours, *in fine*, de bénéficier à leur tour des mesures d'amnistie et d'être intégrés au sein de l'armée nationale, si possible avec un grade conséquent et les avantages matériels y afférents.

Dans la région de l'Ituri, riche en or et où vivent les Hemas, un groupe ethnique proche des Tutsis, le M23 et ses maîtres à penser de Kigali tentèrent de susciter des mouvements alliés, comme les Forces de résistance patriotique de l'Ituri (FRPI), la Coalition des groupes armés de l'Ituri, le Mouvement de résistance populaire au Congo, mais ces mouvements entretinrent aussi des contacts commerciaux et politiques avec des officiers de l'armée ougandaise.

La défaite du M23, l'entrée en scène d'une Monusco ragaillardie dotée d'un nouveau chef, le général brésilien Santos Cruz, et d'un nouveau mandat, le déploiement de nouvelles unités de l'armée gouvernementale, mieux entraînées et surtout plus régulièrement payées (grâce à la bancarisation qui permet le versement des soldes sur des comptes en banque individuels) ont eu des effets immédiats sur les divers groupes armés : avant même le début des offensives militaires, les redditions se sont multipliées et, en 2014, les centres de démobilisation de la Monusco ont accueilli des milliers d'anciens miliciens, parmi lesquels de très nombreux enfants soldats ou filles mineures transformées en esclaves sexuelles.

Alors que la pacification du Nord- et du Sud-Kivu redevient envisageable, d'autres foyers de tension apparaissent, en particulier dans le Nord-Katanga : redoutant qu'à la faveur de la création de nouvelles provinces leur région, plus agricole et moins développée que le Sud minier, soit coupée des ressources du « Sud utile » des hommes en armes sont apparus dans le Nord-Katanga, en cheville avec des politiciens locaux, et ils ont formé les « Bakata Katanga » qui ont déjà mené plusieurs raids sur Lubumbashi, la prospère capitale de la province du cuivre.

Si de nombreux groupes armés existent encore et oscillent entre la démobilisation et le banditisme, le principal défi qui se pose à l'est du Congo n'est plus de les réduire militairement, ce qui arrivera tôt ou tard. Il est de proposer une alternative à ces jeunes hommes qui ne pourront pas tous être réincorporés dans une armée en voie de professionnalisation. Lancer des projets de développement à haute intensité de main-d'œuvre (le pavage des routes secondaires par exemple), réguler le secteur minier afin que les creuseurs aujourd'hui clandestins puissent y trouver place, multiplier les centres de formation professionnelle ne sont pas seulement des objectifs économiques ou humanitaires : ils sont la clé d'une sécurisation et d'un développement durables, non seulement au Nord- et au Sud-Kivu et au Katanga, mais à travers tout le pays.

Pour en savoir plus

Georges BERGHEZAN, *Groupes armés actifs en République démocratique du Congo. Situation dans le « Grand Kivu » au 2ᵉ semestre 2013*, Groupe de recherche et d'information sur la paix et la sécurité, novembre 2013, disponible sur <http://grip.be>.

François JANNE D'OTHÉE et Arnaud ZACHARIE, *L'Afrique centrale après le génocide*, La Muette/Le Bord de l'eau, Lormont/Latresne, 2014.

Rapports des groupes d'experts de l'ONU sur l'application du régime de sanctions et l'embargo sur les armes en RD Congo, disponibles sur <http://www.un.org/french/sc/committees/1533/experts.shtml>.

Publications de l'Institut de la Vallée du Rift/projet Usalama : <http://riftvalley.net/key-projects/usalama>.

Le Carnet de Colette Braeckman (blog) : <http://blog.lesoir.be/colette-braeckman>.

Guerre à la drogue, guerre des cartels : le Mexique entre deux feux

Jean-François Boyer
Journaliste et écrivain

Pendant trente ans, l'offensive lancée par Ronald Reagan dans les années 1980 contre les trafiquants de drogues latino-américains – soutenue par différents gouvernements de la région – s'est limitée à une vaste offensive policière contre les mafias. Depuis le début des années 2000, la situation a radicalement changé et le nord du sous-continent, de la Colombie au Mexique, s'est transformé en une véritable zone de guerre. L'énorme capacité financière accumulée par les mafias pendant quarante ans, la corruption consécutive des élites politiques et financières, la violence croissante exercée par les cartels pour défendre leurs fiefs, le recours systématique aux armées nationales pour les combattre et l'intégration croissante des populations au sein du crime organisé ont précipité cette évolution inattendue.

Réunis à Mexico en 2012, le ministre mexicain de la Défense et le secrétaire états-unien à la Défense ont révélé que, chaque année, 150 000 personnes mouraient en Amérique latine, victimes de la violence entre cartels et de la « guerre » contre le crime organisé. Alexander Addor Neto, haut fonctionnaire de l'Organisation des États américains (OEA), évoquait déjà en 2007 une « ambiance de guerre civile avec un taux d'homicides trois fois supérieur à la moyenne mondiale ». Au Mexique, selon des estimations concordantes, 60 000 personnes ont été assassinées de 2006 à 2012. Selon l'hebdomadaire mexicain *Zeta*, la violence liée au crime organisé a fait 23 000 morts depuis l'arrivée au pouvoir du nouveau président Enrique Peña Nieto [1]. Le prix Nobel de la paix Oscar Arias soutient que le « fléau » du narcotrafic a coûté la vie à 125 000 Centroaméricains depuis dix ans. À titre de comparaison, au début avril 2014, le conflit syrien avait fait plus de 150 000 morts. Comment en est-on arrivé là ?

---

[1]   « Los primeros 23 mil 640 muertos de Enrique Peña Nieto », <www.zetatijuana.com>, 17 mars 2014.

▬▬▬ Stratégie changeante des cartels, complicité des autorités

Les changements successifs de stratégie opérés par les cartels colombiens et mexicains peuvent en partie expliquer cette dérive dramatique. De la fin des années 1970 à la fin des années 1980, les « cartels » font profil bas, se consacrant essentiellement au trafic et ne recourant à la violence que de manière ponctuelle. Ils agissent à leur guise car, tant en Colombie qu'au Mexique, ils jouissent de multiples complicités dans la police et l'armée. Les cartels colombiens de Medellín et de Cali règnent alors sur le commerce de la cocaïne. Ils produisent la coca dans le piémont amazonien, importent de la base de coca de Bolivie ou du Pérou, raffinent le chlorhydrate dans leurs laboratoires, le transportent eux-mêmes aux États-Unis et le vendent au détail.

Mais le démantèlement par l'agence américaine de lutte contre la drogue (Drug Enforcement Administration, DEA) de leurs routes vers la Floride à travers les Caraïbes les amènent au début des années 1980 à prendre une décision qui va changer le cours du narcotrafic moderne : les cartels approchent les mafias mexicaines qui n'exportent alors que de la marijuana et de l'héroïne brune – produites au Mexique – pour acheminer la cocaïne colombienne vers les États-Unis, moyennant paiement en numéraire puis en drogue. Les négociations et la mise en œuvre des nouvelles routes se déroulent sans heurts notables mais les mafias colombiennes voient pour la première fois leurs bénéfices diminuer.

Une initiative téméraire va précipiter leur déclin. Pablo Escobar, l'un des leaders du cartel de Medellín, rompt en 1989 la règle tacite de non-agression de la société civile. Il décide de recourir à la violence massive pour tenter de faire abroger les lois d'extradition vers les États-Unis qui menacent les barons de la drogue, et lance entre 1990 et 1993 une véritable campagne de terrorisme contre l'État et la société en Colombie. La réaction des autorités sera terrible : le cartel de Medellín est démantelé, Escobar abattu (1993) et les principaux chefs du cartel de Cali emprisonnés (1995). Le narcotrafic colombien se morcelle et se restructure autour d'organisations régionales de type clanique, qui perdent peu à peu leur capacité logistique d'acheminer la cocaïne jusqu'aux États-Unis. Les mafias mexicaines en profitent et vont petit à petit déposséder les Colombiens de leurs routes d'exportation et organiser le trafic de la côte colombienne jusqu'aux États-Unis en passant par l'Amérique centrale.

S'ouvre alors une période dorée pour les cartels mexicains. Car le pouvoir s'achète en Amérique centrale, et au Mexique plus facilement qu'ailleurs. Les principaux trafiquants de l'époque – comme les cartels du Golfe et de Juarez – opèrent à leur aise sans trop affecter la vie quotidienne du Mexique grâce à la protection offerte par l'État à son plus haut niveau. Jusqu'à la fin des années 1990, d'énormes chargements gagnent sans encombre la frontière américaine. De vieux Boeing et Caravelle décollent de Colombie chargés de dizaines de tonnes de cocaïne et, bien que détectés par les radars installés en Amérique centrale par la DEA, pénètrent sans être interceptés dans l'espace aérien mexicain pour atterrir non loin de la frontière. Des chalutiers et des vedettes rapides déchargent de grosses cargaisons sur les côtes du Yucatan, de Veracruz, de Sinaloa ou de Basse-Californie. Un personnage légendaire apparaît alors au firmament du crime : le Mexicain Amado Carrillo, le « Seigneur des cieux » qui s'impose face à ses rivaux de Tijuana et du Golfe.

Les enquêtes menées à la fin des années 1990 par le procureur général de la République mexicaine, les principales agences antidrogue américaines, la juge suisse Carla Del Ponte [1] et l'intelligence militaire mexicaine révèlent la dimension inouïe de la protection dont a joui le crime organisé au cours des sexennats de Carlos Salinas (1988-1994) et Ernesto Zedillo (1994-2000) : les gouverneurs de plusieurs États fédérés, tous membres du Parti-État mexicain, le Parti révolutionnaire institutionnel (PRI), sont soupçonnés ou mis en examen, ainsi que des ministres, plusieurs directeurs de la police judiciaire, des généraux membres de l'état-major de l'armée et des commandants de régions militaires. Des *narcos* capturés affirment que les secrétaires particuliers des deux derniers présidents – tout comme le frère du président Salinas, Raúl – font partie de ces réseaux. En contrepartie de cette protection, largement rémunérée, l'État a imposé aux mafias de ne pas attaquer leurs rivaux et de respecter leurs routes et territoires. Le PRI contrôle alors suffisamment les rouages de l'administration et de la force publique pour imposer un tel accord et le faire respecter jusqu'au niveau des communes.

Dire que la violence criminelle ne se manifeste pas au Mexique dans les années 1990 serait faux, mais elle se limite à quelques escarmouches sanglantes entre les *capi* de Juarez et de Tijuana et, après la mort d'Amado Carrillo en 1997, à des batailles de succession fratricides au sein du cartel de Juarez. Mais la population n'est pas touchée par ces vendettas.

▬▬▬ Guerre pour les « places », guerres pour les « territoires »

Tout va changer en 2000, lorsque le PRI, au pouvoir au Mexique depuis 1929, perd la présidence. La violence généralisée va naître d'une restructuration du crime organisé rendue inévitable par l'alternance politique et de l'émergence d'une nouvelle forme de criminalité. Le nouveau président Vincente Fox, du Parti action nationale (PAN, droite catholique), fait le ménage dans la haute fonction publique et la plupart des hauts fonctionnaires complices du crime sont remplacés à leurs postes par des figures nouvelles. Certains pourtant y échappent et permettent par exemple

---

1   Alors chargée de l'enquête sur les transferts de fonds et le blanchiment de sommes déposées par Raúl Salinas sur des comptes suisses.

l'évasion de prison en 2001 de Joaquin Guzman *alias* « El Chapo » originaire du Sinaloa, l'homme qui va remplacer bientôt Amado Carrillo. En outre, les élections régionales et locales de 1997 et 2000 ont porté au pouvoir des gouverneurs d'État et des maires n'appartenant plus au PRI. Pour la première fois depuis vingt ans, les *narcos* se retrouvent face à une multitude d'interlocuteurs politiques qui, pour des raisons diverses, ne se sentent plus liés par les accords précédents.

En attendant de pouvoir soudoyer à nouveau les hautes sphères de l'État – objectif atteint par le cartel de Sinaloa à la fin du sexennat de Felipe Calderón – les narcotrafiquants doivent donc substituer aux routes directes – aériennes et maritimes qui, faute de protection, ont cessé de fonctionner – d'autres routes, dites « fourmis », pour acheminer la drogue. Pour les sécuriser, ils n'ont d'autre recours, à court terme, que de soudoyer les autorités locales – gouverneurs, maires et polices municipales de toutes obédiences – qui veillent sur les points stratégiques des nouveaux itinéraires, de la frontière du Guatemala à la frontière états-unienne. Selon Edgardo Buscaglia, consultant de l'ONU en matière de crime organisé, de 2000 à 2008, 60 % des communes du pays seront ainsi « capturées ou féodalisées » par le narcotrafic.

Les règles du jeu changent et les cartels s'affrontent alors violemment pour s'approprier ces nouvelles routes. Les différents cartels ne respectent plus les « fiefs » de leurs rivaux. Vicente Fox (2000-2006) puis Felipe Calderón (2006-2012) ne sont plus en mesure de faire appliquer le pacte implicite de non-agression passé avec les mafias depuis le début du sexennat de Salinas. Mexico découvre alors ce que l'on appelle depuis la « guerre pour les places », les villes qui jalonnent les nouvelles routes. La première grande bataille de ce nouveau conflit se livre à Nuevo Laredo, en 2003, sur la frontière entre le Tamaulipas et le Texas. Pendant des semaines, les *pistoleros* du cartel de Sinaloa y affrontent les sicaires du cartel du Golfe, chaque camp comptant sur le renfort d'une partie des forces de l'ordre. Mais il faut trouver d'autres itinéraires et d'autres caches au-delà du Mexique et les chercher plus au sud. La « guerre pour les places » s'étend à l'ensemble du territoire et à l'Amérique centrale qui offre des tremplins sûrs vers le nord. Dès la fin des années 2000, le Salvador, le Guatemala et le Honduras se transforment en « entrepôts » de drogue, contrôlées par des gangs liés à l'un ou l'autre des cartels mexicains.

Un autre phénomène accentue la violence : l'apparition d'une nouvelle organisation sur le théâtre de la criminalité. Après l'arrestation en 2003 du dernier leader incontesté du cartel du Golfe, les Zetas, bras armé de cette organisation, s'émancipent de sa tutelle. Dirigés par d'anciens membres des forces spéciales de l'armée, ils adoptent, selon l'expression de Luis Astorga, l'un des meilleurs spécialistes du sujet, « une stratégie plus mafieuse que narcotrafiquante ». Éprouvant quelques difficultés à s'implanter dans le trafic de drogue, ils se lancent dans d'autres activités : extorsion, kidnapping, trafic de migrants et de prostituées, jeux clandestins, contrebande, contrefaçon... Leur objectif est d'étendre leur mainmise sur l'ensemble du pays pour maximiser leur chiffre d'affaires. Pour cela, ils n'hésitent pas à attaquer les bastions des cartels traditionnels, s'alliant à des mafias du même type qu'ils entraînent, comme la Familia Michoacana et les Caballeros Templarios, basés à l'ouest du pays, aux marges des fiefs du cartel de Sinaloa.

Après la guerre pour les « places » éclate la bataille pour les « territoires ». Le cartel de Sinaloa s'empare des terres du cartel de Juarez. Les Zetas se consolident sur les domaines du cartel du Golfe dans l'Est et le Sud-Est mexicains, et établissent quelques bases sur la côte pacifique et au Guatemala. Cette « territorialisation » du crime organisé a fini par s'étendre aussi à la Colombie : la démobilisation des paramilitaires d'extrême droite (de 2003 à 2010) a laissé sur le pavé des milliers de mercenaires qui collaboraient déjà avec les trafiquants pour financer leur offensive contre la guérilla des FARC. Beaucoup se sont recyclés dans les Bandes armées criminelles (Bacrim) qui présentent les mêmes caractéristiques mafieuses et « territoriales » que les Zetas. Le cartel de Sinaloa – dominant au Mexique – contrôle certains de ces nouveaux gangs comme les Urabeños et la Oficina de Envigado, successeurs du vieux cartel de Medellín. Il les arme en échange d'un approvisionnement stable en cocaïne.

L'apparition de ces nouveaux acteurs entraîne le Mexique et la région dans une spirale de violence plus meurtrière encore. Depuis huit ans, le Mexique et l'Amérique centrale se résignent à compter leurs morts, torturés, démembrés, décapités, pendus sur des ponts autoroutiers. Pour terroriser leurs adversaires, les tueurs filment leurs exécutions et les postent sur YouTube. L'extorsion et le kidnapping frappent massivement les États du nord du Mexique et le Michoacán. Personne n'y échappe, des petits commerçants de Tamaulipas au géant métallurgique Arcelor Mittal dans le Michoacán. Excédées par ces exactions, les populations rurales des États de Guerrero et Michoacán se dotent de milices d'autodéfense qui, à leur tour, entrent dans la bataille contre le crime organisé dès la fin des années 2010.

Les populations prises entre répression et « rêve américain »

Les gouvernements de Calderón et de son successeur Peña Nieto ont aussi leur part de responsabilité dans l'aggravation de ces conflits. Le premier a commis l'erreur de recourir à la force plutôt qu'à l'intelligence en lançant dans la bataille contre le crime 50 000 soldats et 40 000 policiers. Plusieurs dizaines de milliers de sicaires et 3 000 membres des forces de l'ordre sont morts sous son sexennat. Plus grave encore, l'armée mexicaine, à son tour, s'est rendue coupable de violences, arrêtant, torturant, assassinant ou faisant disparaître des civils suspectés mais innocents... Peña Nieto, plus discrètement et commettant moins de bavures, poursuit depuis la même offensive, s'appuyant sur les milices d'autodéfense.

Mais, pour tenter d'expliquer le phénomène, restent deux questions de fond que la plupart des analystes hésitent à aborder : la base sociale du crime organisé et son poids économique. Environ 10 % de la population mexicaine vit directement ou indirectement des activités des cartels et partage les valeurs d'une nouvelle culture criminelle. Après l'arrestation de Joaquin Guzman, en février 2014, on a même assisté à des manifestations populaires exigeant sa libération. Car la pauvreté et le matraquage médiatique en faveur d'un consumérisme effréné alimentent aussi cette guerre. Pour les moins favorisés, rejoindre la délinquance ou travailler à sa marge est devenu le moyen d'atteindre les objectifs matériels que la société fait miroiter sous leurs yeux. Le modèle économique global a engendré un mécanisme mortel : il a « vendu » au sous-continent un « rêve américain » inaccessible. La délinquance reste donc pour des millions de jeunes pressés la seule voie rapide vers le paradis du luxe.

Enfin, selon les experts, entre 15 et 50 milliards de dollars d'argent sale sont réinvestis chaque année au sud de la frontière états-unienne, en particulier dans les États du Nord mexicain contrôlés par les *narcos*, soit en moyenne de 2 % à 3 % du produit intérieur brut. L'économie mexicaine s'accommode, elle aussi, de la barbarie. Tout comme Washington, qui n'a toujours pas su endiguer le trafic d'armes destinées aux cartels, le blanchiment d'argent par ses banques et la consommation massive de stupéfiants sur son territoire.

Pour en savoir plus

Luis Astorga, *El Siglo de las drogas*, Grijalbo-Proceso, México, 2012.

Jean-François Boyer, *La Guerre perdue contre la drogue*, La Découverte, Paris, 2001.

Edgardo Buscaglia, *Vacíos de poder en México*, Editorial Debate, México, 2012.

Retour de la guerre, déclin de la gouvernance mondiale ?

Pierre Grosser
Historien, Sciences Po Paris

À force de parler de guerres, ne finissent-elles pas par arriver ? Depuis celles lancées par l'administration Bush, la guerre est revenue à la mode. Les études quantitatives ont beau montrer que les conflits sont moins nombreux et moins destructeurs, on craint les effets d'une conflagration généralisée, comme le fut la Première Guerre mondiale. Et comme le consensus est désormais qu'une poignée de dirigeants européens a déclenché la guerre de 1914, l'inquiétude est d'autant plus forte alors qu'on en commémore le centenaire. *The Outbreak of the First World War*, édité par **Jack Levy** et **John Vasquez**, les plus célèbres spécialistes de la théorie des guerres, permet de saisir les interrogations actuelles des politistes et historiens sur les causes du premier conflit mondial, à côté de plusieurs descriptions très complètes de la crise de juillet 1914 récemment parues.

Les temps étaient plutôt à faire le bilan des nombreux travaux sur les guerres civiles « lointaines » que la communauté internationale devait gérer : *Civil Wars* de **Stathis Kalyvas** et *Understanding Civil Wars* d'**Edward Newman** sont des synthèses remarquables. Accompagnant les publications liées au programme d'agrégation de géographie portant sur les conflits, l'*Atlas des guerres et conflits* d'**Amaël Cattaruzza** s'ajoute aux nombreux atlas permettant de comprendre les guerres par les cartes. La guerre semblait pouvoir être aussi quelque peu « civilisée » par l'éthique et les différentes facettes du droit international. Le *Routledge Handbook of Ethics and War*, de **Fritz Allhoff et al.**, et l'*Oxford Handbook of International Humanitarian Law in Armed Conflict*, édité par **Andrew Clapham** et **Paola Gaeta**, permettent de prendre la mesure des progrès et des débats. La nouvelle édition du *Dictionnaire pratique du droit humanitaire* de **Françoise Bouchet-Saulnier** est d'un intérêt inestimable pour les praticiens. **David Crowe**, dans *War Crimes, Genocide and Justice*, s'efforce de montrer les progrès historiques dans la lutte contre les crimes de guerre et les génocides. Les drones entretiennent l'espoir d'une guerre propre, ne ciblant que les « *bad guys* », même s'ils paraissent annonciateurs d'un monde de surveillance généralisé et de guerre sans fin sur l'ensemble du globe, comme le soulignent l'analyse de la politique d'Obama par **Jeremy Scahill**, *Dirty Wars*, et l'essai de **Thomas Hippler**, *Le Gouvernement du ciel*, qui inscrit cette évolution dans une perspective historique.

Désormais, des spécialistes de la guerre comme **Christopher Coker**, dans *Can War Be Eliminated*, et des intellectuels thuriféraires de la supériorité occidentale comme **Ian Morris**, dans *War. What Is It Good For ?*, affirment que la guerre est une activité humaine qui n'est pas près de disparaître, et même qu'elle peut encore être source de progrès. Dans une perspective très différente, **Laura Sjoberg** fait le bilan des réflexions « féministes » sur la guerre, dans *Gendering Global Conflict*. L'étude ethnologique de **Séverine Autesserre**, *Peaceland*, explique pourquoi les opérations de maintien de la paix n'apportent guère la paix, à cause des relations compliquées entre populations locales et « casques bleus ». Et la problématique des « États fragiles », souvent critiquée, continue de faire beaucoup réfléchir la « communauté internationale » qui, soucieuse de stabilité, s'est portée à leur chevet : **Jean-Marc Châtaigner** a regroupé, dans *Fragilités et résilience*, les réflexions les plus récentes sur le sujet.

« Tournant émotionnel »

Les études de la guerre connaissent une sorte de « tournant émotionnel », avec l'apport de la psychologie. C'est ainsi que peuvent être expliqués des conflits durables, comme entre Israéliens et Palestiniens. **Daniel Bar-Tal** a livré sur le sujet un gros ouvrage très attendu, *Intractable Conflicts*. Malgré les discussions récentes entre Américains et Iraniens, les images négatives réciproques sont bien ancrées, comme le montre *U.S.-Iran Misperceptions*, édité par **Abbas Maleki** et **John Tirman**. La politisation de l'histoire nourrit les tensions, ce que rappellent les études regroupées par **Alexei Miller** et **Maria Lipman** dans *The Convolutions of Historical Politics*. La culture militaire peut aussi être incriminée, comme celle des militaires pakistanais, analysée par **Christine Fair**, dans *Fighting to the End* ; les États-Unis s'y sont heurtés en Afghanistan, ce que montre la journaliste **Carlotta Gall**, dans *Wrong Enemy*. Il faut tenir compte du souci de statut des grandes puissances, ce que montrent les attitudes de la Russie et de la Chine : **Thazha Varkey Paul**, **Deborah Welch Larson** et **William Wohlforth** explorent cette dimension dans *Status in World Politics*. Le sentiment d'humiliation explique souvent mobilisations, violences et attitudes sur la scène internationale, comme le montre **Bertrand Badie** dans *Le Temps des humiliés*. **Antoine Glaser**, dans *AfricaFrance*, raconte toutefois comment maints dirigeants africains arrivent à peser dans les choix de la France. Les processus de diabolisation rendent compliquées les pratiques diplomatiques : l'auteur du présent article propose, dans *Traiter avec le diable*, une analyse de ces difficultés, tandis que **Michael Rubin** est catégorique, dans *Dancing With the Devil*, en estimant que parler avec les « méchants » est toujours contre-productif.

Lorsque souci de statut et images négatives sont liés à des rivalités entre grandes puissances, le mélange peut être explosif. Les rivalités passées entre grandes puissances européennes, menant à des guerres terribles, sont-elles le présent et le futur du monde ? **Steve Chan**, dans *Enduring Rivalries in the Asia-Pacific*, et **Stephen Cohen**, dans *Shooting for a Century*, décrivent les rivalités stratégiques en Asie orientale et méridionale, tandis que **Karen Rasler**, **William Thompson** et **Sumit Ganguly**, dans *How Rivalries End*, utilisent les « leçons du passé » pour évaluer comment ces rivalités pourraient être surmontées. La nouvelle édition d'*International Relations of Asia*, édité par **David Shambaugh** et **Michael Yahuda**, inscrit pour sa part ces rivalités dans le paysage plus large des relations internationales dans ces régions, en rappelant leurs dimensions multiples. Juste avant le début de la crise ukrainienne, **Angela Stent** avait montré, dans *The Limits of Partnership*, pourquoi les relations entre États-Unis et Russie restent difficiles, un quart de siècle après la fin de la guerre froide. Les rivalités entre grandes puissances semblent même devoir se porter dans des espaces nouveaux, le « cyber » et l'espace : on peut donc se faire frémir en imaginant le type de guerres qui pourraient s'y dérouler. Une présentation pédagogique de ces nouveaux enjeux peut être trouvée dans *Cybersecurity and Cyberwar* de **Peter W. Singer** et **Allan Friedman**, et dans *Crowded Orbits*, de **James Clay Moltz**.

Retour à l'histoire et à la pensée stratégique

Les échecs militaires américains en Irak et en Afghanistan, et les critiques à l'égard de dirigeants américains et européens qui seraient incapables de concevoir une « grande stratégie », ont provoqué un retour à l'histoire et à la pensée stratégique. **Béatrice Heuser**, dans *Penser la stratégie*, en fait une présentation chronologique très abordable. En revanche, deux autres grands spécialistes britanniques de stratégie et de « *war studies* » ont publié des ouvrages plus ambitieux. *Strategy. A History*, de **Lawrence Freedman**, et *The Direction of War*, de **Hew Strachan**, resteront pour très longtemps des ouvrages de référence. Le premier a l'ambition de couvrir tous les aspects, alors que le second est davantage axé sur la période post-guerre froide, tout en s'appuyant sur l'histoire. Les deux ouvrages récusent la grande pensée stratégique et les grands modèles, et plaident pour le pragmatisme et l'adaptabilité. Et cela à l'encontre aussi de la pensée géopolitique, dont **Hervé Coutau-Bégarie** et **Martin Motte**, dans *Approches de la géopolitique*, présentent les grands auteurs historiques.

L'optimisme des années 1990 a donc reflué. Certes, les historiens relisent le monde contemporain en insistant sur les interdépendances, comme *Global Interdependence*, le gros volume sur l'histoire depuis 1945, dirigé par **Akira Iriye**. **Guillaume Devin**, dans son court essai *Un seul monde*, montre que les formes de coopération se multiplient et font structure, au-delà d'une actualité qui peut inciter au pessimisme. Malgré les excès du « droits-de-l'hommisme », pointés par **Stephen Hopgood** dans *The Endtimes of Human Rights*, on peut estimer que les processus d'expansion des droits de l'homme restent vivaces, comme le montre la nouvelle édition de *The Persistent Power of Human Rights*, éditée par **Thomas Risse**, **Stephen Ropp** et **Kathryn Sikkink**. Les travaux de plus en plus nombreux des historiens remettent en cause les visions téléologiques et insistent sur l'importance de la conjoncture.

Mais ce sont les interrogations qui prédominent. Les États-Unis semblaient les grands ordonnateurs du progrès global depuis les années 1990. Dans le débat incessant aux États-Unis sur l'état de la puissance américaine, politisé à cause des jugements portés à l'encontre du président Barack Obama, les « déclinistes » comme les optimistes pensent pour la plupart qu'un ordre hégémonique/unipolaire américain est préférable à un monde apolaire. Toutefois, **Amitav Acharya**, qui étudie depuis longtemps la pensée sur les relations internationales hors de l'Occident, n'est pas pessimiste dans *The End of American World Order*. **Kent Calder**, lui aussi spécialiste de l'Asie, montre pour sa part, dans *Asia in Washington*, que les efforts des pays asiatiques à Washington pour peser sur la politique étrangère américaine prouvent que la capitale des États-Unis reste la capitale du monde. En revanche, les doutes sur la puissance normative européenne sont énoncés par ceux-là mêmes qui la vantait jadis, comme **Zaki Laïdi** dans *Le Reflux de l'Europe*. Savoir qui produit le langage légitime de la compréhension du monde et de l'action internationale est donc un enjeu essentiel. Sans se définir en opposition à l'égard des relations internationales comme discipline « américaine », un des objectifs du volumineux *Traité de relations internationales*, dirigé par **Thierry Balzacq** et **Frédéric Ramel**, est de montrer la vigueur et les apports de la pensée francophone.

Remise en cause des organisations internationales et de l'ordre juridique

La confiance dans les organisations internationales s'émousse, alors qu'elles sont de mieux en mieux connues : le *Routledge Handbook of International Organizations*, édité par **Bob Reinalda**, restera un travail de référence. *The Political Economy of the United Nations Security Council*, de **James Raymond Vreeland** et **Axel Dreha**, fait le point des recherches sur l'« achat » des votes à l'ONU. Penser à l'échelle globale amène à poser de grandes questions éthiques sur le monde et l'humanité, mais au risque de contradictions et de tensions. *Éthique des relations internationales*, dirigé par **Ryoa Chung** et **Jean-Baptiste Jeangene Vilmer**, fait un incontournable état des lieux de ces débats qui concernent non seulement la guerre, mais aussi l'économie, l'environnement ou les migrations. Ces considérations rendent parfois difficile la mise en place de grandes politiques publiques à l'échelle mondiale, mais la seconde édition d'*Understanding Global Social Policy*, édité par **Nicola Yeates**, témoigne de leur existence. Elles sont produites par de multiples acteurs. Les temps sont à considérer que la coopération, voire la concurrence/imitation entre grandes villes participent à cette évolution : *If Mayors Ruled the World*, de **Benjamin Barber**, l'affirme avec force.

On ne croit plus trop non plus aux grandes constructions juridiques. Le droit est partout, mais souvent contradictoire, ambivalent, voire fragmenté, et lié au politique. Après son brillant ouvrage sur l'histoire du droit de la guerre, **Stephen Neff** propose, avec *Justice Among Nations*, une histoire lucide du droit international. Mariant droit international et science politique, **Friedrich Kratochwil** réfléchit dans *The Status of Law in World Society* sur les fondements mêmes du droit dans l'organisation des relations internationales. **Karen Alter**, dans *The New Terrain of International Law*, fait l'hypothèse que le droit international n'est plus prioritairement produit par les États, tandis que **Chris Brummer**, dans *Minilateralism*, insiste sur les arrangements informels produits hors ou aux marges des États. Les intérêts privés, et notamment du monde des affaires, sont donc pour beaucoup dans la définition de règles contraignantes, comme le montrent **Stephen Gill** et **Claire Cutler** dans *New Constitutionalism and World Order*. Les grandes ONG sont même souvent « récupérées » par ces intérêts, ce que dénoncent **Peter Davergne** et **Genevieve LeBaron** dans *Protest Inc*. De même, l'utilisation des données quantitatives et des indicateurs dans la gouvernance demande de comprendre comment et par qui ils sont construits. **Zachary Karabell** rappelle cette histoire dans *The Leading Indicators*, et **Lorenzo Fioramenti**, dans *How Numbers Rule the World*, montre de manière plus critique leur effet sur les politiques et les anticipations des acteurs. **Isabelle Bruno**, **Emmanuel Didier** et **Julien Prévieux** expliquent, dans *Statactivisme*, que le militantisme contestataire doit passer par leur déconstruction.

Bibliographie

Amitav ACHARYA, *The End of American World Order*, Polity Press, Londres, 2014.

Fritz ALLHOFF, Nicholas G. EVANS et Adam HENSCHK (dir.), *Routledge Handbook of Ethics and War*, Routledge, New York, 2013.

Karen ALTER, *The New Terrain of International Law. Courts, Politics, Rights*, Princeton University Press, Princeton, 2014.

Séverine AUTESSERRE, *Peaceland. Conflict Resolution and the Everyday Politics of International Intervention*, Cambridge University Press, Cambridge, 2014.

Bertrand BADIE, *Le Temps des humiliés. Pathologie des relations internationales*, Odile Jacob, Paris, 2014.

Thierry BALZACQ et Frédéric RAMEL (dir.), *Traité de relations internationales*, Presses de Sciences Po, Paris, 2013.

Benjamin R. BARBER, *If Mayors Ruled the World. Dysfunctional Nations, Rising Cities*, Yale University Press, New Haven, 2013.

Daniel BAR-TAL, *Intractable Conflicts. Socio-Psychological Foundations and Dynamics*, Cambridge University Press, Cambridge, 2013.

Françoise BOUCHET-SAULNIER, *Dictionnaire pratique du droit humanitaire*, La Découverte, Paris, 2013 (4ᵉ éd.).

Chris BRUMMER, *Minilateralism. How Trade Alliances, Soft Law and Financial Engineering are Redefining Economic Statecraft*, Cambridge University Press, Cambridge, 2014.

Isabelle BRUNO, Emmanuel DIDIER et Julien PRÉVIEUX, *Statactivisme. Comment lutter avec des nombres*, Zones, Paris, 2014.

Kent CALDER, *Asia in Washington. Exploring the Penumbra of Transnational Power*, Brookings, Washington, DC, 2014.

Amaël CATTARUZZA, *Atlas des guerres et conflits. Un tour du monde géopolitique*, Autrement, Paris, 2014.

Steve CHAN, *Enduring Rivalries in the Asia-Pacific*, Cambridge University Press, Cambridge, 2013.

Jean-Marc CHÂTAIGNER (dir.), *Fragilités et résilience. Les nouvelles frontières de la mondialisation*, Karthala, Paris, 2014.

Ryoa CHUNG et Jean-Baptiste JEANGENE VILMER, (dir.), *Éthique des relations internationales*, PUF, Paris, 2013.

Andrew CLAPHAM et Paola GAETA (dir.), *The Oxford Handbook of International Humanitarian Law in Armed Conflict*, Oxford University Press, Oxford, 2014.

Stephen P. COHEN, *Shooting for a Century. The India-Pakistan Conundrum*, Brookings, Washington, DC, 2013.

Christopher COKER, *Can War Be Eliminated ?*, Polity Press, Londres, 2014.

Hervé COUTAU-BEGARIE et Martin MOTTE (dir.), *Approches de la géopolitique, de l'Antiquité au XXIᵉ siècle*, Economica, Paris, 2013.

David M. CROWE, *War Crimes, Genocide and Justice. A Global History*, Palgrave, Basingstoke, 2014.

Peter DAVERGNE et Genevieve LEBARON, *Protest Inc. The Corporatization of Activism*, Polity Press, Londres, 2014.

Guillaume DEVIN, *Un seul monde. L'évolution de la coopération internationale*, CNRS Éditions, Paris, 2013.

C. Christine FAIR, *Fighting to the End. The Pakistan Army's Way of War*, Oxford University Press, New York, 2014.

Lorenzo FIORAMONTI, *How Numbers Rule the World. The Use and Abuse of Numbers in Global Politics*, Zed Books, Londres, 2014.

Lawrence FREEDMAN, *Strategy. A History*, Oxford University Press, Oxford, 2013.

Carlotta GALL, *Wrong Enemy. America in Afghanistan, 2001-2014*, Houghton Mifflin Harcourt, New York, 2014.

Stephen GILL et A. Claire CUTLER (dir.), *New Constitutionalism and World Order*, Cambridge University Press, Cambridge, 2014.

Antoine GLASER, *AfricaFrance. Quand les dirigeants africains deviennent les maîtres du jeu*, Fayard, Paris, 2014.

Pierre GROSSER, *Traiter avec le diable ? Les vrais défis de la diplomatie au xxɪᵉ siècle*, Odile Jacob, Paris, 2013.

Beatrice HEUSER, *Penser la stratégie, de l'Antiquité à nos jours*, Picard, Paris, 2013.

Thomas HIPPLER, *Le Gouvernement du ciel. Histoire globale des bombardements aériens*, Les Prairies ordinaires, Paris, 2014.

Stephen HOPGOOD, *The Endtimes of Human Rights*, Cornell University Press, Ithaca, 2013.

Akira IRIYE (dir.), *Global Interdependence. The World after 1945*, Harvard University Press, Cambridge (Mass.), 2014.

Stathis N. KALYVAS, *Civil Wars. War and Conflict in the Modern World*, Polity Press, Londres, 2014.

Zachary KARABELL, *The Leading Indicators. A Short History of Numbers That Rule Our World*, Simon & Schuster, New York, 2014.

Friedrich KRATOCHWIL, *The Status of Law in World Society. Meditations on the Role and Rule of Law*, Cambridge University Press, Cambridge, 2014.

Zaki LAÏDI, *Le Reflux de l'Europe*, Presses de Sciences Po, Paris, 2013.

Jack S. LEVY et John A. VASQUEZ (dir.), *The Outbreak of the First World War. Structure, Politics and Decision-Making*, Cambridge University Press, Cambridge, 2014.

Abbas MALEKI et John TIRMAN (dir.), *U.S.-Iran Misperceptions. A Dialogue*, Bloomsbury, Londres, 2014.

Alexei MILLER et Maria LIPMAN (dir.), *The Convolutions of Historical Politics*, Central European University Press, Budapest, 2013.

James Clay MOLTZ, *Crowded Orbits. Conflict and Cooperation in Space*, Columbia University Press, New York, 2014.

Ian MORRIS, *War. What Is It Good For ? The Role of Conflict in Civilisation, from Primates to Robots*, Profile Books, Londres, 2014.

Stephen C. NEFF, *Justice Among Nations. A History of International Law*, Harvard University Press, Cambridge (Mass.), 2014.

Edward NEWMAN, *Understanding Civil Wars. Continuity and Change in Intrastate Conflict*, New York, Routledge, 2014.

Thazha Varkey PAUL, Deborah Welch LARSON et William WOHLFORTH (dir.), *Status in World Politics*, Cambridge University Press, Cambridge, 2014.

Karen Rasler, William R. Thompson et Sumit Ganguly (dir.) *How Rivalries End*, University of Pennsylvania Press, Philadelphie, 2013.

Bob Reinalda (dir.), *Routledge Handbook of International Organizations*, Routledge, New York, 2013.

Thomas Risse, Stephen C. Ropp et Kathryn Sikkink (dir.), *The Persistent Power of Human Rights. From Commitment to Compliance*, Cambridge University Press, Cambridge, 2013.

Michael Rubin, *Dancing With the Devil. The Perils of Engaging Rogue Regimes*, Encounter Books, New York, 2014.

Jeremy Scahill, *Dirty Wars. Le nouvel art de la guerre*, Lux, Montréal, 2014.

David Shambaugh et Michael Yahuda (dir.), *International Relations of Asia*, Rowman & Littlefield, Lanham, 2014 [2ᵉ éd.].

Peter W. Singer et Allan Friedman, *Cybersecurity and Cyberwar. What Everyone Needs to Know*, Oxford University Press, New York, 2014.

Laura Sjoberg, *Gendering Global Conflict. Toward a Feminist Theory of War*, Columbia University Press, New York, 2014.

Angela E. Stent, *The Limits of Partnership. U.S.-Russian Relations in the Twenty First Century*, Princeton University Press, Princeton, 2014.

Hew Strachan, *The Direction of War. Contemporary Strategy in Historical Perspective*, Cambridge University Press, Cambridge, 2013.

James Raymond Vreeland et Axel Dreha, *The Political Economy of the United Nations Security Council. Money and Influence*, Cambridge University Press, Cambridge, 2014.

Nicola Yeates (dir.), *Understanding Global Social Policy*, Polity Press, Londres, 2014 (2ᵉ éd.).

Annexes statistiques

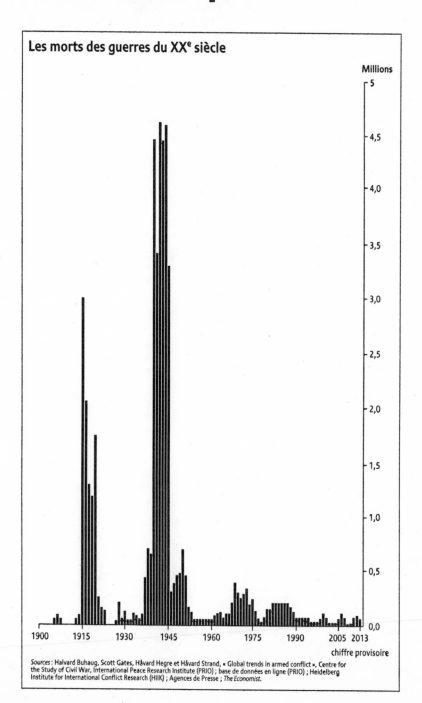

Les morts des guerres du XXᵉ siècle

Sources : Halvard Buhaug, Scott Gates, Håvard Hegre et Håvard Strand, « Global trends in armed conflict », Centre for the Study of Civil War, International Peace Research Institute (PRIO) ; base de données en ligne (PRIO) ; Heidelberg Institute for International Conflict Research (HIIK) ; Agences de Presse ; *The Economist*.

Tableau 1 – Produit intérieur brut (PIB) en miliards de dollars constants de 2005

	1980	1990	2000	2010	2013
Pays de l'OCDE	18 309	24 852	32 831	38 511	39 842
Union européenne	7 871	9 942	12 537	14 464	14 628
Brésil		583	748	1 076	1 144
Russie		842	553	879	947
Inde		346	596	1 230	1 442
Chine		550	1 400	3 823	4 842
Afrique du Sud		164	200	284	307
Total BRICS		**2 485**	**3 497**	**7 293**	**8 682**
United States	5 907	8 151	11 707	13 743	14 467
Amérique du Nord	**6 490**	**8 902**	**12 713**	**14 965**	**15 743**
Japon	2 448	3 876	4 364	4 771	4 838
Amérique du Sud et Caraïbes	1 518	1 749	2 411	3 261	3 510
Afrique sub-saharienne	331	401	495	776	838
World	**22 159**	**30 294**	**40 308**	**51 786**	**54 494**

Source : Banque mondiale.

Tableau 2 – Produit intérieur brut (PIB) en parité de pouvoir d'achat (PPP) par habitant en dollars courant 2005

	1980	1990	2000	2010	2013
Pays de l'OCDE	9 210	16 996	23 240	35 638	38 376
Union européenne	8 265	14 282	18 848	34 028	34 277
Brésil	2 180	2 700	3 860	9 520	11 690
Russie			1 710	10 010	13 860
Inde	270	390	460	1 290	1 570
Chine	220	330	920	4 240	6 560
Afrique du Sud	2 510	3 390	3 050	6 000	7 190
Total BRICS	**1 295**	**1 703**	**2 000**	**6 212**	**8 174**
United States	13 410	24 150	36 090	48 960	53 670
Amérique du Nord	**13 231**	**23 786**	**34 762**	**48 519**	**53 533**
Japon	10 670	27 560	34 970	42 190	46 140
Amérique du Sud et Caraïbes	2 130	2 309	4 153	7 871	9 634
Afrique sub-saharienne	668	599	495	1 239	1 634
World	**2 581**	**4 145**	**5 386**	**9 237**	**10 564**

Source : Banque mondiale.

Tableau 3 – Dépenses militaires (pour les 30 premiers pays) et part dans le PNB
En milliards de dollars constant en 2011

	1990	2000	2010	2013	Part des dépenses militaires dans le PNB en 2013
États-Unis	527,2	394,2	720,3	618,7	3,8
Chine	19,8	37,0	136,2	171,4	2
URSS/Russie	0,0	31,1	65,8	84,9	4,1
Arabie saoudite	24,8	27,6	47,9	62,8	9,3
France	70,5	61,8	66,3	62,3	2,2
Japon	47,8	60,3	59,0	59,4	1
Royaume-Uni	58,8	48,0	62,9	56,2	2,3
Allemagne	71,7	50,6	49,6	49,3	1,4
Inde	18,8	27,7	49,2	49,1	2,5
Brésil	52,2	25,2	38,1	36,2	1,4
Italie	36,9	43,1	38,9	32,7	1,6
Corée du Sud	15,1	20,0	29,9	32,4	2,8
Australie	15,3	18,0	27,0	24,6	1,6
Candad	20,6	15,7	20,7	18,7	1
Turquie	13,1	20,6	17,0	18,7	2,3
Israël	13,6	14,5	16,0	16,0	5,6
Espagne	15,3	14,4	16,0	12,8	0,9
Colombie	2,7	6,1	11,1	12,5	3,4
Taïwan	11,4	10,4	9,9	10,3	2,2
Pays-bas	13,6	11,3	12,1	10,3	1,3
Algérie	0,7	2,9	6,0	9,9	4,8
Pologne	7,4	6,4	9,3	9,4	1,8
Singapour	3,8	7,3	9,3	9,1	3,4
Oman	2,8	2,9	5,1	8,7	11,3
Indonésie	1,7	0,0	5,1	8,4	0,9
Pakistan	4,4	4,8	6,6	7,6	3
Mexique	2,6	4,1	6,2	7,5	0,6
Norvège	5,9	5,7	7,1	7,4	1,4
Irak	0,0	0,0	3,8	7,3	3,6

Source : Sipri, 2014.

Tableau 4 – Les 20 exportateurs d'armes les plus importants
en millions de dollars constants (calculés à partir de la valeur du dollar en 1990)

	2000	2001	2002	2003	2004	2005	2006	2007	2008	2009	2010	2011	2012	2013	Total 2000-2013
1. États-Unis	7 558	5 691	4 943	5 569	6 637	6 605	7 411	7 750	6 743	6 874	8 158	8 945	8 950	6 153	97 989
2. Russie	4 043	5 936	5 638	5 322	6 189	5 229	5 096	5 556	6 343	5 112	5 962	8 495	8 391	8 283	85 595
3. Allemagne	1 615	919	917	1 745	1 151	2 095	2 710	3 257	2 402	2 568	2 722	1 361	1 177	972	25 611
4. France	1 115	1 454	1 466	1 439	2 342	1 829	1 718	2 395	2 067	1 979	917	1 750	1 076	1 489	23 036
5. Royaume-Uni	1 645	1 394	1 102	752	1 201	1 039	973	1 009	1 002	1 021	1 137	1 040	923	1 394	15 632
6. Chine	303	515	519	693	381	315	625	466	581	1 077	1 419	1 342	1 704	1 837	11 776
7. Italie	202	243	463	357	251	827	527	713	388	489	476	924	790	807	7 458
8. Israël	387	437	548	388	625	413	359	539	327	704	587	577	514	773	7 178
9. Pays-Bas	284	203	234	336	218	526	1 155	1 210	460	485	381	533	773	302	7 100
10. Ukraine	277	539	310	296	200	295	539	626	375	381	473	550	1 510	589	6 958
11. Suède	368	908	171	526	303	537	397	347	457	427	664	700	490	505	6 800
12. Espagne	46	8	16	95	52	107	839	600	602	961	277	1 437	706	605	6 350
13. Suisse	174	206	157	181	249	247	286	295	457	227	238	310	231	205	3 465
14. Canada	74	129	172	267	270	228	228	338	229	180	242	307	271	199	3 132
15. Corée du Sud	10	228		96	73	108	158	279	178	267	197	331	218	307	2 449
16. Biélorussie	293	49	64	57	21	54	43	6	226	42	160	98	97	338	1 548
17. Afrique du Sud	20	37	17	43	72	30	184	126	139	103	233	69	185	76	1 332
18. Norvège	3	42	83	84	66	12	17	61	114	147	159	156	158	64	1 167
19. Pologne	45	81	56	81	47	18	282	163	73	75	28	8	10	131	1 098
20. Belgique	26	37	37	15	47	146	59	19	217	243	8	111	22	52	1 039

Source : base de données des transferts d'armement conventionnel du SIPRI.

Tableau 5 – Les 20 importateurs d'armes les plus importants
en millions de dollars constants (calculés à partir de la valeur du dollar en 1990)

	2000	2001	2002	2003	2004	2005	2006	2007	2008	2009	2010	2011	2012	2013	Total 2000-2013
1. Inde	972	1 298	1 896	2 836	2 129	1 078	1 429	2 305	1 867	1 996	2 897	3 566	4 524	5 581	34 373
2. Chine	2 055	3 347	2 889	2 394	3 291	3 519	2 883	1 693	1 992	1 453	943	1 020	1 631	1 534	30 644
3. Corée du Sud	1 419	773	532	735	1 044	781	1 625	1 727	1 647	815	1 242	1 469	1 039	188	15 035
4. Émirats arabes unis	247	186	222	685	1 210	2 169	2 019	917	749	560	605	1 213	1 154	2 245	14 178
5. Pakistan	176	409	542	629	456	422	339	667	1 047	1 210	2 201	1 051	962	1 002	11 113
6. Grèce	708	787	409	2 295	1 384	405	731	1 712	516	1 225	648	77	33	66	10 994
7. Australie	336	1 250	674	818	491	478	724	655	405	756	1 489	1 585	894	303	10 859
8. États-Unis	345	502	505	592	558	523	647	821	944	973	1 113	1 014	1 215	759	10 509
9. Turquie	1 166	506	898	323	243	1 092	511	666	675	733	469	642	1 528	604	10 055
10. Égypte	797	847	722	633	613	726	748	697	336	159	686	635	312	501	8 410
11. Algérie	412	551	251	195	244	159	300	489	1 529	1 065	808	1 135	877	342	8 356
12. Singapour	798	249	232	85	375	536	65	375	1 174	1 522	1 018	933	824	142	8 328
13. Arabie saoudite	85	61	567	167	1 170	158	195	195	339	733	986	1 160	866	1 486	8 166
14. Royaume-Uni	865	1 282	741	786	214	27	308	783	529	389	503	355	599	438	7 818
15. Israël	368	131	349	253	852	1 133	1 122	862	676	153	54	81	381	348	6 763
16. Japon	483	430	466	436	361	364	424	492	681	513	426	284	254	145	5 760
17. Afghanistan	34	46	3	41	152	346	377	672	579	216	2 468				4 934
18. Venezuela	110	105	50	15	9	20	380	785	743	358	208	594	691	476	4 543
19. Chili	202	60	74	187	70	449	1 096	662	397	335	475	316	58	53	4 433
20. Taïwan	585	345	299	117	320	696	508	12	11	61	103	218	455	633	4 362

Source : base de données des transferts d'armement conventionnel du SIPRI.

Tableau 6 – Armes légères en circulation au sein de la population civile en 2011

	Nombre d'armes légères pour 100 habitants	Nombre d'armes légères en circulation au sein de la population
États-Unis	89/96	270 000 000 à 310 000 000
Yémen	55	11 500 000
Suisse	46	3 400 000
Finlande	45	2 400 000
Chypre	36	275 000
Arabie saoudite	35	6 000 000
Irak	34	9 750 000
Uruguay	32	1 100 000
Canada	31	9 950 000
Islande	30	90 000
Autriche	30	2 500 000
Allemagne	30	25 000 000
Koweït	25	630 000
Nouvelle Zélande	23	925 000
Grèce	23	2 500 000
Croatie	22	950 000
Émirats arabes unis	22	1 000 000
Liban	21	750 000
Qatar	19	520 000
Pérou	19	750 000
Thaïlande	16	10 000 000
Mexique	15	15 500 000
Jordanie	12	630 000
Pakistan	12	18 000 000
Estonie	9	123 000
Russie	9	12 750 000
Jamaïque	8	215 000
Brésil	8	14 840 000
El Salvador	6	400 000
Colombie	6	2 700 000
Royaume-Uni	6	3 400 000
Maroc	5	1 500 000
Chine	5	40 000 000
Inde	4	46 000 000

Source : Small Arms Survey Research Notes, Number 9, September 2011.

Tableau 7 – Populations réfugiées, déplacées et personnes vulnérables
en besoin d'assistance humanitaire
Situation au 30 juin 2014

	Population réfugiée	Population déplacée	Demandeurs d'asile	Autres personnes vulnérables en besoin d'assistance (1)	Total
1. Syrie	666 266	6 520 800	2 472	160 000	7 349 538
2. Colombie	182	5 700 000	58		5 700 240
3. RDC	113 357	2 963 799	1 453	734 874	3 813 483
4. Nigeria	1 683	3 300 000	800		3 302 483
5. Palestine	2 994 000	250 000			3 244 000
6. Jordanie	2 641 894	–	4 368	0	2 646 262
7. Soudan	159 838	2 426 000	10 792	39 679	2 636 309
8. Irak	246 294	2 100 000	5 976	244 150	2 596 420
9. Pakistan	1 616 495	747 498	5 384	90 637	2 460 014
10. Turquie	609 911	953 700	52 419	1 086	1 617 116
11. Somalie	2 416	1 133 000	9 867	140 875	1 286 158
12. Liban	1 256 529		2 253	3 677	1 262 459
13. Birmanie	–	372 000		840 388	1 212 388
14. Kenya	534 920	412 000	52 270	20 000	1 019 190
15. Afghanistan	16 861	631 286	63	336 981	985 191
16. Centrafrique	14 313	935 000	2 635		951 948
17. Iran	857 342		46	0	857 388
18. Côte-d'Ivoire	2 955	24 000	586	741 153	768 694
19. Éthiopie	433 923	313 000	920	1 024	748 867
20. Yémen	241 276	307 000	8 181	93 055	649 512
21. Thaïlande	136 474	–	4 683	506 413	647 570
22. Azerbaidjan	1 377	609 029	269	3 585	614 260
23. Soudan du Sud	229 587	383 000	21	392	613 000
24. Tchad	434 461	90 000	298	384	525 143
25. Mali	14 000	254 000		57 000	325 000

(1) Ce chiffre comprend les personnes rapatriées, les apatrides et autres personnes en urgent besoin d'assistance humanitaire.

Sources : UNHCR ; UNRWA ; IDMC ; USCRI ; NRC.

Les auteurs

Bertrand Badie est professeur des universités à l'Institut d'études politiques de Paris (Sciences Po).

Jean-François Boyer est journaliste et écrivain.

Colette Braeckman est journaliste au quotidien *Le Soir* (Belgique) et auteure du blog *Le Carnet de Colette Braeckman* (<http://blog.lesoir.be/colette-braeckman>).

Raphaëlle Branche historienne, est professeure à l'université de Rouen.

Frédéric Charillon est professeur des universités à l'université d'Auvergne et directeur de l'Institut de recherches stratégiques de l'École militaire (IRSEM).

Marielle Debos est maîtresse de conférences à l'université Paris Ouest-Nanterre-La Défense et chercheuse à l'Institut des sciences sociales du politique (ISP/CNRS).

Alain Deneault docteur en philosophie et essayiste, est enseignant au département de science politique de l'université de Montréal.

Milena Dieckhoff est doctorante au CERI (Sciences Po Paris).

Nicolas Dot-Pouillard est chercheur à l'Institut français du Proche-Orient (Ifpo, Beyrouth), et *core-researcher* au sein du programme « When authoritarianism fails in the Arab world » (Wafaw, European Research Council).

Frédérick Douzet est professeure à l'Institut français de géopolitique de l'université Paris 8. Titulaire de la chaire Castex de cyberstratégie.

Éric Frécon est enseignant-chercheur à l'École navale, coordinateur de l'Observatoire Asie du Sud-Est à Asia Centre (Paris).

Laurent Gayer est chargé de recherche CNRS/CERI (Sciences Po Paris).

Mathilde Goanec journaliste, collabore avec différents médias français. Elle est également responsable du pôle Eurasie de la revue en ligne *Grotius International* (<www.grotius.fr>).

Régis Genté	est journaliste, correspondant au Caucase et en Asie centrale pour différents médias français et internationaux.
Pierre Grosser	historien, enseigne l'histoire des relations internationales et les enjeux mondiaux contemporains à Sciences Po Paris.
Thomas Hippler	est maître de conférences à Sciences Po Lyon.
Razmig Keucheyan	est maître de conférences à l'université Paris-Sorbonne.
Géraud de La Pradelle	est professeur émérite de l'université Paris Ouest-Nanterre-La Défense.
Sébastien-Yves Laurent	est professeur des universités à l'université Bordeaux 4.
Nicolas Lemay-Hébert	est *senior lecturer* au département de développement international de l'université de Birmingham (Grande-Bretagne).
Pierre-Jean Luizard	est directeur de recherche au CNRS, historien de l'islam contemporain dans les pays arabes du Moyen-Orient.
Alhadji Bouba Nouhou	est enseignant-chercheur à l'université Bordeaux 4.
Cédric Poitevin	est directeur adjoint du Groupe de recherche et d'information sur la paix et la sécurité (GRIP).
Jean-Luc Racine	géopolitologue, est directeur de recherche émérite au CNRS et vice-président d'Asia Centre.
Frédéric Ramel	est professeur à Sciences Po Paris et chercheur au CERI.
Philippe Rekacewicz	est géographe, cartographe et journaliste.
Claire Rodier	est juriste et membre du Groupe d'information et de soutien des immigré.e.s (GISTI) et du réseau Migreurop.
Élie Tenenbaum	agrégé d'histoire, est doctorant à Sciences Po-CERI.
Jean-Pierre Tuquoi	est journaliste et essayiste spécialiste de l'Afrique et du Maghreb.
Dominique Vidal	est journaliste et historien, auteur de nombreux ouvrages sur le Proche-Orient, spécialiste des questions internationales.
Fabrice Weissman	est directeur du Centre de réflexion sur l'action et les savoirs humanitaires (CRASH) abrité par la Fondation Médecins sans frontières
Olivier Zajec	est maître de conférences à l'université Lyon 3.

BUSSIÈRE

Composition Facompo, Lisieux.
Impression réalisée par CPI Bussière
à Saint-Amand-Montrond (Cher)
en août 2014.
Dépôt légal : septembre 2014.
N° d'impression : 2011420.
Imprimé en France